MILLE CHÂTEAUX, FORTERESSES ET PALAIS

MILLE CHÂTEAUX, FORTERESSES ET PALAIS

Voyage illustré à la découverte
des plus beaux édifices sur cinq continents

Mille châteaux, forteresses et palais
© Naumann & Göbel Verlagsgesellschaft mbH
au sein de la VEMAG Verlags- und Medien Aktiengesellschaft, Cologne
Auteur : Friedemann Bedürftig
Illustrations en couverture : Silvestris, Kastl
Fabrication : Naumann & Göbel Verlagsgesellschaft mbH, Cologne

Sous la direction de l'équipe de la Centrale d'Achats Maxi-Livres :
Direction : Alexandre Falco
Responsable des publications : Françoise Orlando-Trouvé
Responsable du projet : Caroline Hoerni

© 2002 Maxi-Livres pour la présente édition
www.maxi-livres.com

Imprimé en Espagne

ISBN 2-743-44155-0

Avant-propos

Les langues ne s'accordent pas toutes pour définir le château par rapport au château fort et au palais. Le *palazzo* italien peut être un château aux yeux d'un Français, et ce que l'on appelle un *kasteel* aux Pays-Bas peut valoir en Angleterre pour un *palace*. La langue allemande définit ces termes assez vaguement. Le terme de monument n'est pas même apte à couvrir toute la gamme de somptueux édifices, de vieilles fortifications et de résidences, avec, ici et là, des exemplaires plus austères, que nous avons néanmoins choisis pour leur charme ou leur importance historique.

Ainsi trouverez-vous dans cet ouvrage, à côté d'édifices modernes et de belles maisons, quelques ruines difficilement qualifiables de château ou de citadelle. Chaque civilisation laisse l'empreinte de son style propre d'architecture d'apparat, même si l'architecture occidentale domine dans le monde. La domination de l'homme blanc fit qu'en transportant ses prédilections dans les régions « découvertes »,

celui-ci supplanta hélas parfois aussi les coutumes autochtones. En d'autres lieux, comme en Australie, il a le mérite d'y avoir importé une architecture digne de ce nom. Des vestiges indiens en Amérique révèlent qu'une grande civilisation tomba aux mains des conquérants. En Afrique septentrionale et dans quelques régions noires africaines, seules des ruines éparses témoignent de la prospérité de grandes civilisations ayant existé depuis des temps immémoriaux, bien avant l'arrivée des Européens. L'Asie fut également marquée de l'influence européenne, mais sur ce continent, notamment sur le sous-continent indien, en Chine et au Japon, s'était développé un style d'architecture si caractéristique que les Occidentaux le respectèrent. Le caractère des palais et des édifices dynastiques y fut conservé et certains motifs de décoration firent même le chemin inverse, de l'Asie vers l'Occident.

Ce livre est divisé en six chapitres correspondant à six continents. Chaque chapitre est précédé d'une vue d'ensemble du continent traité,

signalant d'un point rouge les édifices mentionnés. Certaines îles, comme Porto Rico, Madère ou les îles Canaries, ne sont pas classées sous leur appartenance politique, mais dans leur contexte géographique. Sur chaque page double se trouve un schéma de carte, dont les numéros renvoient aux édifices traités.

Mille édifices – voilà qui paraît beaucoup, mais n'est qu'un avant-goût, une infime partie des somptueuses créations architecturales de l'homme. La sélection est subjective, ce qui se révèle déjà dans la place prépondérante accordée aux palais et aux châteaux européens, encore qu'ils ne représentent qu'une quantité infinitésimale par rapport aux merveilles existantes. Les illustrations, choisies avec soin, raviront le lecteur par leur beauté, et les brefs portraits qui les accompagnent en sont un complément informatif.

L'éditeur

Sommaire

Europe 8

Asie 318

Afrique 374

Amérique du Nord et
Amérique centrale . . 400

Amérique du Sud 440

Australie et Océanie 462

Index 474

Europe

Des châteaux tout en contrastes

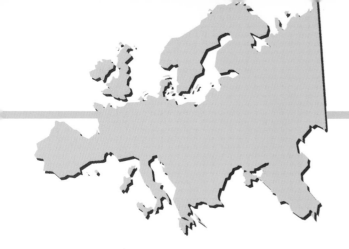

L'Europe est un continent contrasté, mais portant en tout lieu, profondément enracinées dans des traditions communes, les marques de l'Occident et l'empreinte de vieilles civilisations. Ce patrimoine commun, légué par l'Antiquité et le christianisme, se reflète, au-delà des frontières et à travers les siècles, aussi dans l'architecture. Des confins de l'Europe septentrionale, avec le Palais de Catherine à Pouchkine, dans les environs de Saint-Pétersbourg, à ceux de l'Europe méridionale, avec, en Italie, La Rocca o Guaita à Saint-Marin, tous sont sous l'influence du christianisme. Ces architectures, issues de diverses cultures et civilisations, portent toutes, au-delà des distances et des époques, la même signature esthétique. Des bâtisseurs italiens créèrent le château d'or des tsars, et des Romains développèrent la technique de la forteresse, qu'exemplifie le château fort construit au Xe siècle sur l'éperon d'une montagne, non loin du littoral de l'Adriatique. Les points communs dans la diversité sont ce qui caractérise les palais et les bastions présentés dans les pages suivantes. Ils reflètent l'image qu'eurent d'eux-mêmes les souverains de tous les temps, qu'ils fussent princes ou ecclésiastiques, qui, avec ces édifices impérissables, s'élevèrent de dignes monuments. À chaque nouvelle génération de les entretenir, car la « Maison d'Europe » tire son identité du grand passé que racontent ces magnifiques demeures et imposants bastions. Du bastion sur le détroit de Gibraltar aux forts finlandais, des châteaux de la Loire aux palais des princes de l'Église sur l'île de Chypre, s'alignent les monuments du Vieux Monde. Vieux, certes, mais comme vieillit le vin.

Europe

Palais royal ❶
Oslo

La résidence des rois de Norvège dans la capitale Christiania, aujourd'hui Oslo, ne date que de la première moitié du XIXᵉ siècle. Une armée d'ouvriers y travailla pendant un quart de siècle, de 1823 à 1848, mais le temps et l'argent investis dans cet édifice de style classique en ont valu la peine. Les visiteurs trouvent en arrivant devant la suprême résidence, rénovée en 1998, un ensemble somptueux, avec une large façade et un portique respectable, lequel n'est cependant accessible que sur invitation. Les visites ne sont pas prévues. Mais les touristes ont assez à admirer de l'extérieur. Chaque jour à 13 h a lieu la relève de la garde et l'on a parfois la chance de voir paraître des membres de la famille royale ou du gouvernement. Le roi Harald V, depuis 1991 également chef de l'État, est populaire au-delà des frontières de la Norvège.

Fort Akershus ❷
Oslo

Une forteresse rayonnant dans la clarté du soleil, révélant les couleurs claires de sa façade Renaissance. Construit entre 1588 et 1648, seul l'obscur arrière-plan du fort laisse transparaître son passé guerrier. Il se trouvait autrefois devant les portes de Christiania. Aujourd'hui il fait partie de la ville d'Oslo. De la forteresse ne témoignent plus que les remparts. Le caractère de palais est souligné par d'élégantes tours et un pignon découpé.

Une visite à l'intérieur de la forteresse au musée de la Résistance (*Norges Hjemmefrontmuseet*), qui renseigne objectivement, mais de façon émouvante, sur l'occupation du pays par l'armée allemande durant la Deuxième Guerre mondiale, en vaut la peine. Des visites guidées en anglais et en norvégien sont offertes pour l'ensemble du château.

Château de Drottningholm ❸

Stockholm

L'élégance française fut toujours de bon ton en Suède, et pas seulement depuis qu'avec la dynastie Bernadotte c'est le descendant d'un maréchal français qui occupe le trône de Suède. Le jardin aux plates-bandes extrêmement ordonnées que l'on traverse pour arriver au château construit en 1690 en est la meilleure preuve. Il est situé à la périphérie du centre ville. On lui ajouta au XVIIIᵉ siècle des ailes latérales aménagées, à l'intérieur, en style rococo. Le théâtre attaché au château, et fondé en 1766 pendant cette phase de construction, présente encore aujourd'hui des mises en scène très appréciées, qui transposent les spectateurs dans l'atmosphère de la vie et des manières courtisanes de l'époque. Au fond du parc se trouve un très beau château de plaisance.

Palais royal ❹
Stockholm

Les familles royales sont des familles nombreuses, mais en imaginant même que toute la famille royale y emménage, chaque membre serait très seul dans les cinq cent cinquante pièces de ce château des monarques suédois entrepris en 1690 sur les plans de l'architecte Nicodemus Tessin le Jeune (1654–1728). Les travaux durèrent soixante-quatre ans. Le bâtiment principal, presque carré possède quatre ailes latérales. La partie nord est en partie constituée par la vieille forteresse des Vasa. On se doit de visiter les somptueuses salles du deuxième étage et l'exposition des joyaux de la couronne. Quelques pièces sont pourvues de l'ameublement original, notamment les appartements du roi Oscar II (règne 1872–1907) et du petit-fils du fondateur français de la dynastie, le maréchal Bernadotte.

Château de Gripsholm ❺
environs de Mariefred

Dans une nouvelle de l'écrivain allemand Kurt Tucholsky, *Le Château de Gripsholm* (1931), le site est décrit comme un endroit propice à la rêverie. Cette description, qui donnerait à penser que le site est charmant, environné d'eau, prend dans les souvenirs de l'auteur un arrière-goût d'amertume. Il vivait à Mariefred en exil, comme un Allemand qui avait « cessé de l'être », les nazis lui ayant pris sa terre natale. Coupé de sa langue maternelle, un écrivain n'a plus de terre natale. Le mal du pays qui s'ensuivit et son désespoir face au régime meurtrier qui régnait en Allemagne le menèrent en 1935 à se suicider. Il n'avait que quarante-cinq ans. Cette histoire ne change rien à la beauté du château rouge et du lac bleu de Mälar sous la clarté du ciel. Le charme du lieu y participe autant que la tombe du poète.

Château de Lackö ❶
Västergötland

Quand on ne disposait pas, au Moyen Âge, de montagne ou de roc naturel sur lesquels construire les forteresses, on les bâtissait sur une île. Ainsi Fort Lackö, en Suède, fut-il construit en 1298 à Västergötland. Détruit dans un incendie un siècle et demi plus tard, il dut être entièrement reconstruit. La reconstruction eût-elle été aussi réussie si l'édifice n'avait pas été la proie des flammes ? C'est aujourd'hui un palais, quoiqu'il ait gardé un petit air de forteresse, derrière son crépi blanc, ressortant bien dans les deux grosses tours, la tour rectangulaire et, un peu plus fine, la plus grosse des tours rondes. La douceur du paysage environnant et le raffinement du château comportant une centaine de pièces, dont une magnifique salle des chevaliers, font oublier le côté militaire de l'édifice.

Château de Kalmar ❷

Les Néerlandais appellent leurs palais Kasteel. Les Suédois appellent, eux, châteaux ou palais les édifices bâtis pour assiéger les forteresses adverses. La forteresse de Kalmar symbolise ainsi à la fois l'unité et les dissensions scandinaves au fil de l'histoire. C'est ici que Marguerite, fille du roi de Danemark, imposa en 1389, après avoir épousé le roi de Norvège, l'union de Kalmar aux États de Danemark, de Norvège et de Suède. L'alliance tint, avec quelques interruptions, jusqu'en 1523, après quoi les dissensions reprirent le dessus. La forteresse de Kalmar, sur le détroit du même nom en face de l'île d'Öland, reconstruite et élargie au XVIᵉ siècle après un incendie, devait protéger la côte suédoise des attaques danoises et dissuader d'emblée les agresseurs.

Château d'Olavinlinna ❸
Savonlinna

Le pays des mille lacs et festivals en plein air ? Incroyable mais vrai ! Un point lumineux se détache sur la vue aérienne de la cour intérieure du château d'Olavinlinna (« Château d'Olof »), à Savonlinna, au sud-est de la Finlande. C'est une scène de théâtre, où sont donnés, l'été, des spectacles. La période estivale est courte, et quand la saison ne permet pas les représentations en plein air, les manifestations culturelles ont lieu dans une salle, qui a une si bonne acoustique que l'on y instaura, en 1987, un Festival d'opéra. Ces festivités contrastent vivement – c'est ce qui en fait le charme – avec l'imposante allure militaire des murs et des tours datant des origines du château fort en 1475. Olavinlinna, qui à l'époque était en territoire suédois, avait été bâti pour repousser les attaques venant de l'Est. Quand les Russes annexèrent la Finlande, en 1809, ils utilisèrent la forteresse pour parer à l'esprit de revanche des Suédois. Depuis 1917, les Finlandais sont, enfin, maîtres de cette fabuleuse oasis.

Château de Marselisborg ❹
Århus

Les monarques de Copenhague bâtirent, au sud d'Århus, la deuxième ville du Danemark, une résidence d'été, relativement petite mais très jolie. L'édifice soigneusement rénové, d'une blancheur éclatante et avec des décorations en stuc du XIXᵉ siècle, se trouve devant un très beau parc sauvage et accessible au public. Une pierre commémorative y est élevée à la mémoire de plus de quarante mille jeunes Danois tombés en Allemagne pendant la Première Guerre mondiale. Un cadre aussi beau et accueillant ne se prête-t-il pas à l'évocation des sombres côtés de l'Histoire, inconnus de la plupart des visiteurs ?

Château de Fredensborg ❺

L'intense désir de paix ressenti après la Grande Guerre nordique, que les Danois firent cesser, poussa le roi Frédéric IV à commander à son jardinier paysagiste, Johann Cornelius Krieger, une modeste résidence estivale sur les bords du lac Esrum, au nord de l'île Seeland. De 1721 à environ 1770, s'édifia donc peu à peu, un havre de paix, c'est vrai, mais modeste uniquement en comparaison avec Versailles ou Sans-Souci. Il n'a pas le faste des édifices baroques d'Europe du Sud, mais une structure robuste, un bâtiment central surmonté d'un très joli comble, de larges ailes, et de grandes voies d'accès. Le château de Fredensborg et son parc attenant, encore utilisé comme résidence estivale par la famille royale, est accessible au public quand celle-ci ne s'y trouve pas.

Château de Christiansborg ❻
Copenhague

À l'époque de la démocratie et de l'esprit civique, un monarque ne peut décemment pas habiter les vieux châteaux du passé. L'ensemble baroque du château de Christiansborg, à Copenhague, est utilisé à d'autres fins. Siège du parlement danois (*Folketing*), de la Chancellerie d'État et de la Cour suprême, la reine n'y exerce ses fonctions qu'en des occasions exceptionnelles exigeant la présence du chef d'État.

Construit entre 1732 et 1740, l'édifice entouré d'eau fut détruit peu après par un incendie, puis entièrement reconstruit de 1907 à 1920. Les amateurs d'art apprécieront la visite du musée Thorwaldsen qu'il abrite, d'autres touristes préféreront les visites guidées dans la salle du parlement, les pièces représentatives et autres salles.

Château de Frederiksborg ❶
Hillerød

On se demande, en voyageant dans cette région du Danemark, pourquoi le roi Frédéric IV se fit construire une résidence en 1721, alors qu'à quelques kilomètres au sud du château baroque de Fredensborg, en plein centre de Hillerød, se trouve le fabuleux château Renaissance de Frederiksborg. On comprendrait, tout au plus, qu'il ait désiré une construction basse, car Frederiksborg, bâti sur trois îles, dresse ses pignons et ses tours. Les travaux commencèrent en 1560 sur ordre du roi Frédéric II, et durèrent si longtemps que l'on voit déjà s'insinuer des éléments baroques sur le portail et les toits des tours. Le château brûla en 1859, mais fut reconstruit grâce au mécénat de célèbres brasseurs, d'abord J. C. Jacobson, puis la fondation Carlsberg.

Château de Holckenhavn ❷
près de Nyborg

Vu les dimensions de l'édifice et l'époque tourmentée, il n'est pas étonnant que les bâtisseurs de la Renaissance aient mis presque un demi-siècle à construire le château de Holckenhavn près de Nyborg sur l'île danoise de Fionie. Commencé en 1585, il ne fut terminé qu'en 1634, l'entrée du Danemark dans la guerre de Trente Ans (1625-1629) peu avant la fin de celle-ci ayant retardé les travaux. L'alignement de bâtiments en brique donne à l'ensemble l'apparence austère d'une architecture militaire. Sans la tour surmontée d'un très joli comble, et les élégants pignons, on croirait se trouver devant une forteresse. La végétation et le parc adoucissent l'ensemble.

Château Holstenshuus ❸
près de Fåborg

Holstenshuus, près de Fåborg au sud des îles de Fionie (Fyn) est une modeste demeure par rapport aux impressionnants manoirs danois. Le charme du site retiré, au bord d'un lac, de l'édifice en brique rouge du XVIIᵉ siècle, au cœur d'une luxuriante verdure, compense largement son manque de faste et de grandeur. La demeure n'est d'ailleurs pas entièrement sans ornements. Le portail et les arcades, la tour centrale et les pignons latéraux forment une harmonie architecturale agréable que le calme et la séduction du lieu accentuent. La tour prolongée par son reflet dans l'eau semble s'exclamer d'admiration devant ce décor idyllique aux confins de l'île, tant apprécié par les Danois comme lieu de vacances.

Château Egeskov ❹

Un château s'élève au milieu d'une île de Fionie, qui fut à l'origine une grande exploitation agricole fortifiée, comme beaucoup de propriétés foncières après la période de troubles que fut en Europe la Réforme. Ainsi naquit en 1554 ce château fort entouré d'eau, transformé en résidence, une fois révolues les périodes de menace. Le jardin à la française, aménagé en 1730, surprend dans ce cadre nordique, avec ses buissons et ses haies strictement taillées, ainsi que ses parterres géométriques lui donnant un étrange accent. Un musée abritant depuis 1967 dans la grange du château une collection de voitures anciennes n'est pas moins stupéfiant. Les voitures de luxe reluisantes tranchent curieusement sur la pierre Renaissance.

Château Valdemar ❺
Troense

L'île Tåsinge, qu'un détroit sépare du reste du site et accessible par bac ou par un pont depuis Svendborg, est suspendue comme une goutte sur la pointe sud de l'île de Fionie. À quelques kilomètres de là, à Troense, le château Valdemar, un vieux manoir au bord de l'eau du nom d'une famille royale du Danemark, est un lieu d'excursion apprécié. D'un abord simple, il a une vie intérieure très animée. Une exposition très bien faite du mobilier original et de la bibliothèque des XVIIIᵉ et XIXᵉ siècles, sur une vingtaine de salles, éveille l'impression qu'à chaque instant va surgir un personnage d'époque, juste sorti faire une course. Le visiteur a, l'espace d'un instant, le sentiment de revivre le passé.

Danemark
Europe

Château de Vallø ❶

Il ne reste plus grand-chose du colossal château de Vallø, forteresse bâtie au XIIIᵉ siècle et restaurée en 1586, au sud de l'île Seeland, à une trentaine de kilomètres de Copenhague près de Køge. C'est à peu près tel qu'il fut alors restauré que nous l'admirons aujourd'hui. Frédéric IV, roi de Danemark et de Norvège, l'acheta en 1708 et le légua à sa fille Sophie Mag-dalene, qui en fit une maison d'accueil des dames célibataires de l'aristocratie et de la famille royale. Vallø fut entièrement rénové en 1970, mais l'intérieur n'est pas ouvert au public. La forêt, en revanche, aménagée dans un magnifique parc de plus de cent hectares, accueille qui veut y passer quelques agréables moments.

Château de Dallund ❷

Sur l'extrême pointe septentrionale de l'île de Fionie se trouve la ville portuaire de Bogense, appréciée des amateurs de voile, mais qu'il est également agréable de visiter à bicyclette. De charmants petits coins retirés, dans un paysage de forêts, de lacs et de champs défilant en alternance, et que traversent des senteurs fraîches, attendent le cycliste. Il arrive, au bout de quelques kilomètres, à Søndersø, et trouve bientôt, au bord d'un lac, le château de Dallund, dont les pignons blancs contrastent agréablement avec la verdure environnante. Du château, harmonisant avec ce cadre de verdure, émane la paisible atmosphère des grands manoirs. Ce site au bord de l'eau évoqua peut-être au bâtisseur ce vers de la Bible : « Seigneur, il est heureux que nous soyons ici ; si tu le veux, je vais faire ici trois tentes. » Quelles magnifiques tentes !

Château de Krengerup ❸

En suivant la route de Glamsbjerg à Nyrup, sur l'île de Fionie, on arrive par les portes d'impressionnantes écuries au château de Krengerup, un vieux domaine seigneurial au sud du point culminant de l'île, le mont Frøbjerg, à cent trente et un métres d'altitude. Le bâtiment principal, construit entre 1772 et 1780 en néoclassique pour le comte Frederik Sigfred Rantzau, se trouve à une distance « respectable » des communs, accusant la distance entre maître et valets. Le domaine est encore aujourd'hui propriété de la famille. L'accès au bâtiment principal n'est possible que lors de concerts ou autres manifestations culturelles. Les forêts alentour du château sont publiques, à condition de ne pas quitter les chemins de randonnée.

Château de Brahetrolleborg ❹

À une dizaine de kilomètres au nord-est de Fåborg, dans le sud-ouest de l'île de Fionie se trouve, sur un plateau lacustre, presque tombé dans l'oubli, le grand manoir de Brahetrolleborg qui, à des époques reculées, et sans doute dès son origine, au XVIIᵉ siècle, brilla d'un tout autre éclat. Jadis propriété du riche intendant de la cassette royale, Kristoffer Gabel (1617–1673), il fut bien entretenu. Seuls les toits en cuivre du clocher pointu (à gauche) et du clocher à bulbe ajouté à l'angle droit témoignent encore, sur cette photo, de la splendeur passée. Les proportions révèlent aussi l'architecture à l'œuvre.

Château de Tranekaer ❺

Visible au loin juché sur sa colline, le château de Tranekaer, tout entouré d'eau, offre une vue panoramique jusqu'à la côte ouest de l'île Langeland sur la Baltique. Forteresse à l'origine, d'où les créneaux sur le clocher, il fut transformé plus tard en cette habitation rouge. Une localité du même nom qui abritait autrefois le personnel du château se créa sous l'effet de son rayonnement. Derrière les murailles s'étend un parc de soixante-quinze hectares que les amis de la nature et les randonneurs ne peuvent contourner, ses nombreuses variétés d'arbres étant exceptionnelles. Le château lui-même est propriété privée et ne peut être visité, mais se découvre sous diverses perspectives au cours d'une randonnée.

Château de Gråsten ❻

Un peu à l'ouest de Sønderborg, au sud-est du Jylland, se trouve la petite localité de Gråsten, que la présence du château valorise. Le manoir, propriété de la famille Ahlefeldt, autrefois beaucoup plus grand et somptueux, fut remplacé plus tard par cet austère bâtiment neuf qui, depuis 1935, sert de résidence d'été à la reine mère, aujourd'hui Ingrid, mère de la souveraine Marguerite II. Lorsque la châtelaine est présente, la famille royale séjourne régulièrement au château de Gråsten, à l'abri des regards, et surtout de la presse, toujours en quête de photos inédites des hautes sphères danoises. Le mariage de la princesse Alexandra avec le comte Jefferson Friedrich dans l'église baroque du château en 1998 y attira beaucoup de monde.

Grande-Bretagne
Europe

Tour de Londres ❶
Londres

La Tour blanche, la plus ancienne de ce donjon fortifié, commencé en 1077 par Guillaume le Conquérant et terminée en 1097, servit tour à tour de citadelle, de palais royal et, jusqu'en 1820, de prison d'État. Il ne subsiste plus de sa fonction carcérale et de l'abominable exécution de sentences criminelles prononcées ici, que le nom de certains bâtiments, comme la porte des Traîtres, une porte en bois aux garnitures de fer, non loin de l'entrée. Dans un roman de Theodor Fontane, *Der Stechlin*, la baronne Mélusine recommande au héros d'aller visiter ce plus vieux monument de la capitale, lorsqu'il s'y rendrait. Écoutons Mélusine parler du lieu qui conduisait jadis aux exécutions : « Celui devant qui s'ouvrait jadis cette porte n'avait plus longtemps à vivre. Les marches y sont glissantes... » La tour de Wakefield, qui renferme les joyaux de la Couronne, donne moins la chair de poule.

Mousa Broch ❶

À problème égal, solution égale. Les brochs d'Écosse, forteresses de l'époque glacière parentes des nuraghis de Sardaigne, d'étranges refuges en cônes tronqués, abritaient, comme ceux-ci, la population en cas de danger. Le broch de Mousa, petite île située devant Mainland, l'île principale de l'archipel des Shetland, au nord de l'Écosse, est un tronc de cône de plus de dix mètres de haut, et à double muraille, qui contenait jusqu'à deux cents personnes. L'alimentation en eau n'était pas un problème vu les pluies fréquentes dans cette région.

Château de Dunvegan ❷

On atteint le Loch Dunvegan et son château, de Kyleakin, par Lusa et Broadford, en passant devant Leod's Maiden, trois étranges colonnes de basalte, et Sligachan. Le nom trahit déjà que nous sommes en Écosse, ❶ plus précisément sur l'île de Skye, au nord-ouest du pays. Sombre et comme hanté d'une foule de personnages légendaires, il est tourné vers la mer. Il appartient depuis le XIIIe siècle aux MacLeod, qui se sont perpétués aussi longtemps parce qu'ils auraient été protégés par un pavillon de soie qu'une fée amoureuse aurait donné jadis au chef du clan, sans doute à l'heure des revenants.

Château d'Eilean Donan ❸

Avant de devenir roi (de 1306 à 1329), Robert Ier Bruce, qui, comme tous les héritiers du trône, était poursuivi par les Anglais, dut jadis avoir le cœur en fête en voyant se dresser devant lui la maison fortifiée des McKenzie. C'était un lieu sûr, et après sa victoire en 1314, près de Bannockburn, il éleva l'édifice qui l'avait sauvé au rang de base royale. Le château se trouve sur la route A87 sur la côte ouest de l'Écosse, à proximité de l'île de Skye, dans les environs de Kyle of Lochalsh, tourné depuis 1220 vers les flots bleus de Loch Duich et les collines boisées d'en face, réjouissant aujourd'hui le visiteur.

Château d'Inveraray ❹

« Une merveille à couper le souffle ! » Nous ne comprenons pas bien cette inscription du livre des hôtes du château situé à environ quatre-vingts kilomètres au nord-ouest de Glasgow, ni cet enthousiasme, car il fallut, pour construire ce château féerique, en faire disparaître un du XVe siècle. Nous ne pouvons dire aujourd'hui à quel point ce fut un acte regrettable. Une seule chose est sûre, et là l'auteur de l'inscription a raison, l'édifice de la seconde moitié du XVIIIe siècle qui a remplacé celui du Moyen Âge est plus que réussi, avec son jardin et sa perfection mettant une sourdine à toute nostalgie.

Grande-Bretagne
Europe

Château de Dunrobin ❶

Dans une région exposée aux intempéries de la mer, aux pluies, aux vents de marée, aux tempêtes, il fait bon vivre à l'abri d'une demeure fortifiée. Celle-ci, avec ses cent quatre-vingt-neuf pièces, survécut intacte aux aléas de l'histoire. Rien ne put ébranler Dunrobin Castle, le plus au nord des manoirs écossais. Pour admirer ses tours pointues, en gravir les étroites marches, et voir se découvrir la mer du Nord du haut des mansardes, il faut faire une cinquantaine de kilomètres sur la route A 9 à partir d'Inverness. Le château n'était naturellement pas aussi léché à sa naissance au XIVe siècle, mais il fut maintes fois embelli au cours des époques.

Château de Brodie ❷

Les Brodie avaient des druides comme ancêtres, des prêtres celtes qui avaient des dons de voyance et virent peut-être jadis que leur descendance habiterait un jour un fier château écossais. Les Brodie sont en tout cas attestés dès 1160 sur le lieu de leur propriété, située à une vingtaine de kilomètres à l'est d'Inverness, sur la côte de la mer du Nord. Le bâtiment actuel, bien que reconstruit en 1645 après un incendie qui avait dévasté la forteresse d'origine, a encore bien l'aspect d'une citadelle. À l'intérieur, le visiteur est cependant surpris par l'élégance des salles et des salons, dont une niche vitrée toute bleue, un coin très intime avec un merveilleux plafond en stuc et un mobilier Louis XV.

Château de Cawdor ❸

Des frissons parcourent le visiteur pénétrant dans l'enceinte grise du château de Cawdor, à quelques kilomètres à l'est d'Inverness, en Écosse. C'est là que se joue la sanglante tragédie de Macbeth, roi d'Écosse du XIe siècle, assassin présumé de son prédécesseur Duncan Ier. L'histoire inspira à Shakespeare un drame d'infamies et d'ambitions. L'austère demeure, néanmoins belle, ne mérite pas d'aussi sombres intrigues. La légende des origines du château lui convient mieux : un certain William de Cawdor rêva qu'on lui ordonnait de libérer un mulet de la charge d'or qu'il portait, à l'endroit où il s'arrêterait la première fois pour dormir, et d'y construire un château. La première pierre était posée.

Château de Kilvarock ❹

Incroyable mais vrai ! En prenant d'Inverness la direction de Nairn, on arrive sur une côte riante de la mer du Nord, plages blanches, phoques rêveurs et dormants, gais dauphins et, bordant le littoral, de gentils petits châteaux comme Kilvarock (ou Kilrock). L'éclairage où baigne, le soir, cette demeure de plus de cinq cents ans d'âge, ajoute au fantastique décor. On imagine mal y rencontrer des fantômes. Pourtant le loch Ness et le monstre de ses eaux ne sont pas loin, et le sol du proche marais de Culloden est imprégné du sang des héros écossais vaincus en 1746 par le duc de Cumberland. Notre château, lui, sourit sans relâche aux hôtes de l'hospice qu'il abrite.

Château de Balmoral ❺

« Il est midi, Majesté », imagine-t-on qu'ait dit un courtisan, à l'instant où fut prise cette photo. Le château de Balmoral, au pied des Grampians dans la vallée de la Dee est une des résidences d'été de la famille royale. Mais comme, en Écosse, rien ne va comme on s'y attend, le temps s'est peut-être arrêté. La reine Victoria et le prince consort Albert achetèrent le château en 1852 et l'élargirent d'une aile, faisant détruire à cet effet un vieux château bien trop petit pour les grandes occasions. Ils firent construire à la place une résidence modeste mais fantastique dans le style des édifices de Louis II de Bavière. Balmoral se lègue, depuis, de génération en génération.

Château de Braemar ❻

Les Highlanders écossais utilisent, tous les étés, le château de Braemar, qui surplombe la haute vallée de la Dee, comme coulisse de leur Royal Highlands Gatherings, festival auquel assistent des membres de la famille royale. Des rois résidèrent temporairement au château, construit au XVIIᵉ siècle, après sa modernisation en 1748. Mais la demeure austère ne suffit bientôt plus aux exigences monarchiques. Après avoir passé quelques étés à Braemar, la reine Victoria (règne 1837–1901) se fit construire, non loin de là, le château de Balmoral, et put continuer à assister au festival.

Grande-Bretagne
Europe

Haddo House ❶

L'entrée se trouve banalement au rez-de-chaussée, et on accède au premier étage par un escalier cintré à double révolution, rappelant le charme des pays du Sud. Haddo House, à une trentaine de kilomètres au nord d'Aberdeen, ne donne pas, dans l'ensemble, l'impression d'être en Écosse. Construite en 1731, la maison provient d'une époque où les Anglais avaient définitivement triomphé des Écossais, auparavant récalcitrants. S'étaient-ils aussi rendus sur le plan architectural ? Le caractère anguleux de l'édifice en pierre demeure toutefois, vestige de l'insoumission et de la rétivité des Écossais. Les canards, dans le parc, apprécient le pain qu'on leur apporte.

Château de Craigievar ❷
environs d'Aberdeen

Quel somptueux château fort, rectiligne en bas, enjoué en haut, jaillissant soudain du sol, dans la région vallonnée d'Aberdeen ! Inchangé depuis sa construction en 1626, l'édifice, décoré de gargouilles et de corniches, offre, d'en haut, une vue incomparable sur la campagne environnante. La tour aux nombreux clochers représentée ici n'est qu'une partie de ce ravissant site en forme de L. L'intérieur, datant du XVIIe siècle, est bien conservé. On y entre par cette porte, la seule, s'ouvrant sur des escaliers montant aux appartements du haut. Un de ces escaliers menait à un passage secret d'évasion.

Château de Fraser ❸

Un noble écossais du nom de Michael Fraser, se fit bâtir en 1575 un château situé à une vingtaine de kilomètres à l'ouest d'Aberdeen, près de Dunecht. Terminé en 1636, il domina, dès lors, le paysage avec sa grosse tour ronde, ses petites fenêtres encastrées dans la pierre et ses tourelles suspendues, paraissant collées aux angles.

Autour du château fut aménagé un grand parc à l'anglaise. L'intérieur, avec ses gobelins et son mobilier, est inspiré de la France. Presque toutes les pièces sont ouvertes au public. Le visiteur y trouve aussi une boutique de souvenirs.

Château de Slains ❹

Splendide ruine que ce pittoresque château élevé en 1597 sur la côte de la région d'Aberdeen ! Intact, il dut être aussi d'une très grande beauté. Samuel Johnson le qualifiait, en 1773, d'un des plus beaux châteaux du pays, et Bram Stoker fut tellement impressionné par cette ruine qu'elle inspira son célèbre roman, *Dracula* (1912), qui se joue dans ce décor. Surchargé de dettes, le vingtième comte d'Erroll, descendant du bâtisseur dans la onzième génération, fut obligé de le vendre en 1916. Le nouveau propriétaire le laissa complètement à l'abandon.

Château de Dunottar ❺
environs de Stonehaven

Situé à quinze kilomètres d'Aberdeen sur la côte est de l'Écosse, très escarpée, le château de Dunottar existait déjà au XIIᵉ siècle. Nous ne voyons sur la photo que les deux donjons rectangulaires et quelques ruines témoignant de l'histoire mouvementée de ce bâtiment en forme de L. Le site fut, comme beaucoup d'autres sur les îles Britanniques, une pomme de discorde pendant des siècles entre Écossais et Anglais. Même la puissante armée de Cromwell eut besoin en 1652 de huit mois pour vaincre la garnison écossaise de seulement 70 hommes. Puis le château de Dunottar fut abandonné. En 1720, il n'était plus qu'une ruine, qui n'attire pas que les touristes. Il plut aussi au cinéaste Franco Zeffirelli qui, en 1990, tourna à Dunottar son *Hamlet*.

Château de Blair ❻
Blair Atholl

Situé au pied des Grampians, une douzaine de kilomètres au nord-ouest de Pitlochry en Écosse, le château de Blair illumine de sa blanche façade la localité de Blair Atholl. Le château fort, dont les bâtiments les plus anciens datent du XIIIᵉ siècle, est habité depuis longtemps. Ses occupants, les ducs d'Atholl, y vivent avec tout le confort moderne, sauf qu'un curieux privilège les lie encore au passé de la forteresse. Ils sont les seuls au Royaume-Uni à avoir le droit d'entretenir une armée privée, les *Atholl Highlanders*. Tant qu'ils en ont les moyens.

Grande-Bretagne
Europe

Château de Glamis ❶

La forteresse de Glamis, plantée près de Forfar, en Écosse, n'a pas changé d'aspect en trois cents ans d'existence, dont une habitante en vécut cent. La mère de l'actuelle reine d'Angleterre, Élisabeth II, dite reine mère, fut d'une résistance à toute épreuve. Elle y vit le jour le 4 août 1900 sous le nom de Elizabeth Bowes Lyon. George VI (règne 1936–1952) ne résista pas à sa rayonnante beauté et demanda sa main. Elle lui donna deux filles, la souveraine actuelle et la princesse Margaret, également née au château de Glamis. On imagine mal la naissance de si tendres créatures dans des murs aussi martiaux, et encore moins que Shakespeare y ait situé sa sanglante tragédie *Macbeth*. La belle et la bête, toujours la même ritournelle.

Château de Drummond ❷
environs de Crief

Près de Crief, à l'ouest de Perth, le voyageur tombe soudain, au cœur de l'Écosse, sur un ensemble de bâtiments disparates surprenants, mais fascinants. Un jardin riant, aux couleurs gaies, monte en terrasses, puis s'élève le long d'un très bel escalier vers des murs gris et deux bâtiments gris-brun, d'un rayonnement différent. Celui de gauche, massif et rectangulaire, paraît froid et distant. C'est l'ancien château de Drummond. Le bâtiment de droite est plus riant et accueillant avec ses fenêtres, ses pignons, ses donjons et ses cheminées, malgré ses proportions trapues. Le roi Charles Ier s'y sentait bien au XVIIe siècle. Il y fit aménager de beaux jardins, enrichis par la reine Victoria qui y fit planter en 1842 des hêtres pourpres en souvenir de sa visite.

Palais de Scone ❸
Perth

Dans une région comme l'Écosse, parsemée de vénérables édifices, la vue du jeune palais de Scone, près de Perth, à l'embouchure de la Tay, étonne un peu. Juché sur une colline, l'édifice néogothique, aux façades recouvertes de lierre, s'intègre toutefois au paysage et ne dépare pas Moot Hill, la colline d'en face, lourde de passé. C'est là que des Écossais et des Pictes fondèrent en 846 leur première capitale commune, *celtic Alberta*. Une pierre, qui faisait partie du trône de couronnement des rois écossais, rappelle cet événement et ennoblit le palais de Scone.

Palais de Falkland ❹

Que la littérature mondiale serait pauvre sans les drames, les romans et les ballades inspirés de l'Écosse ! Marie Stuart (1542–1587) fut un des personnages tragiques ayant passé quelques heureuses semaines au château de Falkland. L'édifice, situé au cœur de la presqu'île de Fife, au pied de Lomond Hills, était assez loin d'Édimbourg pour que la jeune reine puisse oublier les affaires politiques, avant d'être victime des machinations de sa grande rivale Élisabeth Ire d'Angleterre. Le palais, merveilleusement restauré, avec ses jolis donjons est, à l'intérieur, d'une grande élégance et très accueillant.

Château de Stirling ❺

Un vieux château fort retranché derrière un rocher surveille du haut de son promontoire la ville de Stirling, à une quarantaine de kilomètres au nord-est de Glasgow. Il est beaucoup plus vieux que le laisse paraître la pierre, ne datant en grande partie que du xvᵉ–xviᵉ siècle. Des transformations ultérieures lui ayant enlevé son allure militaire, la forteresse domine maintenant la verte vallée en paisible home. L'édifice moyenâgeux, qui avait souffert dans les guerres d'indépendance des Écossais contre les Anglais, fut à son tour refait. En 1297, il avait tenu, dernier bastion écossais au sud de la Teith, contre Édouard Ier, puis fut cédé, et enfin reconquis en 1324.

Château de Newark ❻
Port Glasgow

La métropole de Glasgow se trouve au bord de la Clyde, le plus long fleuve de l'ouest de l'Écosse, et Port Glasgow au bout de l'embouchure du fleuve. Le château jouait, dans la ville côtière, exposée, par sa situation, aux menaces, le rôle de bastion. Le donjon fut bâti au xvᵉ siècle; le manoir de trois étages, surmonté d'une tour d'angle suspendue, ne fut ajouté qu'en 1590. Le château, qu'entourent les grues sur le port, fut toujours très bien entretenu, et l'est encore aujourd'hui. Du haut du donjon les visiteurs jouissent d'une magnifique vue sur le fleuve, et revivent dans les salles du château de grands moments historiques.

Grande-Bretagne
Europe

Château de Stalker ❶

Quittant Glasgow par le nord, on arrive aux monts Grampians, à travers un paysage littéralement « troué » de lochs, comme on appelle les innombrables lacs, souvent très profonds, qui parsèment la région. Le loch de Linnhe est plus qu'un lac, c'est un véritable fjord, un bras de mer. On y trouve, au bout d'une centaine de kilomètres de routes sinueuses, d'abord la petite ville d'Oban, puis une vingtaine de kilomètres au nord d'Oban, sur une île du lac de Creran, la forteresse de Stalker. Le bâtiment solitaire, œuvre de l'homme, se confond presque avec le rocher au premier plan, œuvre de la nature. Le château du XVe siècle changea fréquemment de propriétaire. Il appartient aujourd'hui aux Stewart, qui le restaurent depuis 1965.

Château de Culzean ❷

La vue qui s'ouvre de ces fenêtres a presque davantage ému le cœur des Écossais que ce château, situé à une cinquantaine de kilomètres au sud-ouest de Glasgow, surplombant l'estuaire de la Clyde, jusqu' à inspirer le plaintif *Mull of Kintyre*, de Paul McCartney : « My desire is always to be here... ». Mais le château lui-même et son entourage immédiat sont aussi très beaux. Le cœur des Écossais s'emplit de fierté, et celui des visiteurs d'admiration, devant ce mariage d'une nature si sauvage et d'une architecture géorgienne d'une si grande finesse. Le stress est vite oublié dans les jardins aux allées de rhododendrons.

Château de Linlithgow ❸

« À nos montures ! Nous allons à Linlithgow,/ Reste à mes côtés !/ Nous allons pêcher et chasser / Heureux comme jadis », dit le roi Jakob à Archibald Douglas après leur réconciliation dans la ballade de Theodor Fontane. Ce château, au cœur de l'Écosse, à mi-chemin entre Glasgow et Édimbourg, fut et reste, semble-t-il, même sans roi depuis 1633 et en ruine, un lieu de nostalgie pour les Écossais. C'est ici que la belle et malheureuse Marie Stuart vit le jour en 1542. Sa tragédie inspira, eutre autres, le drame de Friedrich von Schiller.

Maison Hoptoun ❹

Austère oui, mais pauvre non. L'Écosse possède des palais d'une grande élégance. La Maison Hoptoun, dans la banlieue ouest d'Édimbourg, sur la rive méridionale du *Firth of Fourth*, en est un. Commencé en 1699, au cœur d'un immense parc, le manoir de la riche famille Hope, élevée au rang comtal, peut rivaliser avec les plus beaux monuments baroques du continent. De structure austère à l'extérieur, le bâtiment principal est pourvu à l'intérieur d'un très large escalier cintré, avec sculptures sur bois et ouvrages de marqueterie, décoré de grandes peintures murales et de gobelins. Les pièces ou plutôt les salles d'habitation ne cèdent en rien à l'escalier.

Château d'Édimbourg ❺

Bâti au xie siècle, le château d'Édimbourg trône, avec sa fontaine baroque dans les jardins de la Prinzess Street, à plus de cent mètres au-dessus de la capitale écossaise. Une place forte qui souffrit des conflits entre l'Écosse et l'Angleterre, et changea maintes fois de propriétaire, quoiqu'elle eût paru imprenable. Le site ne fut restauré qu'au xive siècle, une cinquantaine d'années après que Robert Ier Bruce eut chassé les Britanniques. La pression exercée par les Anglais ne se relâcha qu'au siècle dernier, lorsqu'une vague de nostalgie fit remonter les châteaux écossais dans l'estime des touristes.

Maison Holyrood ❻
Édimbourg

Les Écossais ont toujours abhorré la tutelle de Londres et construisirent une multitude de forteresses pour s'en protéger, en vain. La Maison Holyrood, à Édimbourg, doit son existence à cette aversion. Commencée en 1498, et plusieurs fois agrandie, elle dut se rendre en 1650 au lord-protecteur britannique Oliver Cromwell. À peine cent ans plus tard, débarque un descendant de la dynastie écossaise des Stuart, le très populaire Bonnie Prince Charles, qui s'installe à Holyrood. L'intermède prit une fin subite sous les coups de l'armée anglaise. Le palais est, à titre de consolation, depuis 1822, résidence du monarque en visite officielle auprès de ses sujets écossais.

Grande-Bretagne
Europe

Château de Dirleton ❶

Les vestiges du château de Dirleton, site en majeure partie de la fin du XIIIᵉ siècle, à maintes reprises théâtre de combats acharnés entre Britanniques et Écossais, dominent, telle une gigantesque dent creuse, la rive sud du *Firth of Forth* à l'est d'Édimbourg. Au XVIIᵉ siècle, les propriétaires du château en eurent assez des vieilles murailles et l'abandonnèrent à l'érosion naturelle, laquelle fit place à une sorte d'érosion artificielle : les bâtisseurs de maisons s'en servirent comme carrière. Mais soudain conscient de sa valeur historique, on stabilisa les ruines. Des managers zélés de la branche du tourisme aménagèrent contre le château un jardin victorien qui jure affreusement avec la ruine.

Château de Traquair ❷

Une vieille forteresse, située à une quarantaine de kilomètres au sud d'Édimbourg, protège depuis un millénaire le cœur de l'Écosse des attaques anglaises. Traquair, autrefois sur la Tweed, car la rivière fut déviée au XVIIᵉ siècle, la forteresse et ses habitants ayant souffert de l'humidité, est le plus grand château d'Écosse encore habité aujourd'hui. Il renvoie, avec ses petites fenêtres à croisillons et les galbes intégrés de ses tours, à son passé de château fort. Il fut jusqu'au XIIIᵉ siècle résidence des rois écossais. Une visite partielle du château est possible.

Château de Tantallon ❸
environs de North Berwick

La mer du Nord déferle de trois côtés contre les rochers supportant un château qui tourne son large dos à l'intérieur des terres. Le château de Tantallon, sur l'estuaire du *Firth of Forth*, à l'est d'Édimbourg, est une ruine, mais pas autant que la photo le fait croire. Ses tours, commencées en 1346, furent en partie démontées au XVIᵉ siècle, pour éviter que l'artillerie d'éventuels assiégeants n'endommage l'intérieur en s'attaquant aux bastions. En 1651, l'infanterie de Cromwell prit d'assaut la forteresse, mettant fin au passé guerrier de cette place forte. Le tourisme y fit son entrée à l'époque du romantisme. Le célèbre romancier écossais Walter Scott chante la louange de Tantallon, où résida Archibald Douglas (1489-1557), le héros de la ballade de Theodor Fontane.

Château de Floors ❹

Les toits des innombrables tours et tourelles du château de Floors brillent comme de petits tufs de Chantilly dans le parc qui s'étend jusqu'aux rives de la Tweed, près de Kelso au sud de l'Écosse. Les « coiffes » pointent derrière la façade majestueuse du château, laissant deviner l'amplitude d'un château aux nombreuses ramifications. Il fut commencé en 1721, à une époque où, le sentiment d'identité culturelle des Écossais n'étant plus aussi affirmé, de tels édifices de style géorgien étaient permis. Il porte le nom de rois britanniques de la maison de Hanovre qui provoqua une résistance acharnée en Écosse. Le style de construction fut, en revanche, si bien adopté que le romancier écossais Walter Scott (1771-1832) l'appela « Songe d'une nuit d'été en pierre. »

Château de Drumlanrig ❺

Le voyage de Neil Armstrong sur la Lune fut vraisemblablement plus intéressant que ce château, mais il est aussi probable qu'Armstrong s'y sentît plus à l'aise, et en sécurité. L'astronaute américain n'est qu'une célébrité parmi d'autres – Élisabeth II notamment – à avoir visité le château, sur la butte (« drum ») d'une longue crête (« lang rig ») dans le comté de Dumfries au-dessus de la vallée de la Nith. Bâti sur l'emplacement d'un vieux château fort du clan Douglas, l'édifice est aujourd'hui de style Renaissance écossaise, si tant est que l'architecture nordique ait eu une renaissance. De remarquables jardins associent la géométrie française au naturel anglais.

Château de Caerlaverock ❻

Les places fortes du sud de l'Écosse étaient toutes, par nature, exposées au danger de l'ennemi n° 1 que furent de tous temps les Anglais. Le château de Caerlaverock, à l'embouchure de la petite rivière Nith à Galloway, n'est pas une exception. À peine le fort fut-il terminé en 1270, que les Anglais le prirent d'assaut. Les douves étaient une bien faible protection en regard de la supériorité de l'ennemi. Les Écossais le reprirent, mais à long terme, malgré leur ceinture de forteresse dans la région, ils ne purent faire face au danger en provenance du « Sud ». Caerlaverock tomba en ruine. Seuls restent des vestiges tel ce donjon, symbole de la fierté des bâtisseurs d'antan.

Château d'Alnwick ❶

Alnwick (prononcé Ennick), forteresse du XIVe siècle, enrichie au fil du temps d'autres bâtiments, est encore de nos jours résidence des ducs de Northumberland. Situé au nord de Newcastle-upon-Tyne, le château est impressionnant par sa majesté et sa grandeur. Les propriétaires ont ouvert l'espace dont ils n'avaient pas besoin au public et transformé certaines salles en musée. Une très belle collection d'antiquités romaines et britanniques y est exposée. Le jardin zoologique attenant au château est une oasis pour les amis de la nature.

Château de Bamburgh ❷

Cette place forte érigée à une cinquantaine de kilomètres au nord de Newcastle-upon-Tyne au bord de la mer est appréciée par les jeunes couples qui viennent y célébrer leurs noces, voyant dans la solidité de la forteresse un symbole, et nourrissant l'espoir que leur mariage tiendra aussi longtemps que ces murs. La vue sur les *Farne Islands* dans la mer du Nord est fantastique, et le site historique présente beaucoup de charmes. L'édifice semble nous rappeler la brièveté de la vie et nous exhorte à l'humilité. Datant des débuts de l'époque normande, aux XIe et XIIe siècle, il fut entièrement rénové au XVIIIe siècle, de là son aspect accueillant. C'est aujourd'hui en majeure partie un musée.

Château de Durham ❸

C'est nettement la cathédrale qui domine la ville de Durham, chef-lieu du comté du même nom, au nord-est de l'Angleterre, bien qu'un pignon du château dépasse en arrière-plan de derrière la cime des arbres comme un enfant curieux sur la pointe des pieds, lançant un « coucou, me voilà » sur un ton mutin. Walter Scott créa pour la ville, la formule : *Half Church of God, half Castle against the Scot* (mi-église, mi-château contre les Écossais). Anglais et Écossais se livrèrent, à défaut d'ennemis extérieurs, une guerre mutuelle impitoyable. Ils renforcèrent leurs cités pour se protéger de l'ennemi respectif, notamment après que les Normands eurent pris les rênes dans le sud de l'île. Le château de Durham fut bâti en 1072, six ans après le débarquement de Guillaume le Conquérant. Une des curiosités du château est une cuisine reconstituée du Moyen Âge.

Château de Barnard ❹

La ruine du château de Barnard, au nord-est des Yorkshire Dales, dans le comté de Durham, en se désagrégeant, depuis des siècles, revêt imperceptiblement un caractère légèrement romantique qu'accentue le pittoresque de la région avec ses marais, ses landes, ses monts escarpés et ses vertes vallées. Les bâtisseurs du Moyen Âge choisirent les hauts de la vallée de la Tee pour construire un château. Demeuré intact jusqu'à la guerre civile au XVIIᵉ siècle, il perdit ensuite son prestige et, avec le temps, perdit aussi ses contours de forteresse. Seule la grosse tour d'angle est demeurée en assez bon état.

Guildhall ❺
York

Ce merveilleux édifice dut être entièrement reconstruit après 1945, et l'intérieur restauré avec le soutien financier de l'Allemagne. Hitler avait ordonné en 1942 ses cyniques « attaques Baedeker » (auteur allemand d'une célèbre collection de guides touristiques, *N.d.T.*) contre les villes médiévales britanniques, pour riposter aux attaques aériennes des Anglais contre des villes historiques comme Lübeck et Rostock. Fin avril, York et son bel hôtel de ville gothique (*Guildhall*) sur l'Ouse furent touchés. Le vénérable édifice, qui avait vu le jour en dix ans de construction, depuis 1449, fut témoin de plus d'un débat houleux. Le lord-maire de York obtint au XVIIIᵉ siècle une *Mansion House* (résidence du lord-maire) à quelques pas de là.

Château d'York ❻

La route de Londres à Leeds fait passer le visiteur devant une zone industrielle, qu'il voit sur sa gauche avant d'arriver à York, l'ancienne métropole du nord de l'Angleterre, construite par les Romains. Le château, qui héberge aujourd'hui les bureaux de la mairie, surplombe l'Ouse. *Clifford's Tower*, la plus ancienne tour, et son donjon massif bâti au XIIIᵉ siècle sous Henri III semblent protéger la vallée, lieu de honte du passé. Une maison de bois s'était trouvée à l'emplacement du château, où s'étaient réfugiés en 1190 plusieurs centaines de juifs poursuivis par les chrétiens. Ils se suicidèrent par désespoir. Le château héberge un musée qui retrace son histoire et celle de la ville.

Grande-Bretagne
Europe

Bishop's Auckland ❶

Garder des brebis indociles peut être une tâche ingrate, et il est juste qu'un bon pasteur puisse se reposer. L'évêque du comté de Durham se fit construire au XIIIe siècle cette résidence d'été lui permettant de prendre un repos mérité, non loin de sa résidence officielle. Il s'avéra maintes fois utile de l'avoir fortifiée. La fortification ne résista néanmoins pas, en 1645, aux troupes qui pillèrent et incendièrent la résidence pendant une guerre civile entre le roi et le parlement. Un très bel édifice remplaça la résidence fortifiée. La porte ci-contre, contenant une horloge, en laisse deviner la beauté.

Château de Convy ❷

Il ne fallut, en réunissant toute la main-d'œuvre disponible (environ deux mille hommes), que cinq ans, de 1283 à 1288, pour terminer le château de Convy, situé au bord de la rivière du même nom, au nord du pays de Galles. Les hommes travaillèrent dur, sur ordre du roi Édouard Ier (règne 1272–1307), qui voulait se protéger derrière une forteresse des Gallois révoltés. Ceux-ci passèrent à l'attaque, à peine le château venait-il d'être terminé. Le roi les soumit et put tenir bon jusqu'à l'arrivée des troupes anglaises qui le délivrèrent. Vus du fleuve, les vestiges du vieux bastion, avec ses murs d'une épaisseur de quatre mètres, et ses huit tours, offrent un panorama pittoresque. Mais on ose à peine le restaurer, pour qu'il ne perde pas son rayonnement médiéval.

Château de Caernarvon ❸

Le roi Édouard Ier (règne 1272–1307) fit systématiquement construire des bases anglaises au pays de Galles. Caernarvon, sur le littoral au nord-est du pays, est l'une des forteresses médiévales les mieux conservées d'Europe. Ses murs épais la rendent inexpugnable, et elle est en plus protégée par le Seiont et le détroit de Menai, qui forment, tout autour, comme des douves naturelles. Du côté des terres, des fossés furent aménagés. Le roi ne vit le château que partiellement terminé avec, malgré tout, déjà treize tours et deux portes. L'excellent état de l'édifice permit d'y célébrer en 1969 l'avènement de Charles, le fils de la reine actuelle, comme prince de Galles.

Chatsworth House ❹

À moins de bien connaître la région, nul ne soupçonnerait un site aussi joli au sud de la zone industrielle de Sheffield. Or, Chatsworth House se trouve bien en pleine forêt, au bord d'une rivière qu'enjambe un pont des plus pittoresques, au cœur des collines du *Peak District*. La résidence de campagne, à une vingtaine de kilomètres au sud de Buxton, est « digne d'être évoquée », telle est, librement traduite, la signification de « Chats worth ». Elle vit le jour au début du XVIIIe siècle et renferme une collection de peintures, de sculptures, d'objets d'artisanat d'art, et un mobilier original. C'est, en outre, un joli petit coin de nature pour passer quelques instants agréables dans les jardins aménagés en 1826 avec fontaines, cascades et roseraies.

Haddon Hall ❺

L'entrée de ce charmant manoir, appartenant au duc de Rutland et construit sur le site d'un ancien château normand, bâille sur un talus surplombant la Wye à une vingtaine de kilomètres au sud-est de Buxton, au cœur du *Peak District*. La chapelle date de la fin de l'époque normande et en porte encore les traces. La salle qui donne son nom au château, et les bâtiments attenants sont du XIVe siècle. L'aile est fut ajoutée cent ans plus tard, et enfin la façade, côté jardin date, du baroque. Les jardins, complètement réaménagés en 1900, fournissent à l'édifice un cadre digne de son élégance.

Château de Belvoir ❻

La petite Margaret s'est-elle sentie vouée à de grandes ambitions à la vue de ce château ? Le palais de Belvoir, résidence du duc de Rutland, n'est situé qu'à une dizaine de kilomètres de Grantham, lieu de naissance de la « Dame de fer » devenue Premier ministre sous le nom de Thatcher, et lady Thatcher of Kesteven, depuis son admission à la Chambre des lords en 1992. Le domaine de Belvoir, auquel on donna volontairement un petit air médiéval, date de 1808-1816. C'est une belle maison de campagne environnée de forêts et de pâturages, non loin de la forêt-refuge de Sherwood, où Robin des Bois fit régner sa loi. Il lui aurait sans doute plu d'alléger de quelques écus les richissimes ducs de Belvoir.

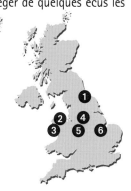

Council House ❶

Birmingham

Les édifices de la haute époque victorienne sont dignes d'une puissance mondiale. Birmingham, aujourd'hui encore un centre industriel prospère, était à l'époque une ville très riche, qui put se payer le luxe d'une *Council* (Conseil) *House*. Elle fut bâtie de 1874 à 1881 dans le style d'apparat de la néo Renaissance, avec des éléments néobaroques, dont le beffroi, surmonté d'un dôme, appelé « Big Brum ».

Au-dessus de ce portique majestueux, le balcon est l'endroit idéal pour lancer au peuple des signes de main gracieux ou des cris d'allégresse enthousiastes quand l'équipe de football de la ville a gagné l'un des « pots » les plus convoités, comme les fans appellent leurs coupes. Mais devant le palais, il y a toujours de la vie, même sans occasions officielles.

Château de Kenilworth ❷

On trouve, à huit kilomètres au sud-ouest du célèbre Coventry, dévasté en novembre 1940 par l'armée de l'air allemande, des ruines beaucoup plus anciennes, celles du château de Kenilworth, bâti en 1120. Le château en grès rouge, que la verte végétation semble menacer de dévorer, était jadis entouré d'eau. Il appartenait au XVIe siècle à Robert Dudley, comte de Leicester (1532–1588), depuis 1559 favori, et, qui sait, peut-être davantage, de la reine Élisabeth Ire, qui, cependant, refusa de l'épouser. Elle lui fournit, en revanche, de généreux revenus, qui permirent au comte de restaurer le château et d'y organiser de grandes fêtes en l'honneur de Sa Majesté bien-aimée. Puis le château fut abandonné à son sort.

Château de Warwick ❸

Seule l'église Saint-Mary, qui fait partie de l'un des plus imposants châteaux de Grande-Bretagne, date presque des origines du château de Warwick, situé dans la ville du même nom sur l'Avon. L'autel gothique du XIIe siècle est de cent ans plus jeune que les premières attestations de la présence de la forteresse, dressée sur ordre de Guillaume le Conquérant. Elle ne prit ses dimensions actuelles et ne se para de l'élégance de ses murs et de ses tours que beaucoup plus tard, au tournant des XVIIe et XVIIIe siècles, une fois la paix revenue, rendant inutile sa fonctionnalité purement militaire. Cela confère un charme au bâtiment, à l'extérieur comme à l'intérieur, où une gigantesque salle des chevaliers surprend le visiteur et où la salle à manger royale accueillit en 1996 Sa Majesté la reine Élisabeth II pour dîner.

Anne Hathaway's Cottage ❹
Stratford-upon-Avon

C'est ici que Shakespeare connut son premier amour et courtisa en 1582, à l'âge de dix-huit ans, la jeune Anne Hathaway, âgée de seize ans, qui habitait une ravissante petite maison pourvue d'un merveilleux jardin, à environ un kilomètre et demi de sa ville natale Stratford-upon-Avon. Qu'il se servît ou pas, pour la courtiser, de ses ardents poèmes, la dou-ceur du village aida peut-être Shakespeare *in love* dans son succès auprès de la jeune fille. La flamme paraît s'être toutefois éteinte après la naissance de leurs trois enfants, car en 1586, Shakespeare partit seul à Londres. Il ne revint qu'un quart de siècle plus tard dans sa ville natale et sur le lieu de son grand amour, où il mourut en 1616 et fut enterré près de sa femme – *forever in love*.

Blicking Hall ❺
Aylsham

La petite station thermale de Aylsham, à une douzaine de kilomètres de Norwich, n'a pas que les enseignes à la mémoire de son plus célèbre habitant, le compositeur Benjamin Britten (1913–1976) comme curiosité. Blicking Hall est un très joli château, une perle architecturale du XVIIe siècle. La façade du bâtiment central, avec sa haute tour d'horloge et ses tours de garde aux angles sous des toits clairs, semble tendre les bras et former une haie pour accueillir le visiteur à l'entrée du manoir.

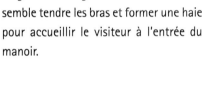

Château de Framlingham ❻
près de Ipswich

Une ruine bien conservée, à l'est de l'Angleterre, à dix lieues de Ipswich, chef-lieu du comté de Suffolk, raconte l'histoire d'une époque guerrière. Le château date du haut Moyen Âge, mais fut soumis à une cure de rajeunissement par les Tudor. Son embellissement, grâce, entre autres, à l'aménagement d'élégants créneaux, venait d'être achevé, lorsque le malheur s'abattit sur la famille des propriétaires, les ducs de Norfolk de la maison Howard, d'où était issue la belle Catherine, née en 1520. Tombée sous le charme du plus grand des séducteurs, Henri VIII, elle devint sa cinquième femme et termina, en 1542, comme beaucoup d'autres avant elle, sur l'échafaud, accusée d'infidélité. Le château devint propriété de la Couronne.

Audley End House ❶
environs de Cambridge

Bâti de 1603 à 1616 pour un lord, le palais Audley End, à une dizaine de kilomètres au sud de Cambridge, trouva néanmoins grâce aux yeux de la Couronne et fut acheté en 1668 par Charles II, qui l'utilisa comme pavillon de chasse. Revendu presque aussitôt, en 1701, aux comtes de Suffolk, un certain éclat monarchique demeura, en dépit des changements de propriétaires qui, fréquents par la suite, lui donnaient à chaque fois une empreinte différente. La maison que nous voyons aujourd'hui dégage une atmosphère XIXᵉ, perceptible notamment à l'intérieur, où se déploie le faste de l'époque victorienne.

Senate House ❷
Cambridge

La Maison du Sénat de la plus célèbre université britannique après Oxford paraît très modeste, à côté des édifices gothiques et néogothiques hébergeant les *College*. Cela tient, d'une part à sa taille, relativement petite, d'autre part à son style palladien, relativement sobre. Le style, inspiré de l'Antiquité, que développa au XVIᵉ siècle l'architecte italien Palladio, influença, beaucoup plus tard, le classicisme, longtemps dominant en Angleterre, et qui se caractérise par des colonnes et des frontons à peine décorés, d'une grande sobriété. Ces éléments de style témoignent d'une précision et d'une modestie convenant à des bâtiments universitaires. La Senate House est le théâtre de la remise des palmes académiques.

St. John's College ❸
Cambridge

Il faut, pour parvenir aux distinctions honorifiques dans le deuxième *College* de Cambridge, passer sous de hauts portails. St. John's, commencé en 1511 en gothique flamboyant, fut transformé et agrandi jusqu'au XIXᵉ siècle. La chapelle saillant de derrière la façade date de 1836/1839, mais l'intérieur est aménagé d'objets et d'ornements anciens. Le *College*, situé sur deux rives de la Cam, reliées par le *Bridge of Sighs* (Pont des Soupirs), justifie le nom de la ville de Cam Bridge (pont sur la Cam). Nul ne sait pourquoi ce joli pont porte un sobriquet aussi mélancolique. L'interprétation courante selon laquelle les couples d'amoureux devaient s'y séparer la nuit est la plus plausible.

Blenheim Palace ❹
près d'Oxford

Les rois récompensaient princièrement les généraux qui avaient remporté de grandes victoires comme celle du duc de Marlborough le 13 août 1704. Il vainquit avec ses Anglais les troupes bavaroises et françaises près de Höchstädt sur le Danube, et reçut en récompense un château qu'il baptisa Blenheim, car les livres d'histoire anglais nomment ainsi « sa » bataille, d'après la localité de Blindheim, près de Höchstädt.

Le duc avait une grande famille et besoin de personnel, certes, mais le complexe paraîtrait toutefois surdimensionné par rapport au rang de duc, si un grand homme britannique descendant des Marlborough, n'y était pas né, le 30 novembre 1874, à savoir de Winston Churchill, vainqueur, comme son ancêtre, d'un ennemi germanique, bien plus effrayant, celui-ci : Adolf Hitler.

Château d'Oxford ❺

Un grand solitaire datant d'une grande époque. Guillaume le Conquérant, dernier envahisseur éprouvé des îles Britanniques, connaissait parfaitement le danger des attaques, ayant lui-même été maintes fois vainqueur, et fit construire dans son nouvel empire de nombreuses forteresses, dont le château d'Oxford, commencé en 1071, terminé en 1073, et marqué par les cicatrices de son temps. Aucun ennemi continental ne réussit plus à débarquer en

Bretagne (Britannia) après lui, mais le pays connut de nombreuses luttes intestines, de la guerre dynastique des Deux-Roses au XVe siècle aux guerres civiles menées par Cromwell contre les troupes royales au XVIIe. Les refuges sûrs étaient donc précieux et le furent de nouveau, pour d'autres raisons, depuis le romantisme. Des châteaux comme celui-ci suscitent la nostalgie des temps passés, notamment du Moyen Âge.

Hatfield House ❻

Le palais de Hatfield, près de Hertford, au nord de Londres, est l'un des plus impressionnants exemples d'architecture postélisabéthaine. Robert Cecil, comte de Salisbury et Premier ministre du roi Jacques Ier d'Angleterre, se le fit construire entre 1607 et 1611, un laps de temps étonnamment court pour un édifice aussi somptueux. Il faut que, pour le propriétaire, l'argent n'ait

joué aucun rôle. Il lui fut même permis d'accoler sa construction à l'aile du château où la reine Élisabeth Ire avait passé la plus grande partie de sa jeunesse et d'acheter le merveilleux parc qui attire aujourd'hui au moins autant de visiteurs que le château, pouvant être partiellement visité.

Grande-Bretagne
Europe

Château de Windsor ❶

Cette merveille est due, comme beaucoup de choses en Angleterre, à Guillaume le Conquérant, qui n'avait en tête que de construire des forteresses, et fit bâtir en 1070 un château à l'ouest de Londres sur la Tamise. La première construction, sans doute en bois, ne fut refaite en pierre qu'au XIIe siècle. Le complexe s'étendit par la suite, grignotant peu à peu sur les hauteurs environnantes jusqu'à devenir la plus grande forteresse de Grande-Bretagne et, de nos jours, le plus grand château fort habité au monde. La photo n'en laisse rien paraître, mais elle montre en revanche la solidité de la construction avec son chemin de ronde normand et son portail flanqué de deux donjons. Windsor est une des résidences officielles de la famille royale.

Kensington Palace ❷
Londres

Il baignait, au début du mois de septembre 1997, dans une mer de fleurs et fut quelques jours le centre du monde pour qui aimait Diana, « la reine des cœurs ». Sa mort, le 31 août de cette année-là à Paris, avait suscité un deuil international et fait de son palais un lieu de pèlerinage. Mais l'édifice, portant la signature architecturale de sir Christopher Wren, l'architecte qui reconstruisit Londres après le grand incendie de 1666, était déjà célèbre avant. En outre, le somptueux palais au cœur du parc de Kensington vit aussi naître le 24 mai 1819 la petite fille qui deviendrait la reine Victoria, que les escapades de cette Diana tant pleurée n'auraient pas du tout amusée.

Buckingham Palace ❸
Londres

Les hommes eurent toujours un peu le goût colossal. Le duc de Buckingham se fit construire en 1705 une maison de campagne de dimensions telles que, un demi-siècle plus tard, le roi George III voulut absolument la posséder. Mais elle lui servit plus de refuge que de résidence. L'édifice ne devint résidence qu'en 1837, après qu'il eut été transformé, à partir de 1821, en style classique, plus digne des mondanités et des réceptions que l'on voulait y donner. La jeune reine Victoria y résida d'abord seule, puis avec son mari, le prince consort Albert, à partir de 1840. La résidence officielle de la reine attirait, à l'époque déjà, de nombreux curieux à Londres. Aujourd'hui, c'est un haut lieu du tourisme.

National Gallery ❹
Londres

Derrière ces colonnes classiques se cache la plus grande collection d'art du monde. Les amateurs d'art qui viennent visiter la galerie de peintures de Trafalgar Square n'en sortiraient jamais s'ils ne remarquaient pas qu'après le dernier tableau de la quarante-sixième salle, la visite reprend sans transition à la première. Le bâtiment surmonté d'un dôme fut terminé en 1837 et accueillit la collection d'art national créée une douzaine d'années auparavant. On y admire environ deux mille tableaux, une partie seulement du fonds que complètent les quatre mille cinq cents portraits de la *National Portrait Gallery*, qui se trouve derrière.

Lloyd's Building ❺
Londres

Avant de déménager, la célèbre compagnie d'assurances britannique doit être séduite par son futur domicile. Et elle le fut. Le palais ultramoderne, construit sur les plans du célèbre architecte Richard Rogers (né en 1933) et inauguré en 1986 par la reine Élisabeth II, était convaincant. Tout ce qui était inutile à l'intérieur, conduites, ascenseurs, escaliers, avait été placé au-dehors, agrandissant l'espace intérieur de soixante-seize mètres de haut, autour duquel se groupent quatorze étages de bureaux. Une seule antiquité est demeurée : une cloche qui, autrefois, sonnait une fois pour annoncer une mauvaise nouvelle, et deux fois pour une bonne nouvelle. Elle se trouve, aujourd'hui, sous un baldaquin.

Palais de Westminster ❶
Londres

C'est un palais, cela se voit, et tout le monde sait qu'il est à Londres, dans le quartier de Westminster. En Grande-Bretagne, on l'appelle plus couramment *Houses of Parliament*, car il est le siège du parlement britannique. L'édifice fut construit entre 1840 et 1888 sur les plans de l'architecte Charles Barry, qui, par souci d'adapter son ouvrage à l'abbatiale de Westminster, la cathédrale gothique lui faisant face, fut le père du style *Gothic Revival*, copié dans le monde entier. Le retour romantique au Moyen Âge était à l'époque très apprécié.

Clarence House ❷
Londres

L'édifice aux décors de stuc côté ouest du groupe de bâtiments appartenant au palais Saint James à Londres a tout juste soixante-quinze ans de plus que sa résidente la reine mère, dite Queen Mum, disparue en 2002. La centenaire échangea son domicile avec celui de sa fille après la mort de son mari, le roi George VI. C'est là, en effet, que vivaient Élisabeth II et le prince Philip d'Édimbourg, qu'elle avait épousé en 1947, avant de prendre la succession de son père en 1952. Personne ne semble choqué que des dames de la haute société aient occupé la gentilhommière du duc de Clarence (d'où son nom), construite en 1825.

Somerset House ❸
Londres

Le monumental palais de Somerset House, dont la face la plus modeste donne côté rue, sur *The Strand*, tandis que toute la splendeur de l'édifice classique se déploie côté Tamise, n'est pas reproductible dans toute sa largeur. La « maison », de presque deux cents mètres de long, créée à la fin du XVIIIᵉ siècle pour héberger les administrations gouvernementales de l'Empire britannique, reflète l'identité impériale de la grande puissance maritime. Une imposante vue sur Somerset House s'ouvre des terrasses au bord de l'eau, d'où l'on peut admirer l'édifice à travers les arches du pont de Waterloo. Le bâtiment renferme encore aujourd'hui des bureaux, si bien que certaines salles, comme les célèbres *Fine Rooms*, ne sont ouvertes au public que lors d'expositions.

Palais de justice dans le quartier du Temple ❹
Londres

Un complexe anguleux, mais d'autant plus charmant, d'édifices, de places et d'espaces verts s'étend entre *Fleet Street*, la rue de la presse, et le quai en bordure de la Tamise. Il s'agit du Temple, le quartier des juristes, nommé d'après l'ordre des Templiers qui y siégea aux XIIᵉ et XIIIᵉ siècles. Les étudiants en droit et leurs professeurs peuplaient déjà le quartier au Moyen Âge. Tous les styles y sont représentés, jusqu'au néogothique, bien que le goût élisabéthain (XVIᵉ et XVIIᵉ siècles) et géorgien (XVIIIᵉ) dominent. Les palais aux nombreuses tours harmonisent parfaitement avec les perruques et les coutumes de la respectable justice anglaise.

Banque d'Angleterre ❺
Londres

L'institution existe depuis 1694, mais sa résidence est d'un siècle plus jeune. Sir John Soane commence en 1788 la construction de la « vieille dame », tel est le sobriquet donné à cet imposant palais de style classique dans *Theatneedle Street*. Terminé en 1833, il fut l'objet, l'année suivante, de complexes travaux d'élargissement et de transformations qui durèrent quinze ans, parce que la finance le voulait plus majestueux encore. La visite du temple de la monnaie n'est possible qu'après en avoir obtenu la permission de la Banque qui, en Grande-Bretagne, a le rôle suprême de gardienne monétaire, rôle qu'eut aussi la Banque de France jusqu'en 2001, avant de transférer une large part de ses pouvoirs à la Banque centrale européenne.

Grande-Bretagne
Europe

Palais de Lambeth ❶
Londres

C'est par ce bâtiment servant de porte (Tudor Gate House) du palais de Lambeth sur le pont de la Tamise, du même nom, qu'il faut passer pour accéder à l'archevêché. Le vaste ensemble, situé dans un parc merveilleux, presque en face des Houses of Parliament, date de la fin du XIIᵉ siècle et est, depuis ce temps-là, le siège londonien des archevêques de Canterbury, qui se firent construire en 1485 cet édifice massif dont l'entrée montre sans équivoque que derrière ses murs réside un prince puissant. La puissance n'est plus, à notre époque de démocratie, ce qu'elle fut, mais l'on n'est pas mécontent, de nos jours, que les hauts dignitaires de l'Église aient pu jadis se payer de tels chefs-d'œuvre architectoniques.

Hampton Court Palace ❷
Londres

Accueillante, la porte de *Hampton Court* semble dire aux visiteurs : « Entrez, n'ayez pas peur ! » Le palais était, à sa naissance, en 1514, moins accueillant. L'une de ses fréquentes visiteuses de jadis eût probablement même préféré n'y être jamais entrée, la dernière fois qu'elle passa cette porte. C'est là, en effet, qu'Anne Boleyn (1507–1536) aimait passer des moments agréables avec Henri VIII (règne 1509–1547), avant que ce dernier, dans un accès de furieuse jalousie, l'envoyât à l'échafaud. Le célèbre architecte Christopher Wren (1632–1723) transforma tout le complexe au XVIIᵉ siècle pour lui donner une exposition ensoleillée.

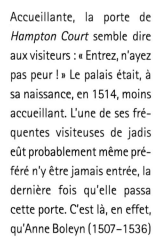

Queen's Cottage ❸
Londres

Sur la berge sud de la Tamise, au sud-ouest de Londres, se trouve un espace vert qui, vu toute la verdure qui se trouve dans la capitale britannique, ne mériterait pas d'être évoqué s'il n'avait pas une particularité le rendant intéressant. Les *Kew Gardens* abritent quarante-cinq mille plantes, et renferment une collection de cinq millions de plantes séchées. Le terrain de 120 hectares héberge en outre quelques édifices remarquables, dont le cottage de la reine Charlotte, datant des années 1770. Le petit palais se trouve au cœur d'un terrain boisé laissé à l'état naturel. Il était le lieu de séjour préféré de la reine Victoria, qui le ratacha en 1897 aux *Kew Gardens*.

Observatoire ❹
Londres

Un jeune homme est en train de réduire ses deux accompagnatrices à zéro. La photo est prise, en effet, devant le point qui marque dans l'enceinte de l'observatoire du quartier de Greenwich, à l'ouest de Londres, le degré zéro de longitude (ou méridien d'origine). Ce bâtiment, *Flamsteed House*, bâti au XVIIᵉ siècle par le célèbre architecte britannique Christopher Wren (1632–1723), s'appelle encore observatoire bien qu'il ne renferme plus qu'un musée et un planétarium. Situé en plein cœur du merveilleux parc de Greenwich, il attire les amateurs d'architecture du monde entier, mais plus encore les personnes curieuses de voir la ligne imaginaire partageant notre planète en une hémisphère orientale et une hémisphère occidentale.

Queen's House ❺
Londres

Inigo Jones (1573–1652) démontra à Greenwich, devenu un quartier de Londres en aval de la Tamise, ce qu'est une noble construction. Il commença à construire pour la femme du roi, Anna du Danemark, en 1617, sur ordre de Jacques Iᵉʳ, un manoir de style palladien dont la conception repose sur la symétrie. Il dut interrompre la construction en 1619 à la mort d'Anna et ne continua qu'en 1629 pour le roi Charles Iᵉʳ, le successeur de Jacques souhaitant aussi une résidence d'été adéquate pour sa reine, Henriette d'Angleterre. L'on ne lésina sur rien, et l'intérieur est pourvu de sols en marbre, de balustrades en fer forgé, de plafonds sculptés et peints. Un chef-d'œuvre au cœur de Greenwich.

Château de Rochester ❻

La vieille ville de Rochester se trouve presque déjà dans la banlieue sud-est de Londres, dans le comté de Kent. Le château normand à l'air de forteresse surplombant la Medway est un signe manifeste du très vieil âge de la ville. Les ecclésiastiques construisaient aussi, comme on le voit, des édifices militaires. L'évêque de Canterbury, William de Corbeil, fit bâtir ce château, dans la première moitié du XIIᵉ siècle. Il fait un peu penser aux châteaux du sud de l'Italie, où des Normands dominaient aussi à l'époque. Les Hohenstaufen, qui leur succédèrent, bâtirent aussi des forts carrés de ce genre.

Grande-Bretagne
Europe

Château de Lewes ❶

On trouve très vite la jolie petite ville de Lewes, au bord de la rivière Ouse, en prenant au sud de Londres la route de Brighton, puis en tournant à angle droit vers l'est. La rivière y traverse la chaîne de collines, des *South Downs* au canal de la Manche. La ville étant d'une certaine importance stratégique, on reconnut, dès le débarquement des Normands sous Guillaume le Conquérant (règne 1066–1087), la nécessité d'y construire un château fort. On aperçoit la ville à travers le détail d'une tour ci-contre. Le mur de galets, identifiable sur le gros plan, traduit la puissance de l'édifice. Le mur d'appui du créneau lui confère une certaine élégance.

Parade Gardens ❷
Bath

Une station thermale comme celle de Bath, au sud de l'Angleterre, où les Romains utilisaient déjà les sources chaudes, sait ce qu'elle se doit d'offrir à ses hôtes. En bordure de la rivière Avon, face au vaste *Recreation Ground*, se trouve un parc des plus élégants, *Parade Gardens*. La douceur du climat maritime facilite aux jardiniers la tâche de créer tous les étés des parterres sur différents thèmes et d'entretenir des gazons d'un vert intense. Le palais de style classique veille majestueusement depuis déjà un siècle sur les jardins, faisant pendant au joyau naturel que sont ces derniers.

Royal Crescent ❸
Bath

Cette rangée de « maisons individuelles » royales vit le jour à partir de 1767. Leur classe, toute monarchique, est encore accentuée par ce mouvement dynamique qui les dispose comme un diadème autour du gazon. La façade à colonnes de Royal Crescent signale également que n'y a pas œuvré une quelconque société de construction de logements. L'élégance du style classique est intentionnellement discrète. Il ne s'agissait pas de logements permanents mais de résidences d'été pour riches Londoniens. Le premier logement fut conservé dans l'état d'origine, pour que le visiteur se rende compte du style recherché.

Château de Cardiff ❹

On trouve, au centre de Cardiff, la capitale du pays de Galles, un triple castel formé par les restes d'un bâtiment romain dont les bastions carrés, qui ont été conservés et partiellement restaurés, forment la plus ancienne partie. Le cœur de l'ouvrage date de la fin du XIe siècle, époque de l'invasion des Normands. Peu après, une aile fut ajoutée à la forteresse, qui finit par tomber en ruine après qu'un incendie l'eut ravagée en 1404. Elle ne fut restaurée qu'au XIXe siècle, le siècle de la nostalgie des édifices moyenâgeux. Les touristes rendent hommage au travail minutieux de restauration en venant en foule visiter ce château aux murs à vive arête.

St. Michael's Mount ❺
Cornouailles

Même situation, même nom. Presque en face du Mont-Saint-Michel français, se trouve, sur la côte nord de la Manche, également construit sur un rocher de granit à la pointe sud-ouest des Cornouailles, l'ancienne abbaye bénédictine de *St. Michael's Mount*. Comme son pendant français, elle est coupée deux fois par jour du littoral par la marée. Le premier édifice sacré, construit en 1044 au sommet du rocher, puis élargi et transformé en forteresse, fut témoin de maints conflits militaires, de la guerre des Deux-Roses à la révolution anglaise au XVIIe siècle. Mais depuis, le calme est revenu au château, désormais propriété de l'État. Les visiteurs jouissent d'une magnifique vue jusqu'à *Land's End* et peuvent admirer, à l'intérieur, la collection de tableaux et le mobilier chippendale du château style victorien.

Château de Pendennis ❻
environs de Falmouth

Les réalisateurs de films adaptés de romans tels que ceux de Rosamunde Pilcher ont-ils déjà utilisé ce site comme décor ? Cela en vaudrait la peine, car la forme de l'édifice et l'histoire du château s'y prêtent. Son bâtisseur ne fut pas moins que l'impitoyable Henri VIII, qui épousa six femmes, dont quelques unes perdirent littéralement la tête. Le roi, qui fit construire cette forteresse sur la presqu'île de Pendennis, près de Falmouth en Cornouailles, avait manifestement, à en juger par les bastions et les casemates de l'édifice, plus de compétences en matière de forteresses qu'en matière de femmes. Les marchands du port proche du château pouvaient se sentir en sécurité.

Grande-Bretagne
Europe

Lanhydrock House ❶
environs de Bodmin

Il est à peine un édifice en apparence plus accueillant que la porte de cette maison de campagne en Cornouailles. Mais pourtant, la barbacane dissimule derrière ses murs un style victorien à l'état pur. Ce qui resta du manoir, ravagé en 1881 par un incendie, à l'exception de l'aile nord et de la porte, fut entièrement reconstruit et modernisé, et même pourvu d'un chauffage central. Il est entouré d'un des plus beaux jardins anglais, en fleurs du printemps à l'automne, d'un parc et d'un bois de plus de trois cent soixante hectares.

Château de Maiden ❷
environs de Dorchester

Les fortifications situées à trois kilomètres de Dorchester, dans le sud de l'Angleterre, attestées dès le quatrième millénaire avant notre ère, datent de la fin de l'âge de pierre. D'énormes remblais furent élevés, qui formèrent vers la moitié du premier millénaire avant notre ère un grand campement. Une cité se dressa aux siècles suivants dans le château préhistorique de Maiden, qui ne s'affirma cependant pas contre les Romains. La place forte fut conquise en l'an 43 de notre ère par la deuxième légion de l'empereur Vespasien. Les habitants s'enfuirent ou périrent. La cité fortifiée se dépeupla et la ville romaine de Durnovaria, l'actuelle Dorchester, s'épanouit.

Lord Montagu's Palace House ❸
Beaulieu

Le palais de la famille Montagu à Beaulieu, près de Bournemouth, faisait partie, avant le schisme avec Rome provoqué par Henri VIII, d'une abbaye bénédictine. Certaines pièces à l'intérieur évoquent l'usage monacal. Légué à l'État en 1538, celui-ci le remit pour un prix d'ami à John Montagu par l'intermédiaire du chancelier de l'Échiquier, Thomas Cromwell. Deux ans plus tard, Montagu aurait manqué l'affaire du siècle. Le haut protecteur, tombé en disgrâce, fut en effet décapité en 1540. Quelques siècles plus tard, le propriétaire du palais trouva trop cher l'entretien de la ruine inconfortable exposée aux courants d'air. Il incomba de nouveau à l'État de la remettre à neuf et de l'ouvrir au tourisme. Dans les écuries est exposée une collection de voitures anciennes.

Château de Carisbrooke ❹
environs de Newport, île de Wight

Il n'est pas imposant, mais fortifié et massif et trône en maître de la situation, sur le mont Joy de l'île de Wight, au large de la côte sud de l'Angleterre, près de Newport. Le site, que les Romains mirent probablement à profit, est avantageux pour un castel. Un fort saxon y est attesté, puis la forteresse commandée par Guillaume le Conquérant au XIᵉ siècle, qui fut maintes fois, vainement, l'objet d'attaques françaises. Les gouverneurs royaux qui résidaient dans ces forteresses y vivaient en sécurité. L'approvisionnement en eau était assurée par des puits. Le roi Charles Iᵉʳ se réfugia ici pendant la guerre civile, avant d'être livré au parlement en 1649, puis décapité.

Osborne House ❺
île de Wight

Les histoires d'amour surviennent dans la haute société, bien que les mariages s'y concluent généralement moins au septième ciel, que sous le sceau de la raison politique. De profonds sentiments unissaient la reine Victoria (règne 1837–1901) et Albert de Saxe-Cobourg-Gotha, auquel il ne fallut qu'un an et demi en 1845 pour offrir à sa Vicky, au nord de l'île de Wight qui se prêtait par la douceur de son climat au style méditerranéen, cette demeure inspirée de palais napolitains, sur ses propres plans. À la mort d'Albert, en 1861, la reine en deuil s'y retira, et conserva toute sa vie ce bien tel que son mari l'avait conçu et fait construire.

Château de Arundel ❻
comté de West Sussex

Construit au XIᵉ siècle, il est resté pratiquement dans son état d'origine. Situé dans le comté du *West Sussex*, il fut pendant huit cent cinquante ans propriété de la famille Howard, les ducs de Norfolk, famille proche de la Couronne, et par là parfois en danger. Le troisième duc de Norfolk, un courtisan au bel esprit, fut l'oncle d'Anne Boleyn et de Catherine Howard, toutes deux épouses d'Henri VIII, qui décapita la première et fit exécuter l'autre pour adultère présumé. Le même sort aurait été réservé à l'oncle de ces deux malheureuses, si le roi n'avait pas rendu l'âme la veille de l'exécution. Peu après, le quatorzième comte de Norfolk, dit « le Collectionneur » vécut, lui, plus heureux au château. C'est à lui que le visiteur d'aujourd'hui doit une exposition intéressante d'objets de sa collection.

Royal Pavilion ❶
Brighton

Rêvons-nous, ou sommes-nous en plein conte des Mille et Une Nuits ? Le Régent, futur George IV (1762–1830), devenu roi en 1820, se fit construire dans la station balnéaire anglaise de Brighton un palais oriental inspiré des Indes. Il y entraînait à sa suite la haute société londonienne pour des parties de plaisir dont il n'était sans doute pas le dernier à jouir. Et l'on n'y avait pas besoin de s'inventer des rêves. Le décor fabuleux qu'y réalisa à grands frais entre 1815 et 1821 l'architecte John Nash (1752–1835), principal représentant de la Picturesque School, suffisait aux transports au pays des merveilles. Quel bonheur cela doit être, parfois, d'être roi !

Château de Herstmonceux ❷
Sussex

Il n'est probablement pas château en brique mieux conservé dans son état d'origine que celui-ci. Il fut construit au nord de Eastbourne en 1415, sur une île, pour protéger le pays plat. Et avec le concours de ses murs épais et de son imposante porte, le projet aboutit, puisqu'il ne connut jamais une tentative d'occupation, ni aucune sorte de conflit armé. Tout agresseur potentiel serait repéré, du haut des tours, à une distance suffisante pour qu'à l'intérieur du château on ait le temps de relever le pont-levis et de mettre en place les archers dans les meurtrières. De nos jours, c'est un pont fixe qui mène le visiteur, bienvenu puisqu'il paie, aux portes du château. Une fois dans l'enceinte de la forteresse, ce dernier peut à loisir se laisser ravir par les merveilleux jardins de style élisabéthain.

Château de Leeds ❸
près de Maidstone

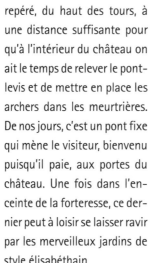

Un demi-million de visiteurs viennent chaque année admirer le respectable château de Leeds entouré de douves. Le charme de tels édifices s'accroît avec l'âge, et celui-ci eut plus d'un siècle pour épanouir tous ses attraits. Datant à l'origine du IXᵉ siècle, sa principale phase de construction se situe au Moyen Âge, et il hébergea de nombreux souverains, dont Henri VIII, le plus cruel de tous, qui s'était littéralement entiché de ce château fort. Après lui, l'intérêt des familles royales pour l'édifice baissa. Il devint propriété privée. Il fut acheté en 1926 par celle qui deviendra plus tard lady Baillie, une élégante qui avait un goût très prononcé pour les belles choses. Sa collection d'objets d'art chinois et d'antiquités est ce qui attire le plus le visiteur en ce lieu.

Château de Bodiam ❹
Battle

Les historiens firent coïncider, pour plus de simplicité, les datant de 1066, le débarquement et la victoire de Guillaume le Conquérant. Le Normand débarqua, en vérité, à Hastings et avait déjà parcouru dix kilomètres à l'intérieur des terres quand il s'affronta à l'armée anglo-saxonne de Harald II et vainquit à cet endroit, nommé pour cette raison *Battle* (bataille). Sans doute ne serait-il pas parvenu à ses fins si le château de Bodiam avait existé. Le beau château fortifié à l'emplacement de la bataille d'antan ne vit le jour qu'au XIVᵉ siècle. Aujourd'hui, c'est une ruine bien conservée et très romantique.

Château de Sissinghurst ❺

Une grande demeure campagnarde du temps de la reine Élisabeth Iʳᵉ se trouve au cœur du « Jardin d'Angleterre », sur les collines de *The Weald* (comté de Kent). Elle ne représente, en dépit de sa grandeur, qu'une infime partie de l'ensemble du domaine de jadis, et c'est plus le site que l'architecture qui attire le visiteur. Les parties fortifiées furent affinées, d'autres bâtiments démontés. Le bâtiment central datant du Moyen Âge fut remplacé au XVIᵉ siècle par une construction style Tudor, et la porte ajoutée. La romancière Vita Sackville-West et son mari, le diplomate Harold Nicolson, reprirent en 1928 le château en très mauvais état, le firent en partie restaurer, et s'occupèrent des jardins, très réputés depuis.

Château de Douvres ❻

Aussitôt après sa victoire à la bataille d'Hastings en 1066, Guillaume le Conquérant fit construire des fortifications à l'endroit le plus étroit du canal de la Manche, là où le danger en provenance du continent était le plus menaçant. Il savait trop bien par expérience comment s'attaquer à l'île britannique en provenance de la Manche. Plus personne n'y parvint après lui. Sans doute pas seulement à cause du château de Douvres, renforcé entre 1168 et 1188 par Henri II, et qui eut néanmoins toujours une certaine importance stratégique. Ne serait-ce qu'en rebutant les arrivants par ses murs gris et austères, et les niveaux échelonnés des plates-formes de combat. Mais cela aurait-il suffi à dissuader un ennemi prêt à tout comme l'était Napoléon ? Dans le doute, on y creusa vers 1800 des retranchements, et on en améliora le système défensif. Napoléon ne vint pas.

Irlande
Europe

Château de Glenveagh ❶

Quoique situé à Donegal tout au nord de l'Irlande, le parc national de Glenveagh fleurit et verdoie, déployant la magnificence de jardins exotiques. Le *Gulf Stream* adoucit le climat littoral et comble le paysage qu'un Irlandais n'oublie jamais, où qu'il se trouve. Henry McIlhenny, après avoir réalisé financièrement à Philadelphie son rêve américain, rentra au pays en 1870 pour réaliser enfin son rêve irlandais, en bâtissant ce château néogothique à une vingtaine de kilomètres au nord-ouest de Letterkenny, enchâssant la riche végétation des jardins dans un paysage naturel de collines, de forêts et de lacs. Un paradis s'étendait à ses pieds et s'étale aujourd'hui à ceux des visiteurs, du haut de la grande tour carrée.

Château de Donegal ❷

Bâti en 1505, le château de Donegal prit un siècle plus tard l'aspect qu'il a de nos jours. Il se trouve dans la ville, le comté et la baie de Donegal, au nord-ouest de l'Irlande. Il était à l'époque en bien meilleur état. En dépit d'une rénovation récente très coûteuse et d'une restauration partielle, on ne chercha pas à cacher l'état de ruine de l'édifice, mais on reconstruisit certains espaces pour en donner l'accès aux visiteurs. L'ensemble, formé d'impressionnants bâtiments et de vestiges, se trouve au bord de la rivière Eske et rappelle l'époque où les Britanniques tentèrent d'imposer leur domination à « l'île verte ». Les premiers châtelains durent d'ailleurs fuir. Aujourd'hui le domaine est entre les mains des Irlandais et des organismes touristiques.

Château de Dunguaire ❸
Galway

Les sombres forteresses comme ce gros cube en granit surmonté de tours sont fréquentes dans la province de Galway à l'ouest de l'Irlande. Lorsque le château de Dunguaire fut bâti vers 1520, il n'y avait pas âme qui vive sur cette terre. De qui les bâtisseurs voulaient-ils se protéger avec de telles fortifications ? De l'avancée de conquérants anglais que la place imprenable ne décourageait pas ? De voisins ayant jeté leur dévolu sur le domaine ? Les traces, autres que celles du temps, laissées sur les murs montrent que d'impitoyables luttes peuvent être menées dans des contrées désertes.

Château de Birr ❹

Il trône au cœur de « l'île verte », pittoresque construction blottie dans un paysage qui ne l'est pas moins, à mi-chemin entre Dublin, sur la mer d'Irlande, et la côte atlantique. À l'origine, s'y trouvait en 1170 un fort normand, transformé au cours de siècles en un château que l'aménagement, depuis le XVIIIᵉ siècle, de jardins l'entourant d'une riche et douce végétation dépouilla de son air austère d'effroyable forteresse. Il renferme un télescope datant de 1840 qui, jusqu'en 1910, était le plus grand du monde.

Trinity College ❺
Dublin

Un *College* que d'innombrables personnes du monde entier gardent en mémoire comme une *alma mater* les ayant nourries d'une chaleur inoubliable tout au long de leurs années universitaires, plus ou moins studieuses, dans cet établissement. Le *College* est un lieu qui fascine, notamment ceux qui ont planché sur leurs livres dans les amphithéâtres dissimulés derrière cette façade à colonnes de style classique, dans la longue tradition de l'université, fondée en 1592. La ville est aussi intéressante, et il fait bon aller boire un coup dans ses pubs une fois hors de l'enceinte de ces murs, où l'on ne badine pas.

Irlande
Europe

Château de Leamaneh ❶
Clare

Le nom, qui se prononce étrangement Leh-im-on-eh, n'évoque pas d'emblée ce qu'il signifie en gaélique, à savoir « saut du cheval », moins par allusion à son aspect extérieur qu'à un exploit accompli dans le comté de Clare, à l'ouest de l'Irlande, terre d'une multitude de héros. Le château, dont les murs s'effritent de plus en plus, se situe à une vingtaine de kilomètres au nord d'Ennis, la principale ville du comté. Il a l'air héroïque du nom qu'il porte, du moins du côté fortifié, à droite. Le côté gauche laisse deviner l'existence de fenêtres, sans vitres et pourvues de barreaux. Ces deux parties d'un seul bâtiment proviennent d'époques différentes. Celle de droite de la fin du XVe siècle, où l'on employait beaucoup le fer, celle de gauche, plus plate, fut ajoutée cent cinquante ans plus tard. Ni l'une ni l'autre n'est très engageante.

Château de Dysert O'Dea ❷
Clare

L'arbre généalogique du clan irlandais O'Dea remonte au temps de l'occupation de l'île par les Celtes, et à une dame du nom de Scota, épouse d'un ancêtre O'Dea, et qui donna son nom à l'Écosse, ce pays au climat rude. Une noble descendance, certes, mais la véritable gloire des O'Dea provient des hauts faits d'un homme beaucoup plus jeune, qui vainquit au XIVe siècle les envahisseurs anglais près de Dysert, assurant ainsi pour deux siècles l'indépendance de l'Irlande. Le château, qu'il fit construire, en lui donnant le nom du clan et du lieu de la bataille, dans cette région au relief karstique appelée *The Burren*, à quelques kilomètres au nord de Ennis, y contribua aussi. Les touristes anglais, que le fair-play ne fait pas reculer devant la honte, contribuent aujourd'hui largement à son entretien.

Château de Kilkenny ❸

Un complexe aussi surprenant qu'admirable se trouve à une centaine de kilomètres au sud-ouest de Dublin, à mi-chemin entre la capitale irlandaise et la ville de Cork. Le château, d'apparence sévère, au bord de la rivière Nore, est cependant égayé par une jolie fontaine et un parc non moins riant. Le château appartenait depuis 1391 à une famille Butler qui dut le céder en 1967 à la commune de Kilkenny pour le prix symbolique de cinquante livres. Le public a donc maintenant accès à cette demeure qui, à l'intérieur, est plus confortable que ne le fait croire l'extérieur. Le château tire gloire notamment de ses fresques de plafond et d'une complète galerie de portraits représentant la famille Butler à travers les siècles. La cuisine d'antan est aujourd'hui celle d'un restaurant.

Rock of Cashel ❹

« *It's a long way to Tipperary* », chantaient autrefois les soldats qui avaient le mal du pays. Et en effet, le voyage en vaut la peine, même s'il est long. La plaine de Tipperary, au sud de l'Irlande, fait honneur à « l'île verte », non seulement par sa beauté naturelle, mais aussi par ses monuments historiques et pittoresques comme la ruine de ce fort à une vingtaine de kilomètres au nord de Clon-mel. C'est là que régnèrent les rois de Munster avant de léguer en 1101 à l'Église la colline rocheuse qui surplombe la région à plus de cent mètres d'altitude. Les ruines datent de l'époque de l'évêché au Moyen Âge. Les ecclésiastiques eurent aussi besoin de forteresses, car il fut des périodes où les armes ne cessaient de s'entre-choquer.

Château de Johnstown ❺
environs de Wexford

Le château de Johnstown, édifice profane en gothique flamboyant près de Wexford, à la pointe du sud-est de l'Irlande, s'est non seulement maintenu sans endommagements à travers les siècles, mais fut aussi toujours parfaitement entretenu, et continue de l'être. Il fut remis en 1942 aux mains de l'État par la propriétaire, à charge d'y créer un centre de formation et de recherche agricole. La propriété de plus de vingt hectares est on ne peut plus idéale pour cela, avec son parc, ses lacs et ses jardins, accessibles au public. Son charme naturel et sa richesse botanique consolent largement de ne pouvoir visiter le joyau qu'est le château.

Muckross House ❻

À une centaine de kilomètres de Cork, à la pointe sud-ouest de l'Irlande, se trouve le parc national de Killarney, au cœur duquel fut bâtie en 1843, au bord du lac du même nom, cette maison, relativement jeune par rapport à la région du Kerry, lourde d'événements historiques. Même la reine Victoria d'Angleterre y séjourna en 1861. Un riche Américain racheta la propriété en 1911 en cadeau de noces pour sa fille. À la mort de celle-ci, en 1929, il l'offrit, dans son chagrin, à l'État irlandais, qui fit de ce joyau architectural et naturel le premier parc national du pays.

Palais royal ❶
Amsterdam

L'édifice rappelle en fait moins les régimes monarchiques que les succès de commerçants hollandais. La riche métropole d'Amsterdam bâtit, en effet, l'actuel palais royal, au XVIIᵉ siècle, comme hôtel de ville. À peine affectés par la guerre de Trente Ans qui sévissait en Allemagne, les voisins hollandais avaient amassé, par le commerce, de considérables fortunes, leur permettant la construction de somptueux édifices pour la vie mondaine. Les visiteurs originaires de contrées plus au sud, comme les Bavarois ou les Autrichiens, hochent légèrement la tête quand on leur dit que cet édifice et son beffroi sont ce qu'il y a de plus beau de style baroque. Dans le nord protestant, même ce style voluptueux ne parvient pas à dissimuler une certaine austérité. Le gai fronton est, déjà, presque osé.

Binnenhof ❷
La Haye

La Haye, ville depuis 1811, s'est développée, comme beaucoup de localités médiévales, autour de la résidence d'un seigneur, le comte de Hollande, qui fit construire le *Binnenhof* au XIIIᵉ siècle. Il fut plus tard le siège des états généraux. Le bâtiment principal en vieille brique rouge recèle la salle des chevalier et dénote l'austérité du gothique du haut Moyen Âge. Deux tourelles de facture légèrement différente et un haut pignon anguleux troué d'une rosace lui donnent un air de dignité. Le complexe est désormais enclos par la ville et le quartier du gouvernement, mais est demeuré d'un pittoresque qui semble ne pas avoir été touché par le temps. Il remplit des fonctions officielles et ne peut être que partiellement visité. Ce que l'on peut voir en vaut cependant la peine.

Palais Noordeinde ❸
La Haye

Le troisième mardi de décembre, le palais ouvre annuellement ses portes et la reine Béatrice quitte sa résidence officielle dans un carrosse d'or pour se rendre au *Binnenhof* où elle tient son discours du trône dans la salle des chevaliers. En comparaison du *Binnenhof*, le palais est un bâtiment d'architecture plus moderne, du XVIᵉ siècle, auquel furent ajoutées deux ailes un siècle plus tard. On l'appelait jadis, en dépit de son âge relativement jeune, *Het Oude Hof*, et l'État hollandais l'acheta pour le roi et ses successeurs. Ils l'utilisèrent plus ou moins fréquemment, jusqu'à ce que la souveraine actuelle fasse de Noordeinde, c'est le nom du palais depuis l'époque post napolénienne, la résidence officielle du trône.

Maison Doorn ❹
environs d'Utrecht

« Le mieux serait que je me tire une balle dans la tête », se lamentait l'empereur Guillaume II en novembre 1918 lors de la proclamation de la république à Berlin. Mais on parvint assez vite à le convaincre de ne pas le faire. Un chrétien ne se suicide pas. Il se réfugia donc en Hollande où il trouva ce palais, qui avait été la maison de campagne d'une grand-tante de la célèbre actrice Audrey Hepburn, et s'y installa. L'ex-empereur compensa si bien son envie de pouvoir dans l'abattage des arbres de son domaine qu'il n'en laissa pas un, se plaignant, par la suite, que son terrain fût exposé à la vue de tous. Aujourd'hui les arbres ont repoussé, et de précieux objets de l'époque de son exil (1919–1941) y sont exposés.

Paleis Het Loo ❺
Apeldoorn

Les jardins et les forêts entourant la ville d'Apeldoorn dans la province de la Gueldre lui confèrent un charme unique. Et dans une de ces forêts à proximité de la ville, se trouve, dans une enceinte de verdure, le château Het Loo, qui demeura la résidence d'été préférée de la famille royale de 1686 à 1975. Depuis lors, les restaurateurs s'attachent à en rétablir l'état initial, et il se présente comme une sorte de musée de lui-même et de son usage au cours des siècles. En dehors du mobilier, on peut y admirer des vases, des peintures, des vêtements, de la vaisselle et beaucoup d'autres choses replacées dans leur contexte historique. Une documentation sur l'histoire de la province et des Pays-Bas complète le panorama historique, qui fait remonter le visiteur à la période baroque, trois siècles auparavant.

Pays-Bas / Belgique
Europe

Stadswal ❶
Breda

Pendant la guerre de Trente Ans, Breda, ville du Brabant-Septentrional, qui protégeait avec sa forteresse les routes menant à Amsterdam et à Utrecht, fut par moments exposée aux batailles. Un célèbre tableau de Vélasquez (1599-1660) raconte la scène de la remise de Breda aux Espagnols en 1625 après une longue occupation. Agresseurs et défenseurs avaient rivalisé d'architecture fortifiée, dont il reste quelques exemplaires. D'autres bastions datent du haut Moyen Âge ou de la Renaissance, comme le château de Breda, transformé après la grande guerre européenne tel qu'il se présente aujourd'hui au visiteur et aux élèves de l'École militaire royale qu'il renferme.

Ruine ❷
Valkenburg

Les maisons de la petite ville de Valkenburg aan de Geul ont élu domicile au pied d'un château tels des fidèles autour du Bon Pasteur. C'est un lieu qui attire les touristes car il offre un excellent panorama sur la ville et les environs. Les visiteurs apprécient ce théâtre à l'état de ruine d'une histoire mouvementée, et qui sent encore l'aventure. Les Liégeois le détruisent en 1339, en 1568 Hollandais et Zélandais se le disputent dans leur révolte comme site stratégique, les Français l'occupent en 1672, puis en le reprenant les Hollandais le réduisent eux-mêmes à l'état de ruine complète. Une restauration partielle découvrit des couloirs secrets ayant joué un rôle capital lors des nombreuses batailles et qui valent la peine d'être vus.

Château de Schaloen ❸
Oud-Valkenburg

Le touriste trouve dans le vieux Valkenburg, situé sur la route de Gulpen dans la province méridionale de Limbourg, relativement vallonnée par rapport au reste du pays, une charmante petite ville dans un paysage de collines et de champs. Le château de Schaloen, migothique flamboyant, mibaroque, y est une des curiosités. Ses divers propriétaires surent, plus tard, à tel point accuser le caractère gothique par des enjolivements néo-gothiques et des chapelles dans le toit qu'on a l'impression d'un édifice sorti d'un conte romantique. Il est situé dans un jardin paysager tout aussi enchanteur d'où le visiteur a une magnifique vue sur le château de Genhoes, du XVᵉ siècle, non loin de là.

Château de Beersel ❹
Bruxelles

Les banlieues méridionales de la métropole de Bruxelles s'étendent jusqu'à la commune de Beersel, paysage naturel paradisiaque dans la vallée de la Senne à la frontière entre le Brabant wallon et le Brabant flamand. Le château fort du Moyen Âge, du nom de la commune frontière, est d'un volume imposant que double son reflet dans l'eau. Les tours mirondes, à peine trouées de quelques fenêtres, semblent surveiller la contrée, témoin d'une histoire mouvementée expliquant la présence de forteresses. Les propriétaires s'y succédèrent néanmoins de près. Bourguignons, Habsbourg, Français, Néerlandais et Belges y résidèrent successivement. Aujourd'hui, l'édifice est propriété de l'État.

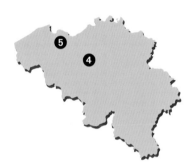

Château Poeke ❺
Aalter

À l'origine, se trouvait sur ce site, près d'Aalter, au nord-ouest de Gand, en Flandre-Orientale, une forteresse médiévale détruite en 1453. La ruine se désagrégea peu à peu pendant un siècle et demi, et fut achetée, en 1597, par une famille de l'aristocratie du nord de la France, les Preudhommes. Quand la région passa aux mains des héritiers des Habsbourg, les propriétaires furent promus au service de l'empereur d'Allemagne et d'Autriche, avancement qui leur donna les moyens de reconstruire le château, sommairement restauré jusque-là. Ils en firent un élégant château de style baroque, pourvu de quatre tours, qui suivit, au XIXᵉ siècle, le sort réservé à la noblesse, déchue de ses privilèges. Il appartient, depuis 1955, à la commune d'Aalter, qui l'intégra dans une vaste zone d'excursion.

Belgique

Europe

Castel Blauwhuis ❶
Veurne

Comparé à d'autres grands manoirs, c'est un petit château, mais la photo est trompeuse. La « maison bleue » n'est pas une villa isolée, appelée d'ailleurs en flamand *Castel*, mais se compose de plusieurs édifices tous pareils qui enclosent, quatre par quatre, une cour, formant un ensemble. Un très bel exemple d'urbanisme, en pleine campagne. Le castel fut bâti en 1508 dans le style de la Renaissance flamande, près de Veurne/Vinkem en Flandre-Orientale, non loin de Dunkerque à la frontière française. De hautes fenêtres, des pignons anguleux et des toits bleus confèrent à la majestueuse maison, dans son parc bien entretenu, beaucoup d'élégance.

Château de Rumbeke ❷
Roeselare

Le premier comte de Flandres, Baudouin, dit « Main de fer », aurait construit au Xe siècle un bâtiment sur ce site or la première mention ne remonte qu'au château de Rumbeke à Roeselare, en Flandre-Occidentale, construit vers 1535 tel que nous le voyons, flanqué de deux remarquables tours octogonales, et avec cet air notable d'austérité style Renaissance. Le fossé qui entoure l'édifice en forme de L était à l'origine une douve, remblayée au XIXe siècle. La restauration, commencée en 1988, est trop coûteuse pour que l'on rétablisse les douves d'origine. Les visiteurs peuvent toutefois admirer un très beau parc.

Palais royal ❸
Bruxelles

La résidence du duc de Brabant brûla en 1731 et fut revendue au gouverneur autrichien des Pays-Bas qui refit entièrement, selon une nouvelle conception, les plans de tout le complexe des hauts de Bruxelles. Il aménagea d'abord, en 1786, des jardins classiques à la française, géométriques, au sein d'un carré de rues. Les travaux du bâtiment central, retardés par les remous de la Révolution française et des guerres napoléoniennes, ne furent repris qu'en 1814. Mais la séparation de la Belgique des Pays-Bas intervint avant que fût achevée cette phase de construction. Le roi de Belgique, Léopold Ier (règne de 1831 à 1865) désira, à son tour, marquer le palais d'une nouvelle orientation. Un complexe monumental, qui contient un mélange impressionnant d'éléments baroque tardif, classique et empire.

Château de Veves ❹

Le château de Veves, dans la province de Namur, date du XIIIᵉ siècle et se dresse à la manière d'un pentagone assez irrégulier, il faut l'avouer. Juché au sommet d'une colline, il semble menacer le pays de ses tours pointues. La plus haute, sur la photo, mesure trente-huit mètres de hauteur et huit mètres de diamètre. Le complexe disposait autrefois de somptueuses pièces, d'appartements pour les domestiques, de communs, d'une cuisine spacieuse et d'une chapelle, bien sûr. En période de troubles, il n'était pas possible d'entretenir ces forteresses sans aide financière « d'en haut ». Mais entre les guerres, les châtelains ne vivaient pas mal. Les réjouissances ne manquaient pas, la région, riche en gibier, se prêtait à la chasse, et on courait le guilledou, jusqu'à la prochaine guerre.

Château de Deulin ❺

Un bel ensemble de bâtiments en crépi blanc disposés en forme de U semble saluer du haut d'un tertre surplombant les vastes prairies de la vallée de l'Ourthe, dans la province belge du Luxembourg. Le château de Deulin, style Louis XV avec ses grandes cours intérieures et ses jardins géométriques à la française, qui se prolongent par un parc de quinze hectares, derrière le château, fut bâti vers 1760. L'intérieur, avec ses riches ornements en stuc, ses sculptures, ses dalles en marbre et ses fresques aux plafonds, témoigne de la fortune des nobles qui le bâtirent et de leurs successeurs. Les objets d'art chinois et la finesse du mobilier reflètent le goût de l'époque.

Château de Bouillon ❻

Qui dispose d'un tel château fort sait comment entrer dans une forteresse. Godefroi de Bouillon, duc de Basse-Lorraine, remit en 1095 le gigantesque ensemble de pierre qui surplombe la Semois, à Bouillon dans les Ardennes, à l'évêque de Liège, fit ses adieux et partit délivrer la Terre sainte des musulmans, à la tête de la première croisade. La prise de Jérusalem en 1099 montra qu'il avait l'expérience des fortifications. Qui vient visiter aujourd'hui ce roc artificiel, juché sur un rocher naturel au milieu de forêts surplombant l'exquise vallée revit de forts moments historiques, qui font parfois frissonner, et jouit d'une merveilleuse vue sur la ville, sur les méandres du fleuve et les redoutables murs du château.

Château de Clervaux ❶

Clervaux ne compte qu'un millier d'habitants, et semble presque étouffer, enfoui sous le puissant château du XIIᵉ siècle qui surplombe la ville. D'illustres familles y résidèrent, et il vit se dérouler de nombreuses guerres, gardant quelques dommages de la plus violente d'entre elles. En 1944, la Wehrmacht fit partir d'ici sa dernière offensive à l'ouest en direction des Ardennes. Le massif édifice ne craignait ni l'artillerie ni les chars d'assaut, mais n'était pas construit pour résister aux attaques du ciel, et il fut bombardé par l'armée de l'air. Aujourd'hui, le château restauré abrite la remarquable exposition de photographies « The Family of Man », du photographe américain Edward Steichen (1879–1973), originaire du Luxembourg.

Château de Vianden ❷

Les Romains avaient déjà jugé le site propice et érigé un castel sur une montagne en cône au-dessus de la localité de Vianden, aujourd'hui au Luxembourg. Les bâtisseurs de châteaux médiévaux du temps des Hohenstaufen bâtirent sur ses fondations une fière forteresse, presque un palais. Le vaste complexe s'agrandit au fil des époques, et fut un peu transformé au XVIIe siècle, sans que fût altérée la splendide impression d'ensemble s'offrant de loin à la vue. Au XIXe, son entretien dépassait les moyens financiers du roi des Pays-Bas, de même que ceux de de la famille des grands-ducs du Luxembourg, qui reprit le château en 1890, et l'édifice haut perché commença à tomber en ruine. Depuis 1977, le château appartient à l'État et a retrouvé, à la grande joie des Luxembourgeois et des touristes, sa splendeur médiévale.

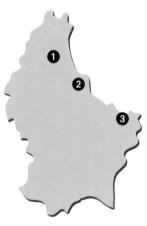

Château de Beaufort ❸
Echternach

Le romantisme, qui trouve aux ruines un côté attrayant, n'a pas tort, en tout cas, quand elles se dressent comme ce château, surplombant la ville d'Echternach. Le nom de « beau fort » lui fut donné à une époque où il était encore intact. Il n'y avait alors pas encore de romantiques, mais des guerriers voulant se protéger derrière des murs épais. Ils commencèrent la partie centrale au XIIe siècle, en style roman. Dans une seconde phase de construction, le gothique prédomina, reconnaissable à certaines fenêtres des derniers bâtiments construits, qui abritent un remarquable poste de garde, tellement étroit et sombre qu'il fait plutôt penser à une prison. C'est aussi romantique !

Allemagne
Europe

Château de Neuschwanstein ●

Le « fantastique » château de Neuschwanstein, commencé en 1868 par Louis II de Wittelsbach, roi de Bavière, rêveur installé dans un monde d'imagination et de fantasme, trône sur la croupe d'une montagne à neuf cent soixante-quatre mètres d'altitude, près de la petite ville de Füssen, dans le décor grandiose d'un des plus beaux paysages des Alpes. Du pont de Marie, qui enjambe la gorge de la Pöllat, on a la meilleure vue sur ce château aux nombreuses tours élancées, avec encorbellements, créneaux et frontons, conçu par le peintre décorateur de théâtre Christian Jank, et inspiré de l'épopée wagnérienne. L'intérieur est presque aussi impressionnant, notamment la salle du trône en marbre de Carrare.

Allemagne
Europe

Château de Glücksburg ❶

Quand le lac est calme, le château, situé à neuf kilomètres au nord-ouest de Flensburg, ravit doublement le visiteur. De loin, les murs blancs de ses tours et de sa façade jettent un ravissant reflet sur l'eau, qui se disperse, par temps de vent, en une multitude de petites perles scintillantes qui dansent sur les vagues. Mais le solide édifice, bien enraciné, invite à découvrir de nombreuses richesses. Construit de 1582 à 1587, il recèle de très belles collections de gobelins, de tapis en cuir et de peintures. Les pièces racontent des siècles d'un art de l'habitat somptueux et d'habitants au sang bleu dont certains et certaines devinrent illustres.

Château de Gottorf ❷
Schleswig

Nature et maîtres d'œuvre s'unirent pour bâtir sur la Schlei une œuvre d'art plurielle que modelèrent la Renaissance et le baroque, joyau serti dans une monture formée par la Baltique. Le climat tempéré de cette espèce de « fjord » qu'est la Schlei l'enrichit d'un jardin qu'il n'est pas exagéré de qualifier de princier. Le château fut la résidence de la dynastie des Oldenburg, qui régna aussi temporairement au Danemark, en Suède et avec une ligne collatérale en Russie. Plusieurs rois danois naquirent au château de Gottorf. Un musée installé dans le château, le plus grand édifice profane du Schleswig-Holstein, depuis le milieu du XXe siècle, évoque la mémoire de ces rois et l'histoire de la région depuis la préhistoire.

Château d'Husum ❸

Tous les ans, au printemps, la culture vit à Husum dans l'ombre de la nature, car c'est le moment où fleurissent dans le parc du château des millions de crocus à fleurs mauves qui attirent des flots de visiteurs des environs et de plus loin. Puis une fois le spectacle terminé, l'édifice de la fin du XVIe siècle, qui échangea en 1752 son caractère Renaissance contre une « robe » baroque, est de nouveau au centre de l'intérêt. La tour centrale, de quarante mètres de haut, fut refaite en 1980. L'intérieur, décor et ameublement, est celui du XVIIIe siècle. L'escalier, la salle des chevaliers et divers salons peuvent être visités. Le château, touche de couleur dans cette « grise ville en bord de mer » (Theodor Storm), est également célèbre pour ses cheminées du début du XVIIe siècle.

Château de Plön ❹

Bien que construit dans la dure période de la guerre de Trente Ans, de 1633 à 1636, le château, à la splendide terrasse sur le lac de Plön, présente des traits de la Renaissance tardive allemande. Le portail, d'une beauté exceptionnelle, s'ouvrit depuis l'époque des princes qui y résidaient, à de nombreux qui y résidaient à de élèves. Au tournant du xxe siècle, il vit passer les fils de l'empereur Guillaume II et les cadets de la marine impériale, dans les années 1930 les pensionnaires d'une maison de redressement politique du parti ouvrier national-socialiste allemand (NSDAP), et après le Troisième Reich les pensionnaires d'un internat. En l'an 2000, le splendide édifice cessa d'accueillir les écoliers et fut vendu au groupe de l'opticien Fielmann.

Holstentor ❺
Lübeck

Le bel édifice à deux tours tournées vers la vieille ville de Lübeck, sur la Trave, a un rapport avec la bière dans la mesure où le nom d'Holsten, région du Holstein comprenant Lübeck, est commun à cette porte et à une marque de bière. Mais la porte, emblème de la ville apposé sur tous les produits de marques des spécialités de la région, comme la pâte d'amandes, et imprimé jusqu'en 1991 sur les billets de cinquante marks de la Banque d'Allemagne, est plus célèbre que la marque de bière. Commencée en 1464 et terminée en 1479, elle fut érigée avec des murs épais de trois mètres cinquante, pour protéger la ville. Trente canons pouvaient être placés dans ses meurtrières. Mais ayant vite perdu cette fonction, elle commença à tomber en ruine. En 1863, il fut question de l'abattre, mais la conscience de la valeur et de la qualité des vieux bâtiments s'était à tel point développée, que le conseil de la ville en décida, à une courte majorité, la restauration, à la grande joie des habitants et de leurs hôtes.

Château d'Ahrensburg ❻

Ahrensburg est une petite ville au nord-est Hambourg, dans la verte vallée de la Aue. Le château, qui reluit de blancheur dans le parc qui l'entoure, fait partie des curiosités les plus appréciées du Schleswig-Holstein. Il ne reste plus grand-chose du bâtiment d'origine du XVIe siècle, en grande partie transformé en 1760 par Heinrich Carl Schimmelmann, si bien que la première impression est de toute évidence celle d'un édifice baroque, auquel s'ajoute un style sobre caractéristique du nord de l'Allemagne. Depuis 1938, puis de nouveau depuis sa réouverture après la guerre en 1955, le château est un musée, montrant le mode de vie de la noblesse du Schleswig-Holstein aux XVIIIe et XIXe siècles.

Allemagne
Europe

Château de Reinbek ❶

Érigé par le duc Adolf Ier de Schleswig-Holstein-Gottorf dans le style de la Renaissance hollandaise à la place d'un ancien monastère de Cisterciennes au XVIe siècle, il fait respirer un peu d'air hollandais au bord de la Bille, petit affluent de l'Elbe en amont de Hambourg. Il fut jadis au cœur de la cité et, dans une période moins reculée, résidence du sous-préfet du district de Stormarn. Il fut décidé à la fin des années 1970 de le réhabiliter et de le restaurer. Les travaux durèrent une dizaine d'années, et depuis, ce merveilleux édifice au bord de l'eau, cadre de manifestations culturelles, concerts, expositions et tables rondes, accueille le public.

Château de Bergedorf ❷
Hambourg

Les vestiges de terre-pleins et de fossés indiquent un ancien château fort, unique place forte de la ville-État de Hambourg, datant du XIIIe siècle, dans le quartier de Bergedorf à l'est de la ville. L'édifice en brique, où se constitua la Hanse, joua un rôle historique. Propriété municipale depuis le XIXe siècle, au cœur d'un agréable parc, il abrita aussitôt les services publics municipaux, et il héberge aujourd'hui, en plus, une annexe du musée historique de la ville de Hambourg sur l'histoire culturelle de Bergedorf et des Vierlande. Il expose des objets (costumes, meubles, outillage) de la vie citadine et paysanne de la région.

Château de Schwerin ❸

L'exode fit perdre à la capitale du Mecklembourg-Poméranie-Occidentale son statut de grande ville, mais elle n'en possède pas moins l'un des plus beaux édifices du XIXe siècle, bâti sur une île du lac de Schwerin, que les chefs de la tribu des Obodrites avaient déjà choisie pour y construire un château. Plus tard, le comte de Schwerin y dressa une forteresse, supplantée entre 1847 et 1857 par le château des ducs de Mecklembourg. Seule la chapelle de l'aile nord témoigne encore de l'édifice Renaissance du XVIe siècle. Le complexe aux nombreuses tours, dont les dorures scintillent dans l'eau, et ordonné autour d'une cour intérieure, se rejoint par un pont de pierre. Nombre de pièces, demeurées dans leur état d'origine, et la Galerie de peintures du Mecklembourg sont ouvertes au public.

Château de Güstrow ❹

Les édifices les plus remarquables ne se trouvent pas toujours dans les grandes villes. La petite ville de Güstrow, qui n'a que trente mille habitants, abrite le plus majestueux château Renaissance du Mecklembourg-Poméranie-Occidentale. Le complexe de trois ailes, bâti en quarante ans dans la deuxième moitié du XVIe siècle, séduit par la disposition de ses tours, de ses encorbellements et de ses pignons. Il est d'autant plus imposant que son environnement est simple. Des expositions temporaires et un musée de vieilles armes, de céramique antique et d'art des XVIe et XVIIe siècles, ainsi que des meubles rococo attendent le visiteur à l'intérieur, soigneusement restauré. La salle des fêtes, avec ses magnifiques stucs et ses fresques de plafond, est remarquable.

Vieux château ❺
Neustadt-Glewe

Une fois par an, quand la pleine lune baigne de lumière le colossal donjon au début du mois de juin, ce lieu est transporté au Moyen Âge. Les épées s'entrechoquent, les cracheurs de feu éclairent la nuit, les musiciens raclent leurs violons, les danseuses orientales roulent les hanches, les sorcières hantent la place et les jongleurs accomplissent leurs tours. Le château du XIIIe siècle, dans le Mecklembourg, près de Ludwigslust, mi-ruine, mi-restauré, se prête aux fêtes populaires. Le public vient de loin pour assister aux festivités et admirer à l'intérieur les expositions d'œuvres d'art contemporain, mises en valeur dans ces vieux murs. La partie restaurée du château héberge un musée et un café.

Château de Ludwigslust ❻

Le duc Christian Louis de Mecklembourg-Schwerin avait envie d'un château pour ses parties de chasse et s'en fit construire un à une trentaine de kilomètres au sud de Schwerin, qu'il appela logiquement Ludwigslust (« l'envie de Louis »). Une localité s'épanouit autour du château, et les ducs le choisirent bientôt comme résidence. Le pavillon de chasse fut toutefois vite trop exigu. Il fallait un palais. Ce château, édifice baroque tardif dont la belle façade donne sur une grande place, vit le jour de 1772 à 1776. Des sculptures plus grandes que nature incarnant les sciences, les arts et les vertus ornent la corniche. La « Salle d'or », à l'étage du bâtiment central, est meublée avec originalité. Elle se visite, ainsi que les appartements des ducs de jadis.

Allemagne

Europe

Château de Jever ❶

Seule la tour d'angle de cet édifice engageant laisse soupçonner une forteresse d'une époque reculée. De la façade émane plutôt une impression d'habitabilité. Même la haute tour centrale, avec son mouvement baroque, n'évoque plus le donjon qui dépassait du château des siècles auparavant. Le château de la ville frisonne de Jever se présente tel qu'il fut transformé et élargi, au XVIᵉ siècle, et plus tard. Depuis 1921, il abrite les trésors d'un musée sur l'histoire, les mœurs et coutumes et l'archéologie du Jeverland.

Château de Haneburg ❷
Leer

L'élégant édifice rouge ne laisse aucunement transparaître qu'il fut dressé dans une période extrêmement difficile. Les débuts de Haneburg à Leer, en Frise-Orientale, remontent à 1621. La guerre de Trente Ans entamait sa troisième année et seule l'aile ouest, Renaissance tardive, put être terminée. Le bâtiment transversal ne le fut que cinquante ans plus tard. La beauté dépouillée de la brique, avec les arcs de décharge aux fenêtres et les porches relevés de pierre blanche, n'a pas de rivale dans toute la région. Ce vaste pays ne connaît que très peu d'édifices aussi précieux du XVIIᵉ siècle. Soigneusement restauré, le château de Haneburg (du nom de la famille du fondateur) héberge aujourd'hui une université populaire.

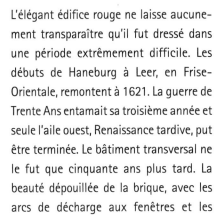

Château de Gifhorn ❸

Le visiteur se sent aussitôt bien accueilli en approchant du château de Gifhorn, « la porte méridionale des Landes de Lüneburg ». Sa situation à la croisée d'importantes voies commerciales était jadis d'une grande importance stratégique, et elle en profita, fit venir de précieux matériaux pour construire la place du marché et le château, bâti au XVIᵉ siècle. Il servit temporairement de résidence aux ducs de Brunswick et de Lüneburg. Un Musée historique fut installé dans la « Maison du commandant ». La chapelle du château est elle-même une pièce de musée. Construite en 1547, un an après la mort de Luther, elle fait partie des premiers monuments sacrés évangéliques sans passé catholique.

Château de Celle ❹

Que l'on y vienne en train ou en voiture, les faubourgs plutôt mornes de la ville de Celle, aux confins méridionaux des landes de Lüneburg, ne trahissent aucunement un cadre aussi pittoresque que ce château Renaissance. Bâti au XVIe siècle sur un site fortifié trois siècles auparavant, le château changea au XVIIe en une demeure plus accueillante. La chapelle, consacrée en 1485, et transformée après la Réforme, a gardé son caractère Renaissance. Un théâtre baroque, avec une troupe permanente, lui fait pendant. Les anciens appartements ducaux et le musée Bomann, dans l'aile est, racontant l'histoire du royaume de Hanovre, sont ouverts au public.

Allemagne
Europe

Château de Herrenhausen
Hanovre

Le site d'un château est-il attrayant sans château ? Dans le cas de Hanovre-Herrenhausen, paradoxalement, oui. Sophie du Palatinat, qui avait épousé en 1658 l'Électeur Ernst August de Hanovre, ne s'acclimatait pas dans le nord, où tout lui paraissait stérile. Elle se fit donc aménager un très joli jardin avec jeux d'eau, labyrinthes, grottes et théâtres, et au cœur de ce jardin, une résidence d'été. Une perle baroque, victime des attaques aériennes alliées en 1943, et dont il ne resta plus que l'orangerie et la galerie. Le visiteur est accueilli dans une salle des fêtes qui s'étend sur les deux étages du château, avec un cycle de fresques de Tommaso Giusti sur la légende d'Énée, d'égal attrait que les jardins.

Allemagne
Europe

Château de Dankwarderode ❶
Brunswick

Les horribles plaies laissées par les bombes de la Seconde Guerre mondiale dans la vieille ville de Brunswick n'ont pas toutes cicatrisé; toutefois, le cœur de la ville resplendit de nouveau de l'éclat d'antan, surtout la résidence reconstruite du puissant duc guelfe Henri le Lion, rival de l'empereur Frédéric Ier Barberousse au XIIe siècle.

Un lion d'airain évoque, du haut de son socle, le propriétaire d'antan. Le château héberge aujourd'hui un département du Musée du duc Anton-Ulrich, contenant une très belle collection d'orfèvrerie religieuse. Le château forme, avec la cathédrale et l'hôtel de ville, un triangle majestueux.

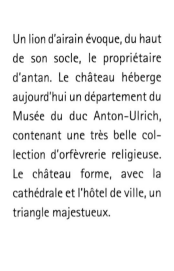

Kaiserpfalz ❷
Goslar

Le palais impérial d'origine n'est plus, mais les reconstructeurs du XIXe siècle ont fait ce qu'ils ont pu pour donner à l'édifice, qui se présente aujourd'hui comme palais impérial à Goslar, en bordure nord-ouest du Harz, un air de ressemblance avec l'édifice roman d'origine. L'empereur Henri II l'avait fait construire entre 1005 et 1015, mû par la redécouverte, à proximité, de la veine d'argent du Rammelsberg, où les Romains avaient déjà extrait le précieux métal. La ville impériale de Goslar s'épanouit vite, et plus tard, membre de la Hanse, elle fit partie des places les plus importantes de l'Empire. Un cycle de tableaux historiques créé à la fin du XIXe siècle rappelle, dans la Grande Salle, d'importantes étapes de l'histoire allemande.

Château guelfe ❸
Hann. Münden

La rencontre de la Werra et de la Fulda pour former la Weser nécessite un cadre architectonique adéquat. La ville de Hannoversch Münden, ou Münden, couramment abrégée aujourd'hui par Hann. Münden s'en chargea, et fit construire de majestueux édifices dans le style Renaissance de la Weser, dont ce monumental château, pour remplacer un édifice gothique détruit par le feu en 1560, et qui devait servir de

résidence aux ducs de Brunswick-Lüneburg. L'aile méridionale, de nouveau la proie des flammes en 1849, ne fut pas reconstruite. Mais dans les autres ailes, des pièces habitées sous la Renaissance sont ouvertes au public. D'autres parties de l'édifice sont utilisées comme bureaux ou hébergent un musée municipal.

Château guelfe ❹
Herzberg

Un admirable château à colombages accueille le visiteur attiré comme un aimant à Herzberg, au sud-ouest du Harz, à l'emplacement du vieux château, cédé au XIIᵉ siècle par l'empereur Frédéric Iᵉʳ Barberousse au duc Henri le Lion. Le pimpant édifice fut construit en 1510 sur les vestiges d'un ancien château ravagé par un incendie. Sa façade, que l'on voit de très loin, est aussi attrayante que la petite cour intérieure, d'un grand charme. À l'intérieur du château, se trouve un fac-similé de l'Évangile d'Henri le Lion, une exposition de figurines en étain et une exposition de photos intitulée « De la forêt vierge à une sylviculture respectueuse ». La tour, aménagée dans le style Renaissance de la Weser, offre en outre une merveilleuse vue.

Allemagne
Europe

Château de Bernburg ❶

Le nom de la ville de Bernburg (*Bär* = ours et *Burg* = château fort en allemand), dans la Saxe-Anhalt, indique déjà qu'à l'emplacement de l'énorme et majestueux château Renaissance qui trône aujourd'hui au-dessus des rives de la Saale dut se trouver, à l'origine, une forteresse. Il n'en reste plus que le donjon, appelé tour espiègle, car le fripon Till y aurait été gardien. Le nom indique en outre qu'un rapport dut exister entre le complexe et l'espèce animale ours. Des générations d'ours Martin se succèdent, dans une fosse de l'ancienne douve. Mais le nom provient d'ailleurs. Autrefois régnèrent en ce lieu les Ascaniens, dont le premier margrave, Albert Ier de Ballenstedt, était surnommé l'Ours. De petites mascottes sont vendues en souvenir.

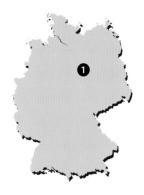

Château de Wörlitz ❶

l'UNESCO donna aussitôt son accord, en l'an 2000, à la demande d'inscription du château et de son parc au patrimoine culturel mondial. Le bâtiment principal, son reflet dans l'eau et le parc allient nature et culture en un équilibre harmonieux. Ce fut le premier édifice classique construit en Allemagne, de 1769 à 1773, par Frédéric Guillaume de Erdmannsdorf pour la famille princière de Dessau, et l'intérieur est d'une élégance tout aussi dépouillée que l'extérieur. À l'étage principal se groupent autour d'une cour vitrée le vestibule, dix pièces et trois salles aux riches décorations en stuc. Des œuvres d'art contemporain, une collection d'objets d'art antique et des toiles de maîtres anciens peuvent y être admirées.

Grand château ❷
Blankenburg

Le château médiéval, détruit par un incendie en 1546, fut remplacé par un château Renaissance, dont il ne reste plus non plus beaucoup de traces. Un édifice moderne baroque veille désormais sur la ville, perché au sommet d'un rocher calcaire de trois cent cinq d'altitude, qui ravit aujourd'hui les visiteurs de la station thermale de Blankenburg dans le Harz. Les nouveaux propriétaires, les ducs de Brunswick-Wolfenbüt-tel, décidèrent de le moderniser, après que la lignée des comtes de Blankenburg se fut éteinte. Ils donnèrent à leur résidence un air sobre et clair. À l'intérieur, furent aménagées des salles de représentation, comme la salle de la Redoute ou la salle impériale.

Château de Querfurt ❸

La petite ville de Querfurt, ramassée autour du château, se trouve à trente kilomètres au sud-ouest de Halle. Deux murs d'enceinte, l'un dressé vers 1200, l'autre, le plus extérieur, cent cinquante ans plus tard, et un système de fossés taillés dans le roc protégeaient un complexe que l'on imagine mal de plus grande dimension. Une église du XIIᵉ siècle forme le cœur de la cour du château avec ses trois donjons romans, très particuliers. L'âge véritable du château fort de Querfurt ne se révéla qu'à la découverte, par les archéologues, d'une habitation en pierre de l'époque carolingienne (Xᵉ siècle) sous le « gros Henri », comme les gens appellent le donjon rond. Dans le grenier à grain et la casemate, le district et le château exposent des objets relatifs à l'histoire de Querfurt.

Château de Merseburg ❹

La cathédrale et le château surplombant la rive escarpée de la Saale dominent le panorama de Merseburg, dans la Saxe-Anhalt, située à une quinzaine de kilomètres au sud de Halle. Le pendant profane de l'édifice sacré a aussi deux tours remarquables, très différentes l'une de l'autre. L'une a un toit pointu, l'autre ressemble davantage à un campanile. Le complexe, construit entre 1480 et 1489 dans le style de la Renaissance tardive, dont témoigne notamment la fontaine richement ornée côté sud-est de la cour, fut transformé au XVIIᵉ siècle. L'aile est du bâtiment, très endommagée pendant la guerre aérienne, puis restaurée, renferme un remarquable Musée de l'histoire de l'art.

Château
de Sanssouci ❶
Potsdam

Frédéric II, roi de Prusse, désirant probablement vivre un certain temps insouciant
du danger après les guerres de Silésie,
donna à sa résidence d'été, agrandie à
mesure des besoins, le nom de Sanssouci.
Jusqu'en 1747, il n'existait de l'édifice que
le petit château de plaisance sur les
vignes en terrasse, avec sa rotonde centrale à gauche derrière la fontaine, bâti
sur les plans de Georg Wenzeslaus Kno-
belsdorff (1699–1753). C'est à lui que
nous devons aussi le parc de deux cent
quatre-vingt-dix hectares, où s'élevèrent
par la suite d'autres bâtiments : la galerie
de peintures, la vieille orangerie, le salon
de thé chinois et le nouveau palais rococo.
Sanssouci, de toute évidence inspiré de
l'architecture française, est souvent
appelé le « Versailles prussien ».

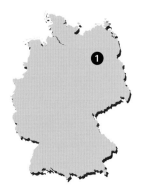

Château de Rheinsberg ❶

Lequel des deux grands personnages ayant occupé ce château fit la célébrité du tableau idyllique s'offrant à la vue en arrivant sur le lac ? Kronprinz Frédéric, ou Kurt Tucholsky avec son *Livre d'images pour amoureux* (1912), dont l'action se situe à Rheinsberg, au nord-ouest de Berlin ? Le couple de Tucholsky y chuchota un peu de son petit bonheur recelé dans la grande histoire de son auteur, c'est certain. Qui s'y entend à faire parler les murs de ce château et la nature environnante percevra les chuchotements des amoureux, mais aussi la flûte de Sa Majesté le Prince Frédéric. Le lieu rend hommage aux deux grands hommes : le château, construit entre 1734 et 1740, à celui que l'on surnommera plus tard le « Vieux Fritz », une pièce du rez-de-chaussée, à l'écrivain.

Nouveau Palais ❷
Potsdam

Plusieurs centaines de sculptures ornent, tels des êtres vivants, les frontons en balustrade du palais, où semble vouloir s'affirmer une dernière fois le style rococo avant que s'impose le classique. Le gigantesque édifice vit le jour en un temps des plus difficiles, après la guerre de Sept Ans, entre 1763 et 1769, période de misère, durant laquelle le « Vieux Fritz » souhaitait démontrer la puissance intacte de la Prusse. Il en devint, dans la vieille ville résidentielle, un témoignage manifeste. Après Sanssouci, c'est le plus fréquenté. Soixante pièces sont aménagées d'époque.

Château de Bellevue ❸
Berlin

Le grand roi n'avait plus la force d'imposer son goût du rococo. Lorsque le « Vieux Fritz » fit construire, en 1785, le château de Bellevue pour son plus jeune frère Auguste Ferdinand, un an avant sa mort devant les portes de Berlin, la victoire du style classique ne pouvait plus être arrêtée. Il s'exprime encore faiblement, dans une simplicité nouvelle, et c'est précisément son manque de pompe qui rend aujourd'hui le bâtiment en parfaite cohésion avec sa nouvelle fonction. Bellevue est la résidence du président de la République, qui y reçoit des visites officielles, des hommes politiques et des citoyens. Dans le magnifique parc de vingt hectares, ont lieu les fêtes d'été du châtelain.

Château de Charlottenbourg ❹
Berlin

Des guerriers de l'Antiquité surveillent la grille d'entrée du bâtiment central du château de Charlottenburg à Berlin. Le palais, bâti de 1695 à 1699 sur ordre du prince électeur Frédéric III, couronné roi en 1701 et devenu Frédéric Ier de Prusse, fut baptisé d'après sa jolie femme Sophie Charlotte. Des ailes y furent ajoutées les décennies suivantes, habitées par les successeurs de Frédéric jusqu'à l'empereur Frédéric III. À la mort de ce dernier, en 1888, déferlaient déjà à Berlin les vagues de la mer de maisons au cœur de laquelle le château et son parc forment une île idyllique. De riches collections d'art, de porcelaine et de meubles sont accessibles au public. Mais la principale attraction reste les appartements d'origine des familles royales de jadis.

Allemagne
Europe

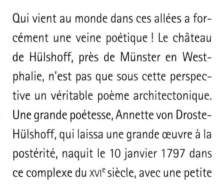

Château d'Ahaus ❶

On rêverait presque de devenir technicien ! Dans ce château baroque de Westphalie, non loin de la frontière néerlandaise, vont et viennent étudiants et professeurs de l'Académie technique. On se demande, devant les proportions harmonieuses de cet édifice sur l'eau, bâti en 1690, maintes fois transformé et agrandi, au cœur d'un beau parc, comment ils peuvent se concentrer sur leur travail, dans ce palais rouge aux toits bleus. Il n'y a plus une trace de l'usine de tabac que des incultes installèrent dans ce joyau architectonique durant la Seconde Guerre mondiale.

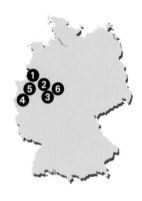

Château de Hülshoff ❷
environs de Coesfeld

Qui vient au monde dans ces allées a forcément une veine poétique ! Le château de Hülshoff, près de Münster en Westphalie, n'est pas que sous cette perspective un véritable poème architectonique. Une grande poétesse, Annette von Droste-Hülshoff, qui laissa une grande œuvre à la postérité, naquit le 10 janvier 1797 dans ce complexe du XVIᵉ siècle, avec une petite chapelle, et dont le charme est augmenté de son reflet dans l'eau. Le château est noyé dans la verdure d'un parc bien entretenu qui fleurit si bien au printemps que l'on souhaiterait devenir poète. Au rez-de-chaussée du bâtiment principal, se trouve un musée consacré à la romancière et poétesse, décédée en 1848, ainsi qu'à son œuvre.

Château de Nordkirchen ❸

Il n'est pas exagéré de nommer ce château, bâti sur des plans de l'architecte baroque Johann Conrad Schlaun (1695-1773), au sud du district de Coesfeld, le « Versailles de Westphalie ». La photo ne dévoile pas toutes les dimensions dissimulées derrière la merveilleuse façade de l'édifice. Les bâtiments s'échelonnent dans son prolongement, des deux côtés, en fer à cheval, et s'ouvrent sur un parc de 170 hectares qui forme, avec le château, une œuvre d'art plurielle de rang international. C'est l'avis des experts de l'UNESCO et des couples qui se marient dans la « tourelle des mariages » de la commune de Nordkirchen.

Château de Lembeck ❹

Il est réservé au visiteur un accueil baroque dans ce château au sud-ouest du bassin de Münster près de Dorsten, hôtel-restaurant qui a mis en place une multitude de distractions historiques. Bâti sur les vestiges d'une forteresse du XIIIᵉ siècle, le complexe fut entièrement restauré à la fin du XVIIᵉ siècle, mais ce n'est qu'en 1730 que l'architecte westphalien Johann Conrad Schlaun, chargé de le transformer et de l'agrandir, lui donna ce tour d'une grande élégance. Le Musée du château, consacré à l'histoire du monument, voisine avec un musée régional.

Château de Vischering ❺
environs de Lüdinghausen

Les lansquenets n'arrivent plus au galop sur ce pont-levis, qui ne se lève plus en cas de danger. De nos jours, Vischering, imposant château fort du XIIIᵉ siècle situé à une trentaine de kilomètres au sud-ouest de Münster, est souvent envahi, mais de touristes, et en été d'une foule de cyclistes. La forteresse transparaît encore derrière la transformation en 1521 au profit d'une demeure, comportant moins de charme, mais plus confortable. Le Musée du bassin de Münster attire le public qui vient admirer l'exposition permanente sur la vie rurale de la région.

Château de Holte-Stukenbrock ❻

Le comte Jean III de Riedberg bâtit, au début du XVIIᵉ siècle, un pavillon de chasse, le château de Holte, sur les fondations d'une forteresse détruite en 1556, et qui appartient aujourd'hui à la commune de Holte-Stukenbrock, située sur un coteau au sud-ouest de la forêt de Teutberg (Teutoburger Wald) entre Gütersloh et Detmold. La haute maison avec son joli toit baroque, surmontant une tour à peine remise à neuf, fut maintes fois rénovée, mais on ne voulut pas en faire trop, afin de lui laisser ce caractère émanant d'époques reculées, loin d'avoir été pacifiques. Dans les environs du château, un monument à la mémoire de soixante-cinq mille victimes russes des stalags, dont trois cent vingt-six de la Seconde Guerre mondiale, évoque des périodes encore moins pacifiques.

Château de Neuhaus ❶
Paderborn

Un évêque portant le titre de prince était plus qu'un dignitaire ecclésiastique. Ayant à charge d'importantes tâches séculières, il avait besoin d'une résidence à la hauteur de son rang. Les évêques de Paderborn entretinrent dès la fin du Moyen Âge une cour princière et il n'est pas faux de qualifier leurs résidences de châteaux. Celui de Neuhaus, au nord-ouest du centre-ville, n'est certes pas neuf, mais si bien rénové qu'il brille d'un nouvel éclat. L'édifice de quatre ailes aux grosses tours d'angle est entouré d'eau. Un jardin baroque fut aménagé sur les plans originaux et un Musée d'histoire naturelle se trouve dans les écuries des princes de jadis.

Villa Hügel ❷
Essen

Un natif de la Rhénanie-(du-Nord-) Westphalie qui déclare fièrement que le bassin de la Ruhr est une région de cures thermales, à l'air sain, ne récolte que des sourires apitoyés de la part de qui vit à la montagne ou au bord de la mer. Mais les railleurs changent d'avis s'ils ont l'occasion de se promener au bord du lac de Baldeney ou dans le parc attenant, au sud de la ville industrielle d'Essen. Et l'enchantement est complet quand on a vu, dans ce paysage à la fois naturel et culturel, la villa Hügel, à la belle et large façade, que l'industriel Alfred Krupp se fit construire de 1870 à 1872 sur ses propres plans. Depuis 1953, le palais est accessible au public qui peut y admirer les collections du premier et plus célèbre « baron de la Ruhr », une documentation sur l'histoire de la firme ainsi que des expositions temporaires d'art de grande d'envergure.

Château de Krickenbeck ❸

Les banques, qui n'ont pas toujours bonne réputation, s'efforcent de soigner leur image de marque. La Westdeutsche Landesbank a trouvé, pour ce faire, l'objet idéal : le château de Krickenbeck, peu avant la frontière néerlandaise, près de Venlo. Le bâtiment, commencé au XIIe siècle, était presque en ruine lorsque les banquiers se chargèrent en 1989 de le rénover dans le style de la transition de la Renaissance au baroque. Ils ont ainsi sauvé du délabrement une maison qu'à peine un édifice n'égale, et en ont modernisé l'intérieur afin d'y abriter leur académie de management.

Château de Rheydt ❹
Mönchengladbach

La façade du château de Rheydt, dans le quartier du même nom de Mönchengladbach, semble regarder d'un air à la fois sérieux et enjoué les espaces verts qui l'entourent. Plus rien ne trahit que le bâtiment date du XIe siècle. Quand il revêtit son aspect actuel, il était la résidence de familles nobles, notamment d'une famille Bylant, propriétaire du château pendant presque trois siècles, jusqu'en 1794. Elle le modela à son goût, en y faisant de nombreux travaux de transformation et d'élargissement. Un historique architectural du bâtiment se trouve dans le Musée de la ville qui, installé depuis 1922 dans le château, expose des collections retraçant l'histoire de la région, notamment celle de la branche du textile.

Château de Benrath ❺
Düsseldorf

Le château rococo de Benrath est comme gracieusement moulé dans le très joli parc naturel qui l'entoure au bord du Rhin. Le prince électeur Carl Theodor posa la première pierre en 1756 et utilisa cet édifice, aménagé avec prodigalité, comme pavillon de chasse. Au terme de l'époque féodale, le château devint propriété de la municipalité de Düsseldorf, dont fait partie Benrath depuis 1929. Le bâtiment principal, ouvert au public, fut conservé comme habitation princière avec son mobilier précieux et des objets d'art du XVIIIe siècle. La salle des fêtes, ronde et surmontée d'une coupole, attire le public. Le Musée municipal, dans le château, en raconte l'histoire. Le Musée d'histoire naturelle vaut aussi la visite.

Allemagne
Europe

Château de Herten ❶

Le site, dans un jardin paysager anglais qui se prolonge dans un bois, et le ton chaud que confère la brique rouge au château, dont l'existence est attestée dès le XIVᵉ siècle, mais datant en majeure partie du XVIᵉ siècle, sont uniques en leur genre et sans égal en Westphalie. Culture et nature s'harmonisent, permettant au visiteur de faire de belles promenades, de visiter le château, d'assister à un concert, ou de regarder une exposition de peinture.

Château d'Altena ❷

Altena, sur la Lenne, au cœur du Sauerland, possède un des plus beaux châteaux bâtis en hauteur. Datant du XIIᵉ siècle, il a une histoire très mouvementée, servit successivement de prison, d'asile municipal de nuit, d'hôpital et enfin de carrière pour la construction des maisons de l'entourage. Un conseiller municipal, à qui la déchéance de cette ruine fit pitié au début du XXᵉ siècle, débloqua les moyens financiers nécessaires pour le reconstruire et lui redonner sa dignité. Le site attira des responsables de mouvements de jeunesse, et il y fut créé, en 1912, la première auberge de jeunesse du monde. Elle existe encore et se partage l'espace avec plusieurs musées, dont un qui raconte l'histoire des auberges de jeunesse.

Château de Burg Solingen ❸

L'ancienne résidence des comtes de Berg, au sud-est de Solingen, se présente, selon la perspective, comme un château ou une forteresse. Le bâtiment fortifié à tour carrée, perché sur un rocher, a pris le nom d'un bourg du nom de Burg, aujourd'hui un quartier de Solingen, sur la Wupper. Tombé en ruine à l'époque moderne, il fut reconstruit au XIXᵉ siècle selon les plans originaux. Les princes n'y règnent plus, désormais le touriste y est roi. Le Bergisches Museum qu'il renferme relate l'histoire de l'habitat moyenâgeux et, du haut du donjon, s'offre une vue sur le paysage forestier des environs.

Château de Poppelsdorf ❹
Bonn

Le baroque rhénan du château au sud-ouest de Bonn et la mer de fleurs qui s'ouvre au visiteur du jardin botanique juste derrière lui sont tous deux ravissants et irrésistibles. L'éblouissant bâtiment, construit entre 1715 et 1730, est exemplaire du style simple élégant, dynamique et engageant des nombreux édifices de cette riante région. Les collections du Musée de minéralogie et de pétrologie de l'université de Bonn, que renferme le château, n'auraient pu trouver hébergement plus digne, architecturalement et du point de vue horticole.

Château Augustusburg ❺
Brühl

Le château de Brühl donna l'exemple à de nombreuses cours princières allemandes. Qui aime les parcs et les fleurs a, aujourd'hui encore, plaisir à déambuler dans les allées. Et qui de surcroît est passionné de culture admirera le style baroque de l'édifice, qui y atteint son apogée. La principale attraction est un escalier du grand Balthasar Neumann. Érigé de 1725 à 1768 pour le prince électeur de Cologne, Clemens August, le château, baptisé Auguste, forme avec son parc et le petit pavillon de chasse Falkenlust (1725–1749) un ensemble que l'UNESCO a classé patrimoine culturel mondial.

Allemagne
Europe

Château de Wilhelmshöhe ❶
Kassel

« Va-t'en à Kassel », crièrent les habitants d'Aix-la-Chapelle d'un ton sarcastique, au passage de l'empereur Napoléon III, fait prisonnier à Sedan en 1870. À Kassel, avait en effet déjà résidé son grand-oncle Jérôme Bonaparte, le « drôle » de roi de Westphalie. Mais Napoléon, interné, ne trouva sans doute pas drôle la captivité dans ce château de style classique de la fin du XVIIIᵉ siècle. Baptisé d'après son bâtisseur, le prince électeur Guillaume Ier, c'est un autre Guillaume, amateur d'art, qu'il attira, l'empereur Guillaume II, qui fit du parc et de l'édifice de trois ailes, sa résidence d'été. La tombe de son teckel Erdmann est encore là, à sa mémoire. Les collections d'art et leurs admirateurs sont aujourd'hui les maîtres du lieu.

Château de Marburg ❷

La communion des Suisses, pour qui pain et vin ne représentaient que le corps et le sang du Christ, mais pas la présence réelle du Sauveur, revenait, pour Luther, à « aller lever le coude et s'empiffrer dans une taverne ! ». « Carnivore ! » rétorquait Zwingli. Les deux réformateurs s'étaient rencontrés en 1529 au château de Marburg dans la Hesse pour débattre de questions célestes, et non terrestres, et n'eurent sans doute pas un regard pour la situation pittoresque de l'édifice, au-dessus de la belle ville de Marburg. Pourtant le château gothique du XIIIᵉ siècle, sans cesse élargi et transformé, trônant à deux cent quatre-vingt-sept mètres d'altitude, mérite plus de considération, ne fût-ce que pour sa salle des chevaliers dans le bâtiment de Guillaume, la chapelle et les casemates.

Château de Fulda ❸

L'ancienne résidence des princes-évêques de Fulda déploie ses ailes, de style baroque, construites au début du XVIIIᵉ siècle par Johann Dientzenhofer. L'intérieur est aussi magnifique, notamment la salle des princes et les salles des glaces, où est exposée la collection de la manufacture de porcelaine de Fulda. Une partie du château est occupée par les bureaux de la municipalité. Dans un cadre aussi beau avec vue sur le jardin, au nord duquel se trouve l'orangerie, un des chefs-d'œuvre du baroque tardif allemand, les fonctionnaires ont ils envie de travailler ?

Château de la Wartburg ❶
Eisenach

L'Allemagne y atteint tous les trois cents ans un point culminant de son histoire. Il fut le théâtre des tournois poétiques des Minnesänger au XIIIe siècle ; au XVIe, Luther s'y réfugia pour traduire le Nouveau Testament, et, au XIXe, des étudiants allemands célébrèrent, en signe de départ patriotique, la fête de la Wartburg. Presque deux siècles se sont écoulés, et le visiteur du château haut perché et éclatant jusque très loin à l'intérieur des terres, se demande quel signal partira de ces murs dans un siècle. En attendant, il y a beaucoup à voir au Wartburg, fascinant par tous les trésors qu'il contient, et par le panorama du haut de la tour sud, sur la mer de cimes de la forêt de Thuringe.

Château de Kochberg ❷

Goethe mettait sept heures à cheval de Weimar au château de Kochberg au nord de Rudolstadt dans la Thuringe. Il fit souvent le chemin, moins pour l'imposante muraille que pour la châtelaine. Le château, agrandi au cours des siècles, appartenait depuis 1733 à la famille de Charlotte von Stein, l'intime amie du poète les dix premières années de sa vie à Weimar, et resta sa propieté jusqu'en 1946. Tombé ensuite dans le domaine public, on y aménagea un musée Goethe dans les apparte-

ments de Mme von Stein, avec le mobilier personnel de celle-ci. Goethe aurait sans doute été ravi de voir jouer ses pièces de théâtre mises en scène par Carl, le fils de Charlotte, jusqu'en 1799, et jouées encore aujourd'hui.

Palais des Seckendorff ❸
Altenburg

Ce château n'est qu'une hutte en comparaison de celui qui domine Altenburg, mais laquelle ! Le palais, côté sud du Brühl, la plus vieille place du marché de la ville, appartenait à la famille des Seckendorff, dont sont issus nombre d'hommes politiques, de généraux et d'écrivains, qui vivaient d'ordinaire au domaine de Meuselwitz, non loin de là. Mais pour les inévitables séjours à la ville, il fallait une demeure adéquate. Friedrich Heinrich Reichsgraf von Seckendorff fit donc construire, en 1724/1725, ce joyau baroque. À sa mort, en 1764, à l'âge de 90 ans, le palais compta certainement parmi les legs les plus convoités.

Château de Dornburg ❶
Dornburg sur Saale

Dornburg, sur la rive gauche de la Saale, à mi-chemin entre Jena et Camburg, para à toute éventualité par une série de châteaux et de castels, dont deux, au milieu d'un grand parc, sont remarquables. Ils appartenaient au duc Karl August. Son père avait fait construire le premier, terminé en 1748, en style rococo. Lui-même acheta le second, un édifice Renaissance compact et simple. Goethe aimait à s'y retirer quand il avait besoin de calme pour écrire. « La vue est magnifique, le paysage riant, tout fleurit dans les jardins bien entretenus », écrivait-il le 10 juillet 1828 à son ami Zelter. Le château abrite un petit musée consacré à Goethe.

Palais de Greiz ❷

Un incendie dévasta, le 6 avril 1802, la ville de Greiz en Thuringe. Le château inférieur, qui fut également la proie des flammes, dut être reconstruit, et il le fut d'abord en style classique, jusqu'en 1809. Le clocher à bulbe fait partie de l'aile méridionale ajoutée plus tard. Propriété privée jusqu'à la mort du dernier prince de Greiz, Henri XXIV, en 1927, le château inférieur devint en 1929 le siège de l'écomusée. Il montre, entre autres curiosités, une salle à manger rustique, une pièce Biedermeier et une chambre japonaise dans le goût de l'époque. Des expositions temporaires sur des thèmes de l'histoire de l'art et de l'ethnographie complètent le programme.

Château d'Altenburg ❸

Un château avec pignon sur rue tourné vers Altenburg, la ville du skat (jeu de cartes), dont le nom laisse deviner la forteresse qui se dressa sur ce rocher autrefois. Un ancien cachot dans une des tours en témoigne encore, tandis que le reste de l'ancienne forteresse se présente sous l'aspect qu'il revêtit au XVIIIᵉ siècle, avec une grande cour intérieure, utilisée comme théâtre en plein air. De nombreuses salles servent de divers musées exposant toutes les collections d'armes, de porcelaine et surtout de cartes à jouer. Les amateurs de skat auront plaisir à admirer un atelier de fabrication de cartes à jouer de 1600. Les amateurs d'art trouvent dans la salle des fêtes la fresque *Amor et Psyche* de Karl Moosdorf, et les amateurs de musique seront ravis par le jeu de l'orgue de l'église, sur lequel Bach joua en 1739.

Château de Weimar ❹

Le spectacle qui s'offrit aux yeux de Goethe lorsqu'il arriva à Weimar en novembre 1775 et aperçut le château ducal, dut être, d'après Morgenstern, « horrible et même abject ». La ruine du château de Wilhelmsburg, entièrement refait avec trois belles ailes après l'incendie de 1618, dominait la ville, ravagé par un nouvel incendie un an et demi auparavant. Les travaux du nouveau bâtiment classique, le Carlsburg, durèrent jusqu'en 1803, pour qu'il fût de nouveau, au moins partiellement, habitable. Membre de la commission de construction du château, Goethe y contribua considérablement. Les grands-ducs ont déménagé depuis longtemps, laissant la place aux chefs-d'œuvre de peinture, du Moyen Âge aux Temps modernes.

Zwinger
Dresde

Rien ne souligne davantage le majestueux portrait de l'électeur Auguste le Fort de Saxe que le Zwinger, le plus célèbre palais de Dresde, richement orné et meublé, mais où Son Excellence n'habitait pas. Les palais étaient édifiés à des fins représentatives et pour le plaisir des sens. Deux hommes se complétant de manière idéale créèrent ce parfait accord baroque : Matthäus Daniel Pöppelmann (1662–1736), l'architecte, et Balthasar Permoser (1651–1732), le sculpteur. Ils adossèrent le palais, bâti de 1711 à 1728 face à trois bâtiments, le palais de Taschenberg, le château et la cathédrale, contre les remparts, d'où le nom de Zwinger (espace compris entre remparts et fossé *N.d.T.*). Le complexe, enrichi de jeux d'eau, de fontaines et d'un parc, héberge aujourd'hui différents musées. Lui-même en est un, racontant sa propre histoire.

Allemagne
Europe

Moritzburg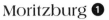
Dresde

Commencé en 1723 par l'électeur Auguste II le Fort, ce pavillon de chasse, situé à quatorze kilomètres au nord-ouest de Dresde, laisse un peu transparaître, avec ses robustes tours rondes se reflétant dans le lac, la puissance de son bâtisseur. Les architectes, dont Pöppelmann (1662–1736), étaient conscients de ce dont ils lui étaient redevables. Ainsi Moritzburg se prête parfaitement à la fonction principale qu'il a de nos jours. C'est en effet un musée baroque qui expose du mobilier d'époque, des tapis, des trophées de chasse et de l'artisanat. Un espace commémoratif est aménagé, en bas du château, à la mémoire de l'artiste Käthe Kollwitz (1867–1945), qui travailla les dernières années de sa vie à Moritzburg, et rend hommage à son œuvre.

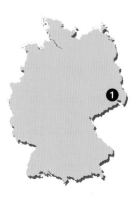

Allemagne

Europe

Albrechtsburg ❶
Meißen

Les visiteurs pressent automatiquement le pas en apercevant le porche engageant du château Albrechtsburg à Meißen, et sont amplement récompensés du voyage en entrant dans le grand complexe fortifié, au faîte d'une colline dominée par une cathédrale à deux tours. L'œuvre du bâtisseur Arnold de Westphalie fut commencée en 1471 comme résidence des ducs saxons de la maison Wettin. C'est un vaste ensemble de bâtiments qui séduit par ses nombreuses innovations architectoniques apparaissant dans le Grand Wendelstein, une impressionnante tour avec escalier en colimaçon qui domine la cour du château où la célèbre manufacture de porcelaine de Meißen fabriquait aux XVIIIe et XIXe siècles son « Or blanc ». Refaites après que la manufacture ent quitté le lieu, beaucoup de pièces furent repeintes vers 1870 dans un style historisant.

Château de Stolpen ❷
Stolpen

La comtesse Cosel jouit au moins dans la deuxième moitié de sa vie d'une belle vue du haut de la tour, qui porte son nom, du château de Stolpen, à une vingtaine de kilomètres à l'est de Dresde. Née en 1680, la jeune fille, d'une grande beauté, avait séduit Auguste le Fort, un « coureur de jupons » invétéré, qui fit d'elle son amante en 1705 par contrat de mariage secret. Devenue pour lui, dès 1713, un obstacle à de nouvelles conquêtes amoureuses, elle fut incarcérée à Stolpen. Libérée en 1738, elle renonça à sa liberté, préférant demeurer dans « son » château jusqu'à sa mort. La forteresse aux puits de basalte les plus profonds du monde (82 mètres) est très impressionnante. Elle apparaît dans plusieurs sources écrites du XIIIe siècle.

Château de Hohnstein ❸

Haut perché sur un roc abrupt, dominant au bord de profonds abîmes, la romantique vallée de la Polenz et la petite ville de Hohnstein en Suisse saxonne, le beau château médiéval offre, avec son belvédère, ses jardins, son musée et ses vieilles caves couleur locale, des moments intéressants et inoubliables aux visiteurs de tous âges. Les chambres de l'hôtel intra muros, la bonne cuisine et le magnifique entourage promettent un séjour agréable, avec de très belles randonnées en toute saison au *Brandaussicht*, au *Basteibrücke* ou au fort Königstein. Ne pas oublier la visite de Dresde, capitale du Land, des châteaux de Pillnitz et de Stolpen, qui méritent le déplacement.

Château de Königstein ❹

La ville, le rocher et la forteresse s'appellent tous trois Königstein, et l'ensemble, en Suisse saxonne, est apprécié des touristes notamment pour ses remparts situés sur un roc de trois cent soixante et un mètres de hauteur et surplombant la vallée de l'Elbe. La première mention du château de Königsburg, maintes fois transformé et agrandi au fil du temps, date du XIIIe siècle. L'électeur Auguste le Fort fit parler du château dans le monde entier au XVIIIe siècle car, désireux de pénétrer les secrets de la fabrication de porcelaine et d'en tirer profit, il y retint prisonnier Johann Friedrich Böttger. Le socialiste allemand Auguste Bebel y fut également captif en 1884. Les visiteurs d'aujourd'hui peuvent suivre le tracé de toutes ces captivités dans une exposition sur l'histoire de la prison d'État.

Château de Gnandstein ❺

Un château art roman, but d'excursion très apprécié déjà des romantiques, et de Theodor Körner, jeune poète des guerres napoléoniennes, se dresse au-dessus de la localité de Gnandstein, dans le bassin de Kohren, au nord-ouest de Chemnitz. Une pièce commémorative est consacrée, dans le château, au chasseur de Lützow tombé en 1813. Un musée renseigne sur l'histoire mouvementée du château fort du XIIe siècle, et propose, dans un restaurant très couleur locale, toutes les finesses gastronomiques.

Château de Stein ❻
Hartenstein

Le poète baroque allemand Paul Fleming (1609-1640) écrivait, alors que la guerre de Trente Ans battait son plein : « Dans toutes mes actions, / L'être suprême est mon guide. » Souffrance et misère n'atténuèrent pas sa foi, forteresse au moins aussi sûre que celle, bâtie sur le roc, du château de Stein. Cet édifice d'art roman, sauf la tour, orne sa ville natale, Hartenstein, dans le bassin de Zwickau. Le jeune poète doit avoir souvent songé à l'édifice fortifié et à sa tour pointue dressée vers le ciel lorsqu'il chantait sa foi immuable en Dieu. Une exposition commémorative évoque le souvenir du poète qui bravait l'inclémence de son temps en lui opposant, dans le premier vers d'un de ses poèmes : « Garde la foi ! »

Allemagne

Europe

Forteresse d'Ehrenbreitstein ❶
Coblence

Laquelle est la plus jolie? La vue d'en bas vers le haut ? Ou la vue d'en haut vers le bas ? L'imprenable forteresse, surplombant de cent dix-huit mètres un quartier de Coblence, est impressionnante, notamment les parties du bâtiment reconstruites après 1815. Le château fut bâti sur l'emplacement d'un fort de l'an 1000, maintes fois transformé et élargi par les princes électeurs de Trèves, avant d'être détruit par les Français vers 1800 au cours des guerres révolutionnaires. Un musée du Land de Rhénanie-Palatinat y expose l'histoire de la forteresse et de remarquables collections de monuments de la technique. La vue et toutes ces curiosités font face, de l'autre côté du Rhin, à la pointe (Deutsches « Eck ») formée par le confluent de la Moselle et du Rhin.

Château de Schaumburg ❷
Diez

Le « Kini », comme on surnommait souvent Louis II de Bavière, ne fut pas le seul prince de son temps à témoigner d'un penchant pour les châteaux évoquant les contes de fées. Un de ses cousins germains, l'archiduc Stephan de Habsbourg, le devança en faisant construire, de 1850 à 1855, à Diez, au-dessus de la Lahn, le château Schaumburg, de style néogothique. Il se dresse, haut et beau, avec ses quatre tours d'angle et sa tour principale octogonale. Il fut construit à l'emplacement d'un ancien donjon qui, au Moyen Âge, faisait bonne garde. Après la mort du châtelain, qui n'avait pas d'héritiers, en 1867, la romantique forteresse fut léguée à une ligne collatérale qui la vendit en 1983. Ne pas oublier, en visitant, d'aller admirer la vue du haut de la tour.

Château de Marksburg ❸
Braubach

Le seul château des hauts du bord de Rhin demeuré intact se trouve au-dessus de la petite ville de Braubach sur la rive droite du fleuve. La montée vers le château du XIIIᵉ siècle vaut le déplacement, non seulement pour la vue qui se déploie toujours plus grandiose à mesure que l'on monte, mais aussi parce que l'on y revit le Moyen Âge dans une forteresse. La vie ne devait pas y être rose tous les jours, contrairement à certains endroits idylliques, comme le merveilleux jardin. Le musée retrace le dur labeur de l'époque, et les pénibles transports à la force du poignet de tout ce dont les gens avaient besoin. L'Union des châteaux forts allemands, qui a son siège au château, fournit de plus amples renseignements.

Château de Stolzenfels ❹

Son nom ne peut pas être mieux choisi. C'est en effet avec fierté (Stolz en allemand = fierté) que ce château, campé sur le rocher d'un contrefort du Hunsrück, à cinq kilomètres au sud de Coblence, salue la vallée du Rhin et la ville au pied du rocher. Bâti au xiiie siècle comme château douanier, Stolzenfels fut détruit en 1688 pendant la guerre de succession palatine. À l'époque romantique, qui aimait les ruines, le château délabré parut être à la ville le cadeau idéal à faire à Frédéric

Guillaume IV, plus tard roi de Prusse, surnommé « le romantique sur le trône ». Il fit reconstruire Stolzenfels au goût de l'époque, d'après les plans du célèbre Karl Friedrich Schinkel. Le visiteur peut aujourd'hui y admirer l'habitat du xixe siècle et une considérable collection d'armes du Moyen Âge.

Château d'Idar-Oberstein ❺

La ruine de ce château est, comme son pendant Bosselstein, une forteresse du xive siècle. Elle trône au-dessus de la ville des pierres précieuses, Idar-Oberstein, joyau des joyaux pour son romantisme et le panorama qu'elle offre sur la ville, sur la vallée de la Nahe et sur les chaînes de montagne boisées du Hunsrück au loin. Les Français firent en partie sauter le château pendant la guerre de la ligue d'Augsbourg à la fin

du xviie siècle, puis il fut endommagé en 1855 par un incendie. Depuis 1981, le château d'Oberstein est restauré par des citoyens très engagés. Les pièces terminées peuvent être louées par qui recherche, pour célébrer une occasion, un cadre de style.

Château de Trifels ❻
Annweiler

Sur le « mont du Soleil » (Sonnenberg), le plus haut des trois monts en cône surmontés de châteaux au-dessus d'Annweiler dans le Palatinat, se dresse à quatre cent quatre-vingt-quatorze mètres d'altitude et à trois cent dix mètres au-dessus de la ville la vieille forteresse royale de Trifels (« trois rochers »). Elle se dresse sur un rocher fendu en trois, d'où son nom, à l'emplacement d'un château du xie siècle. L'édifice ci-contre fut bâti cent ans plus tard sous les Hohenstaufen, qui firent de Trifels le château de l'Empire. Il renfermait les joyaux de l'Empire (sceptre, globe

impérial, couronne). Le château en expose des copies. Il est presque plus séduisant de porter le regard sur le présent, et de plonger les yeux dans le paysage culturel et naturel du Palatinat.

Allemagne
Europe

Château d'Eltz ❶

Un des châteaux forts allemands les mieux conservés du bord de la basse Eltz, affluent de la Moselle, contemple la vallée du haut d'un rocher face à une ruine, la forteresse de Trutz-Eltz. Le château d'Eltz, avec ses nombreux pignons et encorbellements à colombages, vit le jour entre le XIIIᵉ et le XVIᵉ siècle, brûla en 1920, puis fut reconstruit fidèlement à l'original. Les murs épais de la forteresse et les portes massives en pierre contrastent avec les tourelles posées dessus, presque graciles en comparaison, et qui invitent à y monter admirer le paysage. La très belle cour intérieure est, en été, pleine de touristes venant voir l'intérieur, avec ses vieux meubles, se laisser séduire, parcourus, néanmoins, de frissons, par le charme romantique du Moyen Âge.

Pfalzgrafenstein ❷
Kaub

Un château fort bâti sur des eaux courantes ? Incroyable, mais vrai ! Il y en a un, sur le Rhin, à la hauteur de la petite ville de Kaub. C'est un ancien poste de douane, le Pfalzgrafenstein, mieux connu sous le nom de Pfalz près de Kaub. Bâti et fortifié dans la première moitié du XIVᵉ siècle, il trône depuis en brise-lames sur une île rocheuse et reluit de toute la clarté de sa façade fraîchement rénovée, saluant les pêcheurs en bas, et le château de Gutenfels en haut. Dans la nuit du premier de l'an 1813/1814, s'y joua une page d'histoire mondiale, lorsque le populaire maréchal prussien, le prince Blücher von Wahlstatt, franchit le Rhin avec son armée silésienne, à la poursuite de Napoléon Iᵉʳ, pas encore complètement vaincu.

Château de Stahleck ❸
Bacharach

On le croirait emmailloté de lierre, et Victor Hugo trouvait qu'il était le « couronnement » du pittoresque village de vignobles Bacharach. Bâtie au XIᵉ siècle, la forteresse trônant au-dessus de la petite ville était la résidence des comtes palatins du Rhin. En 1194, elle fut au cœur d'un grand événement historique. C'est ici qu'eurent lieu les noces d'Agnes von Stahleck avec Henri, le fils du duc Henri le Lion, qui scellèrent la réconciliation entre les dynasties des guelfes et des Hohenstaufen. La jeune mariée était la fille du comte palatin Conrad de Hohenstaufen, un demi-frère de l'empereur Frédéric Iᵉʳ Barberousse. Tendez l'oreille, peut-être entendrez-vous tinter les verres.

Château de Cochem ❹
Cochem sur Moselle

À cent mètres au-dessus des eaux tranquilles de la Moselle, se dresse le château impérial de Cochem, sur une remarquable montagne en cône. Impérial, parce que le château appartenait à l'Empire sous le règne des Hohenstaufen (XIIᵉ et XIIIᵉ siècles), ce que la municipalité actuellement propriétaire du château ne voudrait pas que l'on oublie. Il fut bâti par les comtes palatins il y a environ un millénaire, puis détruit au XVIIᵉ siècle par les Français, et restauré en style néogothique seulement deux siècles plus tard par un riche commerçant berlinois. Le charme qui s'en dégage plaît au public qui se déverse en foule pour le visiter et admirer la vue sur les tours de la ville et les méandres de la Moselle.

Allemagne
Europe

Palais électoral ❶
Trèves

La Basilique romaine ou *aula palatina*, reconstituée au XIXᵉ siècle, semble épier par-dessus l'épaule de la belle façade sud de l'ancien Palais électoral aux couleurs tendres. Elle fait partie d'un ensemble de divers styles, le remaniement architec-tonique de la résidence des puissants princes électeurs ecclésiastiques de la plus vieille ville d'Allemagne ayant duré des siècles. Le style Renaissance domine, et pour cela, la reconstruction romaine dut en partie disparaître. Lorsque ses dignes habitants furent forcés de quitter le Palais en 1794, l'édifice faillit tomber en ruine. Utilisé comme caserne et hôpi-tal militaire, il fut grandement endom-magé sous les bom-bardements. Mais il retrouva la splendeur que lui avait donnée Johannes Seitz, élève de Johann Balthasar Neu-mann, au milieu du XVIIIᵉ siècle.

Ruine d'Ehrenfels /
Tour aux Souris ❷ ❸
Bingen sur le Rhin

Les princes du Moyen Âge développaient une grande imagination dès qu'il s'agissait de trouver de nouvelles sources d'argent aux dépens des faibles et des pauvres. Hatto, l'archevêque de Mayence,

qui régna vers 900, se souvint d'un poste de péage aménagé sous les Romains au débouché de la Nahe dans le Rhin, et fit construire, à cet endroit, sur une petite île, un poste de douane fortifié. Tombant soudainement malade, venu un jour contrôler le cours de ses affaires, il dut passer la nuit dans la tour. Des milliers de souris lui donnèrent le coup de grâce, pour ven-

ger les pauvres, dit-on. Le bastion sur l'île rocheuse du Rhin près de Bingen, s'appelle, depuis, la Tour aux Souris. En 1298, elle fut incorporée dans le dispositif d'arrêt douanier du château d'Ehrenfels, auparavant château douanier des évêques de Mayence et, au Moyen Âge, lieu de conservation du trésor de la cathédrale de Mayence.

Château de Mannheim ❶

Qui s'attendrait à voir l'un des plus beaux, et des plus grands châteaux baroques d'Allemagne dans une métropole industrielle ? Les puissants de ce monde repérèrent très tôt la ville de Mannheim, au confluent du Neckar et du Rhin, comme important carrefour où les princes électeurs palatins se firent construire, entre 1720 et 1760, cette grande résidence aux couleurs avenantes. L'édifice, s'ouvrant au nord par une cour d'honneur vers la ville, prend d'imposantes dimensions grâce à deux ailes, l'aile ouest, et l'aile est, laquelle se prolonge, à son tour, dans un bâtiment de quatre ailes. Avec sa façade de quatre cent quarante mètres de long, comprenant sept rues parallèles, l'édifice domine la ville. L'intérieur, avec 400 pièces, est utilisé aujourd'hui par l'université et à des fins représentatives.

Château de Heidelberg ❷

Le légendaire château de Heidelberg ne déploie son extraordinaire envergure que vu de l'autre côté du Neckar, d'où il est en dialogue architectonique avec un autre édifice, duquel Goethe écrivait : « Le pont est d'une beauté sans pareille au monde. » Inégalable est aussi le château, s'élevant en gradins, qu'illumine le grès du Neckar aux tons chauds de rouge. Les romantiques découvrirent après sa destruction par les Français en 1689/1693, que la ruine était presque plus attrayante que le joyau intact de la Renaissance. Le visiteur contemporain se découvre romantique en le regardant. Ce sentiment ne s'estompe d'ailleurs pas à l'approche du château, ni durant sa visite, obligée quand on passe à Heidelberg.

Château des princes électeurs de Mayence ❸
Tauberbischofsheim

Beaucoup de choses sont nouvelles dans le fief des escrimeurs d'Allemagne, mais le romantisme d'époques reculées résonne à chaque pas sur le pavé des rues séculaires de Tauberbischofsheim, dans son musée et ses églises, entourées de fières maisons, et dans le château. L'édifice, commencé à la fin du XIIIe, prit son aspect actuel aux XVe et XVIe siècles. Ses colombages s'intègrent parfaitement aux maisons à pans de bois de la ville, seule la tour, ce gros point d'exclamation, attire le regard sur l'ancienne résidence des princes électeurs de Mayence. Dans le musée de Franconie de la vallée de la Tauber, on peut admirer de l'art sacré, du mobilier profane et une riche collection de pipes.

Château de Bruchsal ❹

Un regard sur cette façade colorée aux styles multiples suffit à comprendre que le mot château au singulier est inadéquat. La résidence des princes évêques de Spire (Bruchsal n'en est qu'à trente kilomètres), érigée au XVIIIᵉ siècle principalement sur les plans du célèbre architecte baroque Johann Balthasar Neumann, forme un ensemble d'une cinquantaine de bâtiments. C'est aussi à Neumann que l'on doit le merveilleux escalier surmonté d'une coupole peinte dans le bâtiment principal où les musées, ici comme ailleurs, exposent notamment des meubles et des gobelins de l'époque d'origine du château.

Le Musée des instruments de musique automatiques est particulièrement recommandé.

Château de Karlsruhe ❶

Du château d'origine, construit au début du XVIIIe siècle, ne reste plus que la majestueuse tour centrale. Les autres ailes furent ajoutées quelques décennies plus tard. L'édifice reluisant au milieu d'un parc très bien entretenu forme le cœur d'une ville baroque conçue en même temps que le château. Trente-deux rues rayonnent depuis le château en éventail. À l'intérieur, le musée du pays de Bade déploie ses trésors, des expositions sur l'histoire du pays de Bade et des collections d'histoire de l'art et de civilisation médiévales. De la tour, on jouit d'une très belle vue sur toute l'étendue de la ville ainsi que sur la Cour constitutionnelle fédérale, à droite devant le jardin botanique et l'orangerie.

Château de Rastatt ❷

Impressionné par l'architecture et la vie courtisane française, le margrave Louis Guillaume Ier de Bade posa en 1697 la première pierre d'un château dont la construction, dans sa résidence de Rastatt, minutieusement prévue pour la même époque, dura dix ans. Inspiré de Versailles, il ne ressemblait, finalement, que relativement au modèle. Mais pour faire honneur à Louis XIV, le bâtisseur décida contre l'usage, de donner à l'édifice une orientation est-ouest. La façade et la cour d'honneur regardent le Rhin et, quel honneur ! la France. L'intérieur baroque montre une exposition sur les mouvements de libération de l'histoire allemande et les collections du Musée militaire.

Château de Ludwigsburg ❸

Il n'a aucune trace de fortifications, mais on le traite en château fort. À moins que sa grandeur en fasse un ouvrage fortifié. Le duc Eberhard Ludwig fit commencer en 1704 le complexe, qui mit presque trente ans à devenir l'ouvrage baroque le plus large d'Allemagne, déployant côté façade un incomparable paysage de jardins, et de l'autre côte une grande cour entourée de nombreux bâtiments, débouchant dans un parc, avec le pavillon de chasse *Favorite*. Les pièces, style rococo et Empire, richement aménagées, incitent plus d'un visiteur à acheter de la vaisselle en provenance de la manufacture de porcelaine de Ludwigsburg, qui entretient un point de vente au château.

Nouveau château ❹
Stuttgart

Classique et moderne se rencontrent sur la place du nouveau château de la capitale du Bade-Wurtemberg. Le vaste bâtiment de trois ailes, avec fontaine illuminée la nuit, côté façade principale, exprime la dignité classique empreinte de baroque de l'époque de sa construction, dans la seconde moitié du XVIIIe siècle. Il donne sur une colonne commémorative posée à l'occasion du vingt-cinquième anniversaire du règne de Guillaume Ier en 1841, et des sculptures modernes d'Alexander Calder, de Hajek et de Hrdlicka. Utilisé aujourd'hui à des fins représentatives et administratives par le gouvernement du Land, il est aussi un lieu touristique très fréquenté. Les salles et les couloirs soigneusement restaurés peuvent être visités, et hébergent des expositions.

Château des Hohenzollern ❶

« N'y aura-t-il donc pas aujourd'hui de maudite balle ? » aurait maugréé Frédéric le Grand en 1759, pendant la désastreuse bataille de Kunersdorf, au moment même où une balle de petit calibre vint heurter sa boîte de tabac à priser. La fameuse boîte, qui frustra le « Vieux Fritz » d'une mort héroïque, est exposée au château des Hohenzollern, près de Hechingen, en Souabe, berceau depuis le XIᵉ siècle, de la dynastie, puis de la famille impériale allemande. Mais le château qui trône aujourd'hui au-dessus de la région est beaucoup plus jeune. Commandé par Frédéric-Guillaume IV, il fut bâti entre 1850 et 1867 dans le style de l'historicisme. Le grand Frédéric et son père, le Roi-Sergent, y furent enterrés de 1952 à 1991. Après la réunification des deux Allemagnes, leur dépouille mortelle fut transférée à Potsdam.

Vieux château ❷
Meersburg

« Du château, campé contre le roc, / je vois en bas un beau lac bleu ... », s'enthousiasmait la poétesse Annette von Droste-Hülshoff qui passa au vieux château de Meersburg la fin de sa vie, jusqu'en 1848. Le château est encore habité, mais dispose sans doute aujourd'hui de plus de confort qu'au temps de l'écrivain qui, tout en louant le site, se plaignait souvent des courants d'air. L'édifice avait jadis plusieurs siècles d'âge. Même les quatre tours d'angle, bien plus jeunes que le reste, avaient déjà plus de trois cents ans. Plusieurs salles d'exposition se visitent. Mais les gens viennent surtout pour la merveilleuse vue sur le lac de Constance. Un monument commémoratif à la mémoire d'Annette von Droste-Hülshoff est dressé dans les vignes au-dessus du château, dans le « pavillon des princes ».

Château de Hohentübingen ❸
Tübingen

Certains éléments fortifiés comme ce gros donjon à l'angle du bâtiment, prouvent que le château de la ville universitaire souabe fut à l'origine une forteresse du XIᵉ siècle. L'édifice au portail Renaissance orné d'armoiries surplombe la vallée du Neckar et la ville. Des étudiants paressent au soleil sur les remparts, les touristes peuplent la cour ou admirent le panorama et, en face, le quartier de Derendingen et la butte d'Österberg. L'université, dominante dans la ville, occupe aussi le château, qui contient de nombreuses collections, accessibles au public, des départements d'histoire de l'art. Une chambre funéraire de l'Égypte ancienne mène dans des temps bien plus reculés que les vestiges les plus anciens des châteaux forts.

Veste Coburg ❶

La forteresse de Coburg, adossée à un contrefort au sud de la forêt de Thuringe, et surplombant la petite rivière Itz, est perchée à quatre cent soixante-quatre mètres d'altitude. Les remparts et la tour au toit rouge regardent en bas la ville de Coburg, en Bavière. Le château fort, l'un des plus grands du Moyen Âge allemand, date du XIᵉ siècle. Les pièces, pas beaucoup plus jeunes, habitées par les ducs et leurs familles qui y résidèrent, peuvent être visitées, ainsi qu'un monument à la mémoire de Luther, qui se faisait apporter, au château, en 1530, les nouvelles de la diète d'Augsbourg où l'on débattait de la confession protestante. Mis au ban de l'Empire, il n'avait pu s'y rendre. Des créneaux de la forteresse, s'ouvre une magnifique vue sur la vallée du Main.

Château de Johannisburg ❷

Aschaffenburg

L'un des plus importants édifices de la Renaissance en Allemagne déploie ses charmes au centre d'Aschaffenburg, sur le Main. Les quatre ailes pourvues d'imposantes tours d'angle furent construites de 1605 à 1614 sur l'emplacement d'un château médiéval, et l'intérieur fut transformé au XVIIIᵉ siècle en style classique. Il fut jusqu'en 1803 la résidence secondaire des archevêques de Mayence. On en restaura, après la Seconde Guerre mondiale, d'abord l'extérieur, qui avait été très endommagé. Depuis 1964, s'y trouve la plus grande galerie de peintures de l'État de Bavière après celle de Munich, augmentée d'une remarquable exposition de modèles en liège d'après de grands monuments historiques.

Château de Mespelbrunn ❸

Spessart signifie à l'origine « forêt de pics », et qui pénètre dans cette obscure forêt entendra vite des coups de bec frapper partout. Le château, qui surgit soudain au bord d'une large douve, avec, derrière, une façade doublée par son reflet dans l'eau et le donjon d'une pittoresque fortification, fait croire d'abord à un château de conte de fées. Mais en approchant, on se rend compte qu'il est beaucoup plus engageant qu'il n'en a l'air. Même le donjon n'intimide pas. Il est ouvert au public, de même que les salles représentatives de l'aile nord, où sont exposés des meubles, de la porcelaine et des tableaux d'époque, XVᵉ et XVIᵉ siècles.

Château de Rimpar ❹

Lorsque le prince-évêque Julius Echter von Würzburg acheta en 1593 le château de Rimpar, au nord de la ville de Würzburg, c'était un site dévasté et portant les cicatrices de nombreuses guerres et de nombreux incendies. Une fois remis à neuf, le château fut transformé. Le sombre édifice avait revêtu la majesté d'un cygne. Quelques vestiges de gothique flamboyant sont demeurés, et certains bâtiments, comme la ruine ouest, évoquent même l'époque d'origine, le XIᵉ siècle. Mais dans l'ensemble, la mutation complète de cette ancienne fortification en un pavillon de chasse a allégé ce qu'elle avait de massif et donné à ses murs, auparavant rebutants, une apparence engageante. Le donjon fut remplacé par une jolie tour ronde. La propriétaire y a installé ses bureaux municipaux et loue quelques salles à un restaurant.

Résidence
de Würzburg ❶

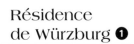

Le château de Marienburg, sur la rive gauche du Main, paraît plus puissant, mais la résidence, de l'autre côté du fleuve, est « la plus belle du pays ». Les princes-évêques n'ont probablement pas regretté d'avoir quitté en 1744 la forteresse inconfortable pour emménager, après vingt-cinq ans de travaux, dans la nouvelle résidence bâtie sur les plans de l'architecte baroque Johann Balthasar Neumann. Il manquait pourtant la fresque de plafond de six cent mètres carrés, unique au monde, peinte en 1752/1753 par le virtuose fresquiste vénitien Giovanni Battista Tiepolo au-dessus d'un escalier grandiose, qui attire aujourd'hui les visiteurs. Les autres curiosités à l'intérieur du bâtiment et en façade remplissent des livres entiers, réservez-vous donc du temps pour visiter.

Château de Nuremberg ❶

Nuremberg était le « coffret de l'Empire », du temps où y étaient conservés les joyaux de la Couronne impériale. Le puissant château au-dessus du Vieux-Nuremberg contredit ce sobriquet évoquant un site plus délicat. La vue aérienne donne une idée précise des dimensions de ce puissant complexe. Nous voyons au milieu le château des Burgraves, à l'est les édifices de la ville impériale, et à l'ouest le château impérial (Kaiserburg) commencé au XIIᵉ siècle. Les éperons s'y entrechoquèrent : ceux des représentants des princes et des villes, des évêchés et des chapitres conventuels, traversant la cour et passant la porte pour se rendre aux diètes. Les « écuries impériales » renferment aujourd'hui une auberge de jeunesse où les jeunes gens rêvent certainement de tournois de chevaliers ou de Minnesänger.

Château de Weißenstein ❷

Lothar Franz von Schönborn (1655-1729), archevêque de Mayence et prince-évêque de Bamberg était un passionné d'architecture. Il se moquait de sa passion qu'il considérait comme un parasite. La postérité lui doit, entre autres bienfaits, le château de Weißenstein sur Pommersfelden, de style baroque fastueux, à vingt kilomètres au sud-ouest de Bamberg, bâti de 1711 à 1718 sur des plans de Johann Leonhard Dientzenhofer. Le passionné d'architecture avait aussi un penchant pour les collections de tableaux, auquel le château doit sa principale attraction, la plus grande galerie privée d'œuvres baroques. Un escalier d'une saisissante beauté est non moins grandiose.

Château de Prunn ❸
environs de Riedenburg

Son site exposé lui a fait assisté, en mille ans d'existence, à de nombreux spectacles. Le château de Prunn, à quelques kilomètres au sud-est de Riedenburg en Bavière, est campé sur un roc à pic à soixante-dix mètres au-dessus de l'Altmühltal, sur un axe nord-ouest/sud-est qui fut de tous temps très fréquenté. Gare à qui ne jouissait pas de la faveur des occupants du château ! Nul ne passait devant Prunn sans être remarqué. Les oubliettes témoignent de plus d'un visiteur involontaire qui dut attendre longtemps sa rançon, sans pouvoir jouir de la merveilleuse vue tant appréciée du visiteur d'aujourd'hui.

Forteresse d'Oberhaus ❹
Passau

Les objets exposés dans le musée communal de Passau, au sein de la vieille résidence des princes-évêques, la forteresse qui surplombe Oberhaus (commencée en 1219), racontent l'histoire de la ville et de la région sur une surface de trois mille mètres carrés. La ville médiévale de Passau, le commerce du sel, l'artisanat et le département de la manufacture de porcelaine en constituent les points forts. Mais de nombreux visiteurs sont encore plus impressionnés par la vue sur la ville et les environs ou plus intéressés par le chemin de ronde qui reliait cette « haute » forteresse à une autre, en contrebas, la « basse » forteresse située sur une presqu'île entre l'Ilz et le Danube.

Château de Nymphenburg ❶
Munich

Le grand château baroque au nord-ouest de Munich, commencé en 1664, aurait pu être construit par Louis II de Bavière, le roi du « féerique ». L'ensemble vit le jour sur une période de soixante ans et prend place au cœur d'un parc paysager soigneusement entretenu avec de ravissants jeux d'eau. L'intérieur, renouvelé et somptueusement aménagé notamment par Louis Ier de Wittelsbach, sert de cadre à plusieurs musées, dont la galerie des Beautés du roi dans le bâtiment central, le musée des Carrosses, dans l'aile sud, ainsi qu'une importante collection de porcelaine. La manufacture de porcelaine de Nymphenburg se trouve dans un pavillon hémisphérique en face du château.

Château de Possenhofen ❷

On s'attend à voir le duc Maximilien Joseph de Bavière, alias Gustav Knuth, se pencher par la fenêtre et appeler sa fille Élisabeth, Sissi, alias Romy Schneider, ne répondant pas aussitôt à l'appel de son père la priant de rentrer au château, pour rester auprès de son chevreuil. L'édifice d'origine fut détruit pendant la guerre de Trente Ans, et celui-ci, avec ses quatre tours crénelées, date du XVIIᵉ siècle. La famille ducale acheta Possenhoven à Pö-cking, non loin du lac de Starnberg, en 1834. Aujourd'hui il est propriété privée et on ne peut y rentrer. Et Sissi ne hante plus les lieux, sauf en rêve.

Château de Rieden ❸

Il faudrait, quand on visite ce château, sur le Staffelsee, à 25 km au nord de Garmisch-Partenkirchen, avoir le don d'ubiquité, pouvoir admirer à la fois l'intérieur et l'extérieur de cet ouvrage baroque. Mais la beauté s'absorbant aussi avec mesure, contentons-nous d'un regard extérieur du petit palais, laissons-nous aller aux impressions que suscite en nous cette alliance de verdure et de clarté de la pierre. Les toits sombres semblent jeter un pont de la pierre vers la nature, les bulbes épousent le moutonnement des cimes. Pure harmonie.

Château de Maxlrain ❹
Tuntenhausen

On y mange depuis quatre cents ans sous les arbres de l'auberge du château, bâti sur l'emplacement d'un fort de quelques siècles plus vieux encore. La localité au nord-ouest de Rosenheim ravit le visiteur pour son château lové dans un paysage d'une grande douceur. Des golfeurs attirés par le site en firent un terrain de golf et arrosent leurs victoires dans l'au-berge d'où ils ont une vue d'ensemble sur le château, y compris sur les bâtiments construits ultérieurement, au XIXᵉ siècle, (à gauche sur la photo) qui ont l'air presque plus « historiques » que le bâtiment principal.

Allemagne
Europe

Château de Burghausen ❶

Sur une crête entre Salzach et Wöhrsee au sud-est de Altötting en Bavière, se dresse un grand ensemble fortifié qui donna son nom au village pittoresque à ses pieds. Un chemin en pente raide monte sur un kilomètre de Burghausen au château, avec son exposition nord-sud. Les bâtiments qui le constituent sont entourés de plusieurs cours d'entrée et d'une cour centrale, accolée au château principal, dont le noyau est du XIIIe siècle et qu'un fossé sépare de la première cour. Une filiale de la galerie de peintures de l'État de Bavière expose à l'intérieur des panneaux peints du gothique flamboyant et des objets précieux de l'art médiéval. Un cadre on ne peut plus digne.

Château de Herrenchiemsee ❷
Herreninsel sur le Chiemsee

La République fédérale d'Allemagne n'aurait pu trouver plus beau berceau que ce château sur l'île Herrenchiemsee dominant le lac de Chiemsee. C'est dans ce palais construit en 1880 par Louis II de Bavière sur le modèle de Versailles, que siégèrent en 1948 les présidents du Conseil des ministres des zones d'occupation de l'Ouest pour préparer une constitution qui devait faire d'une zone économique commune une union politique. Le travail achevé, ils purent se regarder, fiers d'eux, dans les miroirs de la galerie des Glaces, une imitation de celle de Versailles, dont le front éclairé se reflète dans l'eau.

Château de Hohenschwangau ❸

La première mention de ce château date du XIIe siècle. Il s'appelait alors « château de Schwanengau » et c'était la résidence de la noblesse de Schwanengau. Puis il changea plusieurs fois de propriétaire, tomba en ruine, fut reconstruit et de nouveau détruit. Le prince héritier et futur roi Maximilien II acheta en 1832 la ruine et la fit transformer par le scénographe Dominik Quaglio dans le style anglais des Tudor, et c'est ainsi que se présente aujourd'hui encore le château de Hohenschwangau. Le château, romantique à tous égards, était la résidence d'été de la famille royale. Le fils du roi, Louis II, s'en inspira plus tard pour la construction de ses propres châteaux fantastiques, comme Neuschwanstein, non loin de là.

Château de Linderhof ❹

Voici, bâti entre 1874 et 1878, dans la vallée de Graswang, à environ dix kilomètres d'Ettal, un de ces châteaux de Louis II de Bavière, le « roi de la féerie », tapi, comme Neuschwanstein, dans un fantastique paysage alpestre. Mais à la différence de ce dernier, beaucoup plus élancé, Linderhof est une perle du néorococo sertie dans une monture de verdure avec des bassins, d'amusants jets d'eau, un kiosque mauresque, une grotte de Vénus. On croit entendre résonner de partout la musique de Wagner, devant la belle façade, ou en parcourant l'intérieur, dans la salle à manger à table truquée, avec ses tapisseries de soie brodées, ses stucs et ses sculptures.

Château de Visconti ❶
Locarno

De courageux condottiere, dignes de ce nom, se bâtissaient des châteaux qu'il conviendrait plutôt d'appeler des forteresses. Ainsi la famille Visconti, maître de Milan, s'empara-t-elle de Locarno sur le lac Majeur, en 1342. Or, malgré son air inattaquable la résidence ne résista pas longtemps aux prétentions suisses. Locarno, avec sa redoutable forteresse, est suisse depuis 1513 et fait partie depuis 1803 du canton du Tessin. Le gros édifice d'allure militaire gêne plutôt. On s'en serait bien passé, au plus tard après la fin de l'époque napoléonienne. La population de Locarno en fit le meilleur usage possible en y abritant son Musée archéologique. Un cadre idéal pour des objets des âges de bronze et de fer et pour une excellente collection de verre romain.

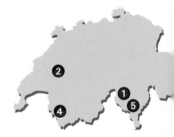

Château de Greyerz ❷
Aalter

Du vieux château de Gruyères du XIIIᵉ siècle, ne reste plus que le donjon, d'où l'on a un vaste panorama bien au-delà de la ville médiévale et du canton de Fribourg. L'aile habitée fut détruite dans un incendie à la fin du XVᵉ siècle et fut reconstruite dans le style savoyard. Peu après, les derniers comtes de Gruyères quittaient le château, dont Berne et Fribourg se partagèrent plus tard la propriété. Baillis et hauts fonctionnaires y résidèrent. Il fut temporairement propriété privée, jusqu'à ce que le canton le reprît définitivement, se chargeant de son entretien et de sa restauration. Il héberge un beau Musée régional avec une magnifique vue.

Château de Tarasp ❸
Engadine

Presque mille ans d'âge et encore autant d'éloquence ! Le château au-dessus de Scuol demeure l'emblème de la basse Engadine dans le canton des Grisons. La forteresse que fut l'édifice avant d'avoir été coûteusement rénové vers 1900 transparaît nettement à travers les murs massifs et les fenêtres que l'on reconnaît avoir été des meurtrières. Il appartient depuis 1803 à la Suisse, laquelle le reçut de l'Autriche pendant les guerres napoléoniennes. Sa situation exposée, offrant une vue dégagée sur la haute vallée, en fait un lieu très fréquenté, au cœur d'une région déjà très touristique. Il renferme un musée très réputé.

Château de Valeria ❹
Sion

À Sion, chef-lieu du canton du Valais, l'on passe du passé au présent sans transition. Du passé témoigne notamment ce château à l'air menaçant, campé sur un rocher dominant la ville, mais dont on n'a plus rien à redouter. Ses remparts gris, froids et rebutants, renferment un ensemble de bâtiments où sont exposés des objets témoignant du grand âge de la bourgade, qui existait déjà sous les Romains et s'appelait Sedunum. Citons encore l'église de pèlerinage Notre-Dame-de-Valère, un édifice gothique à trois nefs avec un lectionnaire du XIIIᵉ siècle et la plus vieille orgue du monde encore en fonction. De remarquables fresques Renaissance ornent les murs.

Palais indien de Morcote ❺

Derrière le hautlieu touristique de Morcote dans le Tessin, au-dessus de Lugano, s'étend en terrasses à flanc de montagne le jardin enchanté de l'industriel Arthur Scherrer (1881–1956). Le spécialiste de la branche du textile plaça, dissimulés derrière de rares espèces d'arbres, huit petits édifices qu'il avait dû voir au cours de ses lointains voyages, dont un charmant petit palais indien, bâti sur le modèle du Palazzo Salo à Brugine près de Padoue. Un bassin rafraîchissant l'atmosphère et humidifiant l'air se trouve juste devant le palais, des divinités de bronze rappellent le caractère éphémère du vivant, et dans une bambouseraie avoisinante un salon de thé siamois accueille le visiteur. Un hôte écrit dans le livre des hôtes : « S'il est un paradis sur terre, c'est bien celui-ci, oui, celui-ci. » Il le dit même deux fois.

Château de Vaduz ❶

L'inconvénient d'un site aussi unique que celui du château de Vaduz, capitale du Liechtenstein, est qu'on ne l'aperçoit qu'en arrivant ou en repartant. Mais la fantastique vue sur la petite principauté alpestre du haut du château adossé à mi-hauteur d'une montagne boisée dédommage de tous les inconvénients de la terre. il est situé entre la Suisse et l'Autriche, deux États aussi petits, mais comparativement plus influents, qui se relayèrent au pouvoir de la principauté, formellement autonome. Le château date du XIVᵉ siècle, mais de ses origines ne demeurèrent que le donjon et la chapelle. Tout le reste, détruit en 1499, fut reconstruit entre 1905 et 1912.

Fort Hohenwerfen ❷
Werfen

On le voit de loin, haut perché sur un rocher en cône marquant, qui domine la vallée de la Salzach. Entouré d'imposants massifs, ce bastion eut de tous temps une fonction stratégique. Il protégeait Salzbourg, le chef-lieu de la province du même nom, situé à une quarantaine de kilomètres au nord de Werfen. Hohenwerfen fut créé par l'archevêque Gebhard en 1077. De nos jours, le visiteur vient plus pour la nature environnante et le château lui-même que pour l'histoire de l'art. On y voit encore des vols d'oiseaux de proie. Un circuit éducatif sur les oiseaux de proie et un musée de fauconnerie complètent le savoir ornithologique du visiteur.

Château de Weyer ❸
Kematen

Le nom de cette localité de Haute-Autriche viendrait, dit-on, du latin *caminata*, âtre, cheminée, et signifierait qu'il y eut ici, à mi-chemin entre Steyr et Wels, au sud de Linz, une poste chauffée, ce qui, en hiver, devait être un avantage inestimable et digne d'être retenu. Le château, lui, n'est pas aussi vieux, mais un respectable solitaire engageant, malgré ses traits massifs, et un hébergement sûr,

presque élégant avec ses tours d'angle toutes différentes. Mais sa sobriété, évoquant plutôt les solides vertus de temps plus anciens, le distingue des bâtiments de la route du baroque, qui passe ici.

Château de Grafenegg ❹
Basse-Autriche

Ce château, situé à quelques kilomètres à l'est de Krems en Basse-Autriche, fortifié dès le haut Moyen Âge, est un imposant ensemble sur le bassin du Danube. Sans cesse élargi, il prit au début du XVIIe siècle. Ses traits Renaissance, sur lesquels se greffèrent plus tard toutes sortes de transformations que le conte, qui résida ici dans la première moitié du XIXe siècle, emprunta à des châteaux vus en Angle-

terre, et fit réaliser par le bâtisseur de cathédrales viennois Leopold Ernst. Cela explique ce mélange assez séduisant qui fascine pour le contraste qu'il offre entre une tour massive et un intérieur lumineux, utilisé pour des congrès ou des manifestations culturelles.

Château de Schwertberg ❺
Haute-Autriche

Cette forteresse du XIIIe siècle, à l'est de Linz, en haut d'une tête de rocher sur la rive droite de la Aist, peu avant l'embouchure de celle-ci dans le Danube, résulte, comme beaucoup d'autres, de travaux entrepris à diverses époques. Les châtelains s'y succédèrent, mais tinrent à maintenir le caractère fortifié du château, pour la simple raison qu'il était un bastion protestant qui eut pendant longtemps à se

défendre de l'environnement catholique. Ce qui explique les murs épais, les tours rondes et les quelques vestiges de meurtrières, les autres ayant été transformées en fenêtres pour donner au château un aspect plus habitable et accueillant. Il est encore aujourd'hui propriété de la famille des comtes Hoyos.

Autriche

Europe

Palais du Belvédère ❶

Vienne

Un belvédère est en fait une belle vue. Et comme on aimait placer les beaux édifices sur ces emplacements, les bâtiments ont pris et gardé ce nom, même quand la vue n'est pas extraordinaire. L'architecte viennois du baroque, Johann Lukas von Hildebrandt eut sa part de responsabilité dans l'extension du mot belvédère à ce genre de somptueux palais. Il créa, de 1721 à 1723, pour le prince Eugène ce palais du Belvédère avec une vue d'une somptuosité incomparable. Que ce dernier ait laissé toute liberté à son architecte de déployer son imagination plaide en faveur du « noble chevalier », comme était surnommé l'audacieux feld-maréchal, et de sa richesse accumulée à force de victoires. La capitale de l'Autriche brilla d'une perle architectonique supplémentaire.

Autriche
Europe

Château de Rosenau ❶

Il y a parfois du bon à ce que l'ancien cède la place au nouveau. À l'emplacement du château qui servit de préfortification à Weitra et Zwettl dans le Waldviertel, se tient depuis le XVIIIᵉ siècle le magnifique château baroque de Rosenau. Le large édifice avec sa tour centrale séduit par sa discrète élégance et ses ornements mesurés. L'Armée rouge s'y installa en 1945 et le propriétaire fut contraint de le vendre à la Société des cités de Basse-Autriche, ce qui le sauva, car l'État finança à partir de 1980 les travaux de réhabilitation. Un Musée des francs-maçons eut droit à un espace d'exposition après la rénovation.

Château de Schönbühel ❷

Un château du XIIᵉ siècle, juché sur un rocher de quarante mètres de haut surplombant la rive droite du Danube dans la Wachau, mua en un château baroque avec une haute tour. Une Cène est peinte sur les remparts extérieurs, renfermant un couvent de moines servites. Un débarcadère pour bateaux à moteur, des possibilités de planche à voile et une école de ski nautique font du château un lieu d'attraction pour toutes sortes de sports nautiques. Les amateurs d'architecture qui viennent pour l'église paroissiale du début de l'époque baroque et la chapelle du XVIIIᵉ siècle trouvent le chemin tous seuls. Et enfin, les randonneurs aiment aussi cet endroit pour la belle vue sur le Danube.

Château de Persenbeug ❸

Voici un lieu de pèlerinage pour monarchistes. Au nord de Ybbs, sur la rive opposée du Danube, se trouve le château monumental où Charles Iᵉʳ vit le jour en 1887. Il fut le dernier empereur d'Autriche, petit-neveu et successeur en 1916, de François-Joseph Iᵉʳ en pleine guerre. Le jeune Charles, appelé par ses camarades « Schnapskarl ». Il dut abdiquer en 1918 et se laissa peut-être mourir, pour cette raison, en 1922 à Funchal, sur l'île de Madère. Mais peut-être aussi que sa résistance à l'alcool, comme l'indique son sobriquet, eut des limites. Sa femme Zita lui survécut de soixant-sept ans. Le château est aujourd'hui encore propriété de la famille.

Château de Kreuzenstein ❹
Stockerau

Sur une colline boisée à environ 4 kilomètres au nord du point de rencontre entre le Danube et le Wienerwald, se dresse le pittoresque château de Kreuzenstein, séduisant déjà de loin. Bâti sur les vestiges d'une vieille forteresse, il y a seulement 150 ans par le comte Hans Wilczek, une réplique miniature du « roi féerique », il comprend néanmoins, grâce à la perfection du bâtisseur, tous les éléments d'un château médiéval.

Le comte collectionna dans toute l'Europe des pièces uniques, même des bâtiments complets, et les assembla en un chef-d'œuvre. À l'intérieur sont exposés des armures du Moyen Âge et des armes, des tableaux et de l'artisanat, du mobilier et des objets d'ameublement.

Château de Hardegg ❺

Le château de Hardegg a sans doute été témoin de plus d'un triste destin en un millénaire d'existence dans le Waldviertel à la frontière tchèque. L'exposition d'un musée propose au visiteur d'en revivre un, celui du malheureux archiduc d'Autriche Maximilien de Habsbourg. Choisi comme empereur du Mexique en 1864 par Napoléon III, il eut hélas le dessous, au bout de trois ans, dans la lutte qui l'opposait à celui qui devint plus tard le président Juárez García, et fut fusillé à Querétaro. Manet a immortalisé la scène dans un tableau.

Hofburg ❻
Vienne

Hofburg est un ensemble harmonieux qui, par ses proportions, peut se mesurer avec les plus grandes fortifications européennes. Seule la chapelle laisse encore transparaître le château fort d'antan. Le reste ressemble davantage à un palais impérial de la période de gloire des Habsbourg, élus empereurs du Saint Empire romain germanique, et qui résidaient ici en gouverneurs de leur patrimoine héréditaire et, plus tard, de l'État multinational austro-hongrois. On gouverne aujourd'hui encore à la Hofburg puisque le gigantesque édifice aux nombreuses colonnes est le siège du président de la République autrichienne, dont les fonctions, d'ordre représentatif, s'insèrent bien dans la splendeur de cet ensemble architectonique hétéroclite. Plusieurs musées de la Hofburg sont ouverts au public.

Autriche
Europe

Château de Schönbrunn ❶
Vienne

L'objectif a de la peine à cadrer l'intégralité de la façade du luxueux palais de réception de Schönbrunn, résidence impériale considérée comme un monument de la capitale, mais qui, à l'époque de sa construction en 1695 par le célèbre architecte baroque Fischer von Erlach, se trouvait encore devant les portes de Vienne. Il paraît presque plus pittoresque dans le flot de maisons qui s'en approche aujourd'hui, car presque rien n'a changé, ni du parc avec sa grande galerie à colonnade, la Gloriette, ni du premier zoo du monde créé ici en 1752, ni de la grande cour d'honneur devant le palais. La durée de la construction jusqu'à la moitié du XVIIIᵉ siècle fit que le baroque ne put être maintenu évoluant vers le style classique. C'est peut-être ce mélange de styles, avec des chefs-d'œuvre du rococo à l'intérieur, qui attire les visiteurs du monde entier.

Château d'Esterhazy ❷
Eisenstadt

À Eisenstadt, dans l'actuel Burgenland autrichien, s'établit en 1649 la famille d'aristocrates hongrois des Esterhazy qui y trouva un château fort du XIVᵉ siècle inhabitable. On éleva sur ses fondations un château baroque, où retentit encore la musique de Joseph Haydn qui y fut maître de chapelle de 1761 à 1790, transformé vers 1800 en style classique. Il conserva néanmoins un peu de la légèreté de la musique de Haydn. Un festival a lieu dans la grande salle du château en l'honneur du compositeur. Les buis taillés en formes ornementales, cônes et rectangles, tendent l'oreille devant les vitres.

Château de Schlaining ❸

C'est bien là sa place, sur la route des châteaux, au sud-est du Burgenland autrichien. Car la forteresse, sur un éperon rocheux au-dessus de la vallée du Tauchenbach, est à la fois château et forteresse. Le caractère de forteresse domine, souligné par les remparts, les chemins de ronde et les créneaux, mais le toit de cuivre sur le donjon, ajouté beaucoup plus tard, et l'horloge à gauche paraissent être un clin d'œil architectonique. La situation fait de l'ensemble un superbe château, et l'on ne s'étonne pas que, dans l'enceinte de cette forteresse autrefois stratégique, ait ouvert en 2001 précisément un Musée de la paix. Une chapelle catholique et une chapelle protestante y vivent derrière les remparts en parfaite intelligence.

Château de Güssing ❹

C'est ainsi que l'on s'imagine un trône : solide, rond et dominant. Et c'est cette situation élevée, « trônante », qui détermina l'édification de ce château au XIIᵉ siècle près de Güssing, à une quinzaine de kilomètres avant la frontière à l'est de l'Autriche, dans le Burgenland, car on craignait l'attaque des Hongrois à l'est. Une fois le danger écarté, ce furent au XVIᵉ siècle les Turcs que l'on commença à redouter. Le château de Güssing fut alors renforcé à grands frais, et prit, en gros, sauf quelques transformations ultérieures, son aspect actuel. Lorsque la forteresse perdit sa valeur stratégique, elle menaça de tomber en ruine. Des bienfaiteurs se chargèrent au XIXᵉ siècle de son entretien, et le château fut de nouveau entièrement restauré de 1982 à 1990.

Autriche
Europe

Hohensalzburg ❶
Salzbourg

Bâtie à une époque beaucoup plus austère que celle du plus célèbre fils de la ville de Salzbourg, la forteresse de Hohensalzburg, qui surplombe la ville et les tours de la cathédrale, n'a pas vraiment l'harmonie d'une symphonie de Mozart. En soixant-dix ans de construction à partir de 1077, elle devint le plus grand château fort d'Europe, maintes fois élargi et transformé jusqu'à revêtir ses traits définitifs. La partie gauche, dépourvue de crépi, évoque encore l'austérité des origines. La partie droite adoucit, elle, de la blancheur éclatante de ses murs, l'aspect de forteresse. La vue que l'on a au loin sur les montagnes est aussi belle que sont intéressants les objets exposés dans le musée du château et l'ameublement des chambres princières ouvertes au public.

Château de Mirabell ❷
Salzbourg

Un conseil à qui a trouvé chaussure à son pied : le château de Mirabell est un cadre digne d'un beau mariage. Les cérémonies ont lieu dans la salle de marbre, l'une des salles d'apparat du somptueux palais du XVIIe siècle qui appartient depuis 1856 à la municipalité. Son administration y travaille depuis 1947. Il s'appela d'abord château d'Altenau car l'archevêque Wolf Dietrich le fit bâtir pour une certaine Salome Alt. Le nom de Mirabell ne fut donné au grand château presque carré que par un de ses successeurs. Et c'est plus tard encore qu'il fut transformé et affiné dans le style classique qui domine aujourd'hui, sauf dans le merveilleux parc avec son théâtre de haies et un jardin de nains.

Château d'Anif ❸
province de Salzbourg

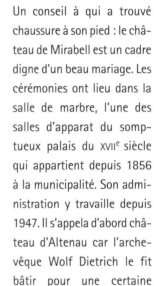

On ne s'étonne pas le moins du monde que les princes-évêques de Salzbourg aient choisi comme résidence d'été la ville d'Anif, située au sud de la ville natale de Mozart, car rien de plus reposant que cette verdoyante nature pour interrompre le travail du gouvernement. Mais, au XIXe siècle, c'en fut terminé du pouvoir et de la richesse. Le palais tomba en ruine et devint propriété privée. Les nouveaux propriétaires le reconstruisirent presque totalement de 1838 à 1848 en style néogothique. Le palais, entouré d'eau et de forêts, a aujourd'hui un air un peu féerique. Il est toujours propriété privée mais le parc, naturel et bien entretenu, est accessible au public. Les habitants de Salzbourg et les amateurs de musique qui y viennent pour le festival annuel s'y délassent.

Château d'Itter ❹

Si primpant et romantique soit-il, un château, quand les hommes se cherchent querelle, n'a aucune influence. Le château néogothique tyrolien d'Itter, près de Wörgl, fut utilisé entre 1943 et 1945 par les nationaux-socialistes comme annexe du camp de concentration de Dachau. Le Français Édouard Daladier, à l'époque président du Conseil, qui avait signé en 1938 les accords de Munich et donc donné sa bénédiction à l'Anschluss de l'Autriche en mars de la même année, y fut interné. Il apprit à ses dépens que l'on ne laisse pas des châteaux et des paysages aussi beaux entre les mains de despotes sans pouvoir s'y défendre.

Château de Matzen ❺
environs de Brixlegg

L'un des plus beaux châteaux médiévaux d'Autriche se trouve au cœur des Alpes tyroliennes, à l'entrée de la vallée de Alpbach. Entouré d'un imposant décor alpestre, le château de Matzen trône sur une formation de rochers au-dessus de la vallée de l'Inn. L'articulation extérieure du château commencé au XIIᵉ siècle et terminé au XVᵉ siècle est demeurée presque intacte. À l'intérieur on y trouve une plaisante architecture médiévale avec des cloîtres gothiques, des arceaux ciselés dans le marbre, de très hautes pièces, des charnières de portes et des serrures en fer forgé. Comme curiosités il y a la salle des chevaliers, la chapelle baroque, les oubliettes et les archives du château contenant des livres rares, des documents officiels et des cartes géographiques.

Château de Lichtwerth ❻

À quarante kilomètres d'Innsbruck, en aval de l'Inn, se dresse, près de Brixlegg, ce château dans la vallée, au pied d'un très pittoresque paysage de haute montagne. Le fort d'antan était dans l'eau, ce qui explique peut-être que le château construit par les Freundsberger fasse encore aujourd'hui partie de la commune de Münster dont il est séparé, au moins géographiquement, par l'Inn. Le mot « Werth » vient de *Wörth* qui, au Moyen Âge, voulait dire « île ». Et pour être lumineux, il l'est bel et bien (*Licht*, en allemand, veut dire lumière). On voit aujourd'hui encore un ancien bras de l'Inn passer tout près de la route. Le château de Lichtwerth, un des mieux conservés du Tyrol, est un but d'excursion très apprécié.

Autriche

Europe

Forteresse de Kufstein ❶

La forteresse aux grosses tours sur la fantastique toile de fond du massif du Wilder Kaiser est un joyau du Bas-Tyrol et l'emblème de Kufstein, chef-lieu d'arrondissement. Les documents font remonter la forteresse à 1205 comme propriété des évêques de Ratisbonne qui se la partagèrent ensuite avec les ducs de Bavière. À partir de 1313, le château est fief des ducs de Bavière. Le duc Louis le Barbu renforça en 1415 les fortifications. L'empereur Maximilien Iᵉʳ conquit et occupa Kufstein en 1504. Il fit reconstruire le château en une forteresse, élargie au XVIIᵉ siècle, où elle prit sa forme définitive. Elle est aujourd'hui propriété municipale.

Château de Tratzberg ❷

La situation et le mode de construction de ce château sont un indice de son origine fortifiée, transparaissant parce qu'il fut reconstruit en style gothique flamboyant après avoir été presque entièrement ravagé par un incendie en 1492. L'énorme édifice adossé au flanc de la montagne se trouve à une trentaine de kilomètres à l'est d'Innsbruck et offre une magnifique vue sur la vallée de l'Inn. Les éléments gothiques se partagent l'espace avec des éléments de style Renaissance. On suit bien le passage d'un style à l'autre. Les Fugger, richissime famille, achetèrent le château en 1590 et le meublèrent précieusement. Après une remise à neuf très coûteuse, le château est aujourd'hui de nouveau ouvert au public.

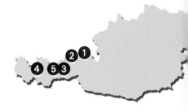

Hofburg ❸
Innsbruck

Il y eut de l'animation à la Hofburg dès la fin du XVᵉ siècle, bien que le vaste palais fût moins somptueux, car l'empereur Maximilien Iᵉʳ y tenait sa cour (*Hof* = cour). La reine Marie-Thérèse le fit transformer de 1754 à 1770 dans le style du baroque tardif. De nombreuses salles d'exposition sont ouvertes au public, notamment la grande salle des fêtes d'où émane encore la grandiose atmosphère qui l'emplit au XIXᵉ siècle. De l'ameublement baroque, il ne reste presque plus rien, mais les meubles Biedermeier font aussi partie du mobilier original, duquel on retrouva un inventaire précis.

Château de Landeck ❹

Une agréable fraîcheur accueille le visiteur qui passe, en entrant au château, sous le porche de la grosse forteresse dans la vallée de la haute Inn. De nombreux éléments fortifiés d'origine sont demeurés depuis le XIIIe siècle. Il est recommandé de commencer la visite par la très belle chapelle, bâtie vers 1500 et richement ornée de fresques, d'armoiries, de fleurs et de sarments. Les ornements de fleurs sur les fines voûtes d'arête réticulées en font un joyau gothique au sein du compact ensemble à la tour marquante, qui se marie davantage avec le fumoir, noir de suie, qui raconte la vie quotidienne au château, comme le fait aussi le Musée régional qu'il abrite.

Château d'Ambras ❺
environs d'Innsbruck

Le château d'Ambras, où fut créée au XIe siècle la résidence des contes d'Andechs, est un chef-d'œuvre architectural situé au sud-est d'Innsbruck sur une pittoresque toile de fond alpestre. Ferdinand Ier l'acheta pour son fils Ferdinand II. L'empereur n'eût sans doute pas été ravi de l'usage qu'en fit l'archiduc, qui le transforma en château Renaissance pour le remettre en cadeau à une roturière, Philippine Welser, qu'il épousa secrètement. Inconcevable ! Aujourd'hui, le Bureau des musées d'État est ravi que des flots de citoyens se déversent ici pour visiter l'arsenal, les œuvres d'art et la bibliothèque où se trouvent des œuvres aussi précieuses que le livre des épopées d'Ambras, une collection inestimable de poèmes épiques du haut Moyen Âge allemand.

Autriche

Europe

Château d'Hasegg ❶
Hall

Les visiteurs du château d'Hasegg dans le Tyrol, de nouveau bien restauré depuis 1973, quittent les lieux appauvris du prix d'entrée, mais enrichis d'une pièce de monnaie. Déjà là en 1300 pour surveiller la vieille route romaine et le passage de l'Inn, son importance ne se révéla qu'en 1567, lorsque l'archiduc Ferdinand II y fit transférer un hôtel de la Monnaie, qui fit frapper plus tard le thaler de Hall, mondialement connu. Il se délabra dans la situation difficile des guerres napoléoniennes. La dernière pièce y fut frappée en 1809. Après un long sommeil, le château s'est réveillé comme centre culturel. Le visiteur y admire la vue sur les deux clochers baroques de l'église et le panorama de haute montagne, et, il peut se frapper lui-même une pièce en souvenir.

Château de Lipperheide ❷
Brixlegg

La vallée de l'Inn ne se pare pas seulement de vieux châteaux forts et de palais royaux mais recèle aussi des perles architectoniques de plus petit format, dont un exemplaire resplendit au milieu d'un petit jardin bien entretenu à Brixlegg dans le Tyrol. Ce château, qui ressemble plutôt à une grande villa, fut construit par un membre de la noblesse du XIXᵉ siècle, Franz von Lipperheide, peut-être parce que son château de Matzen était devenu trop froid et inconfortable. La résidence familiale du XIIᵉ siècle, n'avait, en effet, pas les qualités requises pour être habitée. Une vraie maison en ville, en outre, aussi joliment ornée de pignons et de tours, était plus alléchante. Elle attire le visiteur d'aujourd'hui pour son pittoresque, mais aussi pour sa galerie de peintures.

Château de Falkenstein ❸
vallée de la Möll

À la vue de cette muraille au-dessus de Obervellach à Kärnten, l'enfant aimant jouer aux chevaliers qui sommeille en l'homme, se réveille. Le château de Falkenstein, dont les sources remontent au milieu du XIIᵉ siècle, est tellement bien conservé, et si bien situé, qu'il est facile, avec un peu d'imagination, de parcourir les époques à reculons. Et avec un peu de bonne volonté, on entendra les armes s'entrechoquer, les écuyers jurer et les ordres d'écuyers de tournoi splendidement habillés résonner à travers la cour. La châtelaine fait des signes gracieux des fenêtres de l'appartement des dames de la cour, et du haut de son poste de guet dans le donjon le soldat de garde annonce l'arrivée des hôtes. Que ne donnerait-on pas pour jeter un regard dans la cuisine où les domestiques sont en train de préparer le festin ! Oublions un instant les durs côtés de la vie de château.

Château de Velden ❹
Wörthersee

On ne pouvait vivre nulle part plus somptueusement au bord du Wörthersee que dans ce petit hôtel romantique à l'extrémité occidentale du lac, connu pour être le cadre de nombreuses histoires d'amour d'un très grand nombre de films cinématographiques et de productions télévisées. Le palais aux quatre tours fut d'ailleurs conçu à la fin du XVIᵉ siècle comme château de plaisance et attira très tôt les admirateurs. Régulièrement restauré et toujours entretenu, cs fut le premier « château-hôtel » au bord d'une plage qui permettait de réaliser des rêves d'une vie de châtelain ou de prince à ceux qui pouvaient se le permettre. On s'étonne presque que l'hôtel n'ait jamais manqué de personnel, tant la vue sur le lac invite à l'oisiveté.

Château de Hochosterwitz ❺
Zollfeld

L'homme pour qui était taillée l'armure du Moyen Âge mesurant plus de deux mètres, exposée dans le musée de ce château de la province de Carinthie, dut paraître géant. À une époque où un homme de 1 m 70 était considéré comme de haute stature, il dut inspirer la crainte, tout comme ce château d'ailleurs qui se dresse, menaçant, dans le paysage et dont les sources remontent au IXᵉ siècle. Le complexe n'atteignit sa grandeur actuelle que peu à peu, puis y fut construit une église, car le bien-être spirituel était au moins aussi important que la vie physique que l'on essayait de protéger derrière ces murs avec des créneaux et des tours. Les agresseurs n'avaient pas la tâche facile, contrairement aux touristes d'aujourd'hui, qui y montent en télésiège.

Riegersburg ❻
route du vin de la Styrie orientale

« Je ne regrette pas un denier, car je l'ai fait pour la patrie », lit-on sur une épigraphe d'une écriture antique au-dessus de la porte inférieure ajoutée au XVIIᵉ siècle au château de Riegersburg en Styrie. La châtelaine de l'époque parlait des frais engagés pour la consolidation de la fortification contre l'assaut des armées turques qui commençaient à déferler. Mais il est peu probable qu'ils aient tenté de s'attaquer à la forteresse, trônant à deux cents mètres au-dessus des environs sur un roc de basalte. Dans ce gigantesque ouvrage surplombant la route du vin de la Styrie orientale à l'est de Graz, presque tous les habitants de la région pouvaient se réfugier avec leurs bêtes et tenir durant des sièges plus longs, grâce à un système sophistiqué de passages secrets et de galeries souterraines.

Italie
Europe

Château Saint-Ange
Rome

La mort de l'empereur romain Hadrien en 138 après J.-C. plongea le pays dans le deuil, et sa famille n'était pas seule à désirer pour le souverain un mausolée adapté à la hauteur de ses mérites. Il était si somptueux et ses murs si puissants que des papes l'utilisèrent plus tard comme château fort. Il n'a rien d'angélique. Alors pourquoi ce nom ? On dit qu'un ange y était apparu au pape Grégoire Ier le Grand en 590, annonçant la fin de la peste. On le baptisa Saint-Ange par reconnaissance. Le château et le pont Saint-Ange font partie des endroits les plus visités par les touristes dans la Ville éternelle. Dans le château se trouve une collection d'armes. On y organise aussi des expositions de peintures et des concerts.

Château du Watles ❶
val Venosta

Tout au plus la façade étincelante du château de Watles, sur la montagne du même nom, à proximité du col de Rescia, évoque-t-elle que nous sommes dans une des plus belles régions de sports d'hiver.

Même les skieurs s'accordent pour avouer que le château baroque a belle prestance dans sa nouvelle monture aux couleurs de l'été. Lorsque fut conçu ce puissant édifice aux nombreuses fenêtres, couronné d'une tour, nul ne pensait qu'il fût possible d'habiter là l'hiver, la neige et la glace le rendant beaucoup trop difficile d'accès.

Seuls les gardes forestiers y passaient parfois. Les châtelains s'y retiraient l'été pour y jouir de l'air pur, de la vue et de la nature en fleurs.

Château de Taufers/Sand ❷

La forteresse Taufers dans la vallée de la Tauferer, appelée aussi Burg Sand, comme le village, est l'une des plus colossales, et, dans sa monumentalité, l'une des plus belles forteresses du Tyrol du Sud. Elle semble former barrage, verrouiller l'entrée de la vallée de la Ahrn. Derrière elle, le paysage s'élève vers les Alpes du Zillertal. Si dominant que paraisse le fort, il dut être autrefois encore plus majestueux lorsque le mur de barrage avec ses créneaux se dressait devant lui. Aujourd'hui, la porte, qui n'est plus assurée par un pont-levis, se franchit sans peine pour pénétrer dans la grande cour du château que domine à droite le donjon. Les parties les plus anciennes portent encore une empreinte romane (le donjon et la tour d'habitation), d'autres datent de la période gothique du haut Moyen Âge.

Château du Tyrol ❸
Tyrol

Si la peinture ne ment pas, Margarete Maultasch, la dernière résidente du château, situé au nord de Merano sur une montagne boisée, était si repoussante que tout le monde se demandait comment un homme avait pu lui donner un fils. Mais les tableaux furent peints beaucoup plus tard. À la mort du fameux fils en 1363, « l'affreuse duchesse » (titre d'un roman de Lion Feuchtwanger) céda le château, davantage fort que château, aux Habsbourg, qui s'étaient transférés à Innsbruck. Ce château fort, qui existait depuis 1140, avait déjà donné son nom à tout le pays. Mais laissé à l'abandon, il tomba en ruine. Le donjon, et d'autres parties, furent démontés et reconstruits ailleurs, d'autres encore se détériorèrent. Les reconstructions du début du XXᵉ siècle le dénaturèrent plutôt. Ce n'est qu'en 1973 que réussit une restauration digne de ce nom.

Castel Gardena ❹
Grödnertal

En bas des tours pointus, en haut un sommet arrondi de montagne boisée et dressé vers le ciel, le sommet des Dolomites. Les touristes pardonnent à Castel Gardena de ne pas être accessible au public, quand ils voient ce château, dénommé « le gardon », et le cadre dans lequel l'a serti la nature. Bâti au XVIᵉ siècle comme résidence de campagne, le complexe avait manifestement aussi pour fonction de protéger, car son style se rapproche davantage des châteaux du Moyen Âge, que des châteaux de l'époque Renaissance, où il vit le jour. Les remparts manquent, mais les bâtiments sont fortifiés, précaution non superflue dans cette région autrefois peu aménagée.

Château de Rafenstein ❶
environs de Bolzano

La route qui mène de Bolzano au château de Rafenstein dans le Tyrol du Sud est en soi déjà une aventure. On arrive sur le rocher très haut perché, d'où se présente une merveilleuse vue sur la vallée encaissée de Bolzano, en empruntant plusieurs tunnels et une route en lacets. Les éléments les plus anciens (remparts et palais) datent du XIIIᵉ siècle. De nombreux travaux d'élargissement, comme l'espace compris entre les remparts et la fosse avec les chapiteaux en encoignure, la tour de la porte et l'aile sud, suivirent à des époques ultérieures, qui connurent régulièrement des destructions partielles. À l'âge de l'artillerie, la forteresse n'eut plus grand intérêt. Abandonnée par ses habitants au XIXᵉ siècle, elle se désagrégea et continua de s'effriter quand la ville de Bolzano reprit l'édifice en 1893. Rongé de vétusté, il n'est pas accessible au public.

Château de Warth ❷
environs d'Eppan

Quand on le voit en biais, d'en bas, on dirait à première vue une grande église avec son cimetière, car sous cette perspective la treille a l'air de croix. C'est pourtant bien un château fort, du nom de Wart ou Warth, situé à l'ouest de Bolzano, près d'Eppan sur la route du vin du Tyrol du Sud (*Appiano sulla Strada del Vino*). Il est bien conservé pour les sept siècles, au moins, qu'il porte sur le dos, en ce qui concerne en tout cas le donjon et le bâtiment principal. D'autres parties sont plus jeunes – les communs, par exemple, n'ont que quatre cents ans – et font du château un palais, notamment à l'intérieur, où l'on trouve par endroits, comme dans la construction ajoutée en encorbellement, des peintures gothiques et de belles boiseries.

Château de Malgolo ❸
Tyrol du Sud

Un manoir muni de très jolies tours s'est formé aux XVIᵉ et XVIIᵉ siècles autour d'une tour grise à l'origine bien plus haute et moins belle, qui dut être le centre d'une forteresse près de Romeno dans la vallée de la Nous. L'ensemble se détache sur le décor du sommet des Dolomites du Tyrol du Sud en arrière-fond, et forme avec ses volets une somptueuse tache de couleur. Vu l'épaisseur des murs, il doit faire frais à l'intérieur, que l'on ne peut pas visiter. La lumière pénètre à peine de l'extérieur, côté façade; en revanche, côté cour, les fenêtres, plus grandes, laissent concevoir un habitat moderne. L'abondante nature autour de la ferme promet une promenade aventureuse.

Haderburg ❹
environs de Salurn

Le château, près de Salurn, sur l'Adige, la pointe sud du Tyrol du Sud, semble surveiller la frontière linguistique italo-germanique qui fut longtemps pomme de discorde politique. Du haut de son rocher calcaire, la romantique ruine du Moyen Âge embrasse une végétation luxuriante de vergers et de vignobles. Elle est entourée de forêts encadrant des îles culturelles aux résidences principalement Renaissance et baroque. Le château lui-même, au cœur de tout cela, saurait raconter bien des choses survenues à des époques où la route du vin, qui le borde aujourd'hui voyait passer les armées. Avec des constructions comme Haderburg, qui était un important point de contrôle, les empereurs allemands essayèrent d'assurer leurs possessions d'Italie septentrionale.

Château Saint-Pierre ❺
val d'Aoste

La plupart des automobilistes utilisent la voie rapide que l'on a construite pour eux à travers le val d'Aoste et ne voient par conséquent pas la centaine de palais et de châteaux forts dissimulés dans la forêt et les vallées transversales. L'une des plus anciennes forteresses est Saint-Pierre, appelée aujourd'hui aussi San Pietro, en italien, véritablement bâtie sur de la pierre, sur un roc même. Elle date à l'origine du XIᵉ siècle, mais fut maintes fois transformée au cours des époques et porte l'empreinte séduisante de styles mélangés. Mais même des châteaux aussi bien conservés et entretenus que celui-ci ne peuvent rivaliser avec la majesté du paysage alpestre et des hauts sommets qui les entourent.

Galleria Vittorio Emanuele II
Milan

Il est probable que même les adversaires eurent le souffle coupé à la vue de cette splendeur architectonique, sinon des voix de protestation se seraient élevées dû s'élever du côté de l'Église, lorsque le roi Victor-Emmanuel II inaugura le 15 septembre 1867 un temple de consommation bourgeois et cruciforme portant son nom. Giuseppe Mengoni (1829-1877), l'architecte de galeries mondialement connues, fit un emprunt sacral plus osé encore en plaçant au point d'intersection de la croix une coupole de même dimension que celle de Saint-Pierre de Rome. Mais le palais, nommé dans le langage populaire *Salotto di Milano* (le salon de Milan), fut accepté par tout le monde. L'Italie catholique est parfois plus tolérante que d'autres pays quant à l'usage de symboles ecclésiastiques. On aurait ailleurs probablement fustigé les auteurs de telles profanations de symboles religieux.

Castello Sforzesco ❷

À la fin du Moyen Âge, Milan faisait partie des villes les plus riches du monde et Francesco Sforza (1401-1466) comptait parmi les plus grands veinards de son époque. Il reçut pour épouse la fille héritière Bianca Maria Visconti, et avec elle la ville. Il employa aussitôt la grosse dot à la construction d'une place forte, forte et belle, à l'image de sa femme. Les travaux de Castello Sforzesco commencèrent en 1450, et peu à peu s'élevèrent une élégante tour centrale, de grosses tours rondes, une façade inspirant le respect et des fenêtres gothiques. Il s'en fallut de peu que le palais ne tombât aux mains d'urbanistes béotiens. Mais on parvint à le sauver et il fut transformé pour héberger des musées.

Château de Prösels ❸
Völs dans le Schlern

Maximilien Ier (empereur 1493-1519) fit honneur à son sobriquet, « le dernier chevalier » même en matière de fortifications. C'est à lui, ou à des bâtisseurs qui travaillèrent dans son esprit, que nous devons certains châteaux forts du gothique flamboyant. Celui de Völs, à l'est de Bolzano, se trouve au Tyrol, dans l'ancien patrimoine héréditaire des Habsbourg, dans le Schlern, un massif calcaire de 2 564 m d'altitude, dans les Dolomites. Un château domina cet endroit dès le Moyen Âge, mais Prösels ne prit son aspect actuel que vers 1500, se transformant ainsi en un château qui n'avait plus seulement une importance militaire mais était aussi habitable. De la fonction de défense qu'eut le château ne témoigne plus qu'une grande collection d'armes dans la salle des piliers de la maison, complètement rénovée en 1981.

Château d'Arco ❹

Avant de se jeter dans le lac de Garde à l'extrême nord, la rivière Sarca a profondément rongé la pierre. À quelques kilomètres du lac, se trouve la charmante petite ville d'Arco avec des édifices Renaissance et baroque très bien conservés, de type sacré et profane, que surveilla, et avant eux leurs prédécesseurs, pendant cinq siècles, le château d'Arco, au-dessus de la ville, forteresse alpine de l'époque des Staufer (XIIIe siècle), avant d'être détruite en 1703. On arrive au château en vingt minutes depuis Arco, une marche assez difficile, mais compensée par la beauté des bâtiments restaurés (la tour et la chapelle sont accessibles au public) et des ruines qui écoutèrent chanter les Minnesänger.

Palais Bettoni ❺
Gargnano

Le détail montrant sur la photo les escaliers, les balustrades, les niches et les ornements sculptés donne une idée de la grâce du bâtiment de trois étages qui porte le nom de la famille noble italienne y résidant encore aujourd'hui. Il fut construit à la fin du XVIIe siècle sur la rive occidentale du lac de Garde dans le style baroque, qui évolua en partie dans un style rococo. Rien d'étonnant à ce que le château ait séduit le Duce Mussolini lorsque fut aménagée la résidence de son État marionnette allemand à Salò, à quelques kilomètres au sud de Gargnano. Il aimait tenir des conseils de ministres dans le palais Bettoni, avant que son régime fût balayé en 1945 par des partisans. Le bâtiment en subit des dommages, depuis longtemps réparés.

Italie
Europe

Castel Toblino ❶

Un lieu aussi beau est forcément plein de légendes. Des fées auraient hanté ce lieu sous les Romains et des fantômes, paraît-il, le hantent aujourd'hui encore. Le château de Toblino, au bord du lac de Toblino, se présente aujourd'hui comme un château du XVIe siècle. Il est entouré d'eau et fut bâti sur une forteresse du Moyen Âge pour les princes-évêques de Trente, qui ne menaient pas toujours une vie vertueuse et recouraient parfois à des moyens peu catholiques. Il n'était pas rare que ces messieurs reçoivent la visite de dames. Une certaine Claudia chavira, dit-on, sur le lac en allant voir son amant, dans ce château... Son esprit hante, depuis, les eaux du lac les nuits de pleine lune.

Château de Buonconsiglio ❷
Trente

L'ancienne résidence des princes-évêques de Trente domine toute la ville du haut de la crête d'un rocher. Conçue comme forteresse, elle fut au fil des siècles rendue plus élégant et aménagée de commodités, et mérite aujourd'hui le titre de château. Elle le doit en grande partie à l'évêque Clesio, qui, au XVIIe siècle joignit au *Castelvecchio* (l'ancien château) le *Palazzo Magno* (le grand palais), créant un ensemble digne d'un prince de la Renaissance. C'est de cette époque d'ailleurs que provient le nom de *Buonconsiglio* (bon conseil). Mais un ouvrage de défense n'est pas toujours une garantie de son invulnérabilité, ainsi lorsque l'évêché fut en danger, les évêques durent lorsque fuir. En 1803, ils abandonnèrent cette résidence.

Château de Malcesine ❸

Sur la rive orientale du lac de Garde, au pied du massif de Monte Baldo, se trouve une petite ville entourée d'oliveraies et de vergers, qui a conservé son charme médiéval et attire pour cette raison les touristes. Malcesine est dominée par le château avec son donjon du XIVe siècle et d'autres bâtiments du XVe. Le roi des Lombards y avait déjà résidé un millénaire auparavant, et Charlemagne appréciait également ce site. La forteresse médiévale offre précisément le cadre que les conservateurs de musée souhaitent pour exposer leurs collections archéologiques et régionales. Au château de Malcesine, sont en outre exposés des armes et des objets ayant trait aux sciences naturelles.

Castello Scaligero ❹
Sirmione

Une presqu'île qui s'avance comme une épine dans la baie la plus méridionale du lac de Garde se prête indéniablement à la construction d'une forteresse. Les bâtisseurs des Scaligeri, famille qui régna plus de cent ans à la fin du Moyen Âge sur Vérone et la région, le savaient, bien sûr. Élevés au faîte de la société pour avoir appartenu au parti gibelin, ils survécurent à la chute des Staufer, grâce à des châteaux du genre de celui de Sirmione sur la fameuse presqu'île, un exemple parmi bien d'autres sur le lac et dans les environs, reconnaissables à leurs élégants créneaux. Tous, y compris Sirmione, ont depuis longtemps capitulé devant les masses de touristes qui ne se laissent même plus dissuader par le prix prohibitif des entrées, des souvenirs et des parkings. Nature et culture sont dans ce cadre tout simplement irrésistibles.

Palazzo dei Capitani ❺
Malcesine

Quand le temps est de la partie, et il l'est généralement, sur la rive septentrionale du lac de Garde, il y a de l'animation au palais des capitaines dont le bas est décoré et disparaît derrière les parasols des joyeux buveurs. Cette belle maison porte le nom de la fonction qu'elle remplissait au Moyen Âge, celle de *Capitano del Lago*, capitaine chargé de faire régner l'ordre et la sécurité sur le lac et dans les environs et d'enrayer la contrebande. Pour exercer cette fonction, il fallait, bien sûr, une résidence proche du lieu de travail, les pieds dans l'eau. Elle fut dressée aux XIVe et XVe siècles dans le style gothique vénitien et est l'un des plus beaux édifices profanes de la région.

Castel Vecchio ❻
Vérone

Les seigneurs de la ville de Vérone, les Scaligeri, s'étaient élevés au rang de vicaires de l'Empire sous Henri VII (empereur de 1308 à 1313). De grands poètes et artistes comme Dante et Giotto vivaient à leur cour. Qui vit bien engendre l'envie, il fallait donc se protéger des envieux. Les Scaligeri firent une des dernières tentatives en 1354, en passant commande dans la ville de leur résidence d'une forteresse qui en impose par son élégance à laquelle l'épaisseur des murs n'enlève rien. Les arcs en plein cintre du pont qui mène à l'édifice appelé aujourd'hui Castel Vecchio (vieux château) contrastent vivement avec la porte carrée. Le pont dut être reconstruit, des pionniers allemands l'ayant fait sauter en 1945.

Italie
Europe

« Faisons les choses comme il faut », durent se dire les maîtres véronais de la région actuelle de Soave, où est produit le fameux vin blanc sec à partir des cépages *garganega* et *trebbiano*. La localité est située à l'est de Vérone et par conséquent sur un territoire qui fut l'objet de nombreux litiges. Les Vénitiens avaient aussi des vues dessus et tentèrent toujours de s'en emparer. C'est pourquoi Vérone entretint dès l'époque de Frédéric Ier Barberousse (roi et empereur de 1152 à 1190), un fort complètement transformé au XIVe siècle par les seigneurs de la ville, de la famille des Scaligeri. Le château que nous voyons aujourd'hui est le résultat de ces transformations. Rien n'a bougé, ni la forteresse, ni les remparts, ni les créneaux.

Villa Barbaro ❷
Maser

À une bonne quarantaine de kilomètres au nord-ouest de Venise se trouve Asolo, et en arrivant à Maser, un peu à l'est d'Asolo, le voyageur voit soudain surgir sur la gauche, dans toute sa clarté, la somptueuse et grande villa Barbaro. Et comme l'Italie devança tous les autres pays d'Europe en matière d'art, la façade Renaissance comporte déjà des éléments baroques. La villa fut construite entre 1550 et 1560 et le style palladien dominant indique encore davantage le classicisme, qui reprit l'articulation en arcades et en colonnes des façades de palais. La végétation déjà presque subtropicale dans cette région permit, en outre, de pourvoir le domaine de merveilleux jardins qui donnent au joyau qu'est la villa un cadre naturel séduisant.

Château de Duino ❸
environs de Trieste

C'est effectivement d'un grand poème d'architecture découvrant une vue fabuleuse sur les environs, dont jouit le poète autrichien Rainer Maria Rilke en 1911/1912 au château de Duino, surplombant la mer au nord-ouest de Trieste. Que le paysage et l'Adriatique lui eussent inspiré son recueil de poèmes *Élégies de Duino* (1923) n'a qu'un rapport indirect avec la beauté et sa fugacité, que l'on trouve ici réunies. Le magnifique nid rocheux de la famille von Thurn und Taxis, qui avait invité le poète, dissimule en effet les ruines d'une vieille forteresse du XIᵉ siècle. Une légende assombrit en outre la montagne rocheuse étayant ces ruines : l'un des rochers tombant à pic au-dessus de la mer a la forme d'un corps de femme. Cette « Dame blanche » fut sauvée par Dieu, dit la légende, et pétrifiée, telle une plainte éternelle, à l'instant où elle voulut pousser son fiancé dans la mer.

Château Miramare ❶
environs de Trieste

Elle était attendue à la gare de Trieste, avec le carrosse impérial qui l'amenait à l'un de ses refuges préférés, le long du littoral de l'Adriatique, vers le nord-ouest. Élisabeth, mieux connue dans le rôle de Sissi, joué par Romy Schneider, était très attachée au château de Miramare, bien qu'il eût évoqué l'une des nombreuses tragédies des Habsbourg. L'archiduc Maximilien reçut ici en 1864 l'appel de Napoléon III qui l'avait choisi comme empereur du Mexique. Trois ans plus tard, le jeune souverain périssait sous les balles d'un peloton d'exécution. Et Sissi fut assassinée en 1898. Mais elle passa des moments heureux dans le palais néo-baroque de Miramare, qui doit son nom à la merveilleuse vue sur la mer.

Villa Pisani ❷
Stra

En été, quand Venise exhalait ses effluves fétides, les riches fuyaient la lagune. Ils s'étaient depuis longtemps construit des manoirs en des endroits où l'air était plus pur. La villa Pisani en est un des plus beaux exemplaires, bâti à la fin du baroque, période de digne gaieté, sur les ravissantes rives de la Brenta à Stra, à l'ouest de la cité des Doges. Pour ne pas complètement renoncer à l'eau, le bâtisseur, Alvise Pisani, choisit un site proche de la rivière. Mais cela ne lui suffit pas, et il ajouta un bassin devant la façade principale qui s'y reflète. Les architectes d'antan savaient que le dialogue avec la nature valorise leurs créations. L'art statique veut être dynamisé.

Palais des Doges ❸
Venise

L'observateur peut avoir l'impression que le palais est construit à l'envers. Le bas est ténu et aéré, le haut dentelé et distant. La résidence bâtie pour les doges du « nid de pierre et d'eau » (Goethe) se déplace, tel un mille-pattes, devant la Piazzetta avec les deux statues de Saint-Théodore et du lion de Saint-Marc, comme si les arcades prolongeaient les pilotis à la base des édifices vénitiens. La construction du palais gothique commencée en 1309 et terminée en 1442 mit un siècle et demi à mûrir, non pas par avarice du Conseil, ni par paresse des bâtisseurs, mais parce que les incendies dévastaient ce qui venait d'être terminé, et que les exigences en matière d'esthétique étaient élevées.

Italie

Europe

Villa Hanbury ❶
Vintimille

Plus célèbres encore que la villa sont les jardins qui ne seraient, cependant, pas aussi notoires sans la splendide maison, que chamarrent la floraison et la verdure ondoyante. Elle fut construite au XIXe siècle par les frères anglais Hanbury. L'azur de la Méditerranée sur la Riviera di Ponente est un cadre inestimable revalorisant plus encore le palais des Hanbury par le panorama qu'il offre sur le golfe de Menton et de Latte. La vue s'étend jusqu'à Bordighera, ville très connue pour sa végétation.

Château de Portofino ❷

Le littoral ligure au sud-est de Gênes est si pittoresque que la plupart des voyageurs n'assimilent que l'impression d'ensemble. Il y a pourtant beaucoup de détails à découvrir, remarquables en soi, même s'ils profitent du panorama. Le château médiéval surplombant le village de Portofino, non moins moyenâgeux, en est un. Le site, convoité dès l'Antiquité comme poste de guet, semble s'incliner jusqu'au port pour le saluer. Le noyau fortifié du château date du XIVe siècle. Le reste fut renouvelé, transformé, ajouté ultérieurement, sans que le caractère gothique en eût souffert. Si jolie que soit la vue sur le château du littoral, celle d'en haut sur la mer est au moins aussi séduisante.

Castello di Monleone ❸
Moneglia

Le romantisme n'a pas de limites. Dieu sait que l'Italie ne manque pourtant ni de monuments de l'Antiquité, ni de témoignages du Moyen Âge. Un certain marquis Fornari du XIXe siècle ne voulut cependant pas s'en contenter et se construisit une nouvelle antiquité à Moneglia sur la côte ligurienne au nord-ouest de La Spezia. Il plaça son château Monleone sur le site des ruines d'une forteresse génoise du XIIe siècle encore visible. Les deux édifices eurent à l'origine la même motivation : le point de vue. Pour le premier, c'est le point de vue militaire qui compta. Il fallait surveiller les mouvements de flotte. L'autre bâtisseur se laissa davantage séduire par le panorama qui s'offre sur le littoral, lequel ravit aujourd'hui les hôtes de l'hôtel qu'héberge le château.

Château de Lerici ❹

Moyen Âge et modernité face à face : un porte-conteneurs passe devant la forteresse ligurienne de Lerici au-dessus du golfe de La Spezia, aussi nommé « baie des poètes ». Ce furent notamment des poètes anglais qui contribuèrent à la célébrité du lieu. La chaîne des illustres visiteurs de la station balnéaire mêlant l'ancien et le nouveau, où règne beaucoup d'animation, va de lord Byron à Virginia Woolf. Mais l'ancien attire davantage que le neuf, plus fréquent et moins cher dans les métropoles de l'Italie septentrionale. Les forteresses sont plutôt rares sur un site aussi

unique, qui veillent, en plus, tel un pâtre, sur leur troupeau de maisons chamarrées et la nuée de bateaux voguant sur le golfe. Le château est le premier à apercevoir les navires approchant de l'île au large du littoral. L'intérieur renferme un musée de paléontologie.

Forteresse de Portovenere ❺

Une foule de maisons bariolées se groupe au pied d'une puissante forteresse austère sur la presqu'île devant le golfe de La Spezia, dans le pittoresque village de pêcheurs de Portovenere, devenu très touristique. Caractéristique de l'architec-

ture militaire génoise de la fin du Moyen Âge, il ressemble, bien que composé de deux blocs, à un monolithe. Les remparts donnent cette impression d'unité. La partie supérieure était réservée au commandant de la place forte et à l'équipage. La

partie inférieure aux canons qui, avec le temps, ne suffirent plus à défendre le lieu. Impuissante devant la mainmise de Napoléon, la forteresse se rendit. Elle servit ensuite de prison et est, aujourd'hui, le musée de sa propre histoire.

Italie

Europe

Palazzo del Governatore ❶
Parme

Quel dédommagement pimpant ! Marie-Louise, fille de l'empereur d'Autriche François II, dut épouser à l'âge de dix-huit ans Napoléon Ier, et accomplir son devoir d'épouse en lui donnant un fils. Or, les alliés privèrent papa de son pouvoir avant que l'enfant fût sorti des langes, et dédommagèrent maman en la nommant duchesse de Piacenza, de Guastalla et de Parme (voir la photo). Le palais du gouverneur de Parme fut une de ses résidences. Elle n'eût pu en choisir un plus beau dans toute l'Italie septentrionale. Ce joyau baroque avec son dôme latéral et sa tour impressionnante ravit les visiteurs encore aujourd'hui. La statue de Giuseppe Garibaldi (1807–1882), héros de l'unification de l'Italie, ne fut placée devant le palais qu'après la mort de l'ex-impératrice (1847) .

Château d'Este ❷
Ferrare

Les mises en scène du *Torquato Tasso* de Goethe aiment transférer l'action de la pièce dans des jardins. Or, le Tasse fréquenta plus probablement la cour de Ferrare à la fin du XVIe siècle dans ce château de la famille princière d'Este. Il fut commencé en 1385, pour protéger les gouverneurs après une insurrection populaire à la suite de rigoureuses augmentations d'impôts, d'où sa classification dans la catégorie des châteaux forts, malgré son élégance et son côté plaisant, auxquels son aspect anguleux et trapu n'enlève rien. Les garde-corps repeints en clair en haut des tours et de leurs supports font de l'édifice, reflété dans l'eau, un palais.

Palais de Théodoric le Grand ❸
Ravenne

La coulisse pourrait être celle du palais du roi des Ostrogoths Théodoric le Grand, dont n'atteste qu'une mosaïque dans l'église Sant'Apollinare Nuovo à Ravenne. Mais des doutes s'insinuent en l'observateur y regardant de plus près, et qui se demande où le roi peut avoir habité dans un édifice aussi plat, et comment il put y loger deux cents ans après sa mort. Le style de la ruine date le palais d'après le VIIIe siècle. Théodoric était déjà mort. Les historiens ont probablement raison en concluant que le prétendu palais est un édifice construit sur le modèle de la fameuse mosaïque. Mais il est beau sans avoir été la résidence du grand roi.

Palais des Diamants ❹
Ferrare

L'architecte de la famille d'Este, Biagio Rosetti, imagina en 1493 un curieux déguisement pour la résidence de la famille princière : des blocs de marbre « taillés » à vive arête comme des parures, et qui donnent l'impression de diamants. Si l'on est saturé par la façade de l'édifice Renaissance, on accède d'une belle cour intérieure à la Galerie municipale d'art moderne, célèbre au-delà des frontières de l'Italie pour ses exceptionnelles expositions. À l'étage du dessus, la pinacothèque expose des tableaux du XIIIᵉ au XVIIIᵉ siècle.

Italie
Europe

La Rocca
Saint-Marin

Trois forteresses perchées sur trois sommets sont l'emblème de la mini-république de Saint-Marin (61 km²) avec la capitale du même nom au nord-est de l'Italie, à une douzaine de kilomètres de l'Adriatique. La photo représente le plus vieux fort, La Rocca, appelée aussi *Guaita*, érigée au Xe siècle sur le mont Titano. Ce que nous voyons n'est, bien sûr, pas l'état d'origine, mais un complexe que façonnèrent successivement plusieurs époques, jusqu'à ce que le petit État devienne autonome au XVe siècle. Il dut s'affirmer, en dépit de cette respectable forteresse, à cause des conflits d'intérêt des puissances environnantes et, plus tard, parce que personne ne voulait plus s'en séparer.

Château de Gradara ❶

La route qui part de Pesaro en direction du nord-ouest arrive à l'État de Saint-Marin, que beaucoup de touristes ne voient pas parce qu'ils restent à Gradara. La ville aux remparts crénelés est dominée par un château du temps de Dante qui trouva ici l'inspiration pour le Vᵉ chant de la première partie (*l'Enfer*) de sa *Divine Comédie* sous les traits de la belle Francesca da Rimini qui signa au château un contrat de mariage la liant à Gianciotto Malatesta, qui s'était fait représenter par son frère Paolo, beaucoup plus beau que lui, pour les négociations. Paolo et Francesca tombèrent amoureux l'un de l'autre et Francesca refusa de se marier avec Gianciotto qui fit assassiner le couple.

Forteresse San Leo ❷

Un château se tint ici dès le Moyen Âge, qui ne prit ses traits définitifs qu'au XVᵉ siècle. San Leo trône au-dessus de la localité du même nom au sud-ouest de Saint-Marin sur la route qui mène de Pesaro à Arezzo, juché sur une formation de rochers imprenables. Et pourtant les propriétaires de la forteresse, qu'un poète désigna comme le « plus bel et plus grand instrument de guerre » d'Italie, se succédèrent de près. En possession des États pontificaux du XVIIᵉ au XIXᵉ siècle, le château servit temporairement de prison pontificale. L'aventurier Giuseppe Balsamo, connu sous le nom de comte de Cagliostro, y rendit son dernier soupir en 1795.

Italie
Europe

Castello dell'Imperatore ❶
Prato

Le visiteur du château impérial de Prato en Toscane a l'impression que le Castel del Monte s'y est égaré. Les deux châteaux eurent le même bâtisseur, le souverain Frédéric II de Hohenstaufen (1194–1250), qui résidait et gouvernait plus souvent en Italie qu'en Allemagne. Mais contrairement à son pendant en Pouille, l'empereur en fit un édifice carré de style dépouillé, pourvu de quatre tours d'angle trapues. Le reste de la construction, créneaux, façade homogène, correspond aux autres forteresses des Hohenstaufen de l'Italie méridionale, qui démontraient la puissance de la dynastie de Souabe. Leur règne ne fut qu'un épisode, leurs monuments, en revanche, ont souvent survécu.

Palazzo Vecchio ❷
Florence

Rien ne disputerait au vieux palais son rang d'emblème de Florence, si la ville, située sur l'Arno, ne disposait d'une imposante cathédrale avec une coupole de Filippo Brunelleschi. Bâti vers 1300 par Arnolfo di Cambio (env. 1240–1310), le palais carré et crénelé avait déjà plus d'un siècle d'âge, lorsqu'il céda à la cathédrale Santa Maria del Fiore le rôle d'édifice principal. Mais avec sa tour élancée et sa cour à colonnades, il domine aujourd'hui incontestablement parmi les édifices profanes, et les trésors que renferment ses salles sont uniques. Des fresques de Giorgio Vasari et de ses élèves ainsi qu'un groupe de sculptures de Michel-Ange décorent la « salle des Cinq-Cents ». Dans la pièce voisine, des œuvres de Giambologna et d'Ammannati ornent « la salle de travail de François Ier ».

Palazzo Medici-Riccardi ❸
Florence

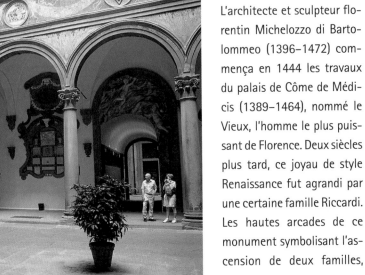

L'architecte et sculpteur florentin Michelozzo di Bartolommeo (1396–1472) commença en 1444 les travaux du palais de Côme de Médicis (1389–1464), nommé le Vieux, l'homme le plus puissant de Florence. Deux siècles plus tard, ce joyau de style Renaissance fut agrandi par une certaine famille Riccardi. Les hautes arcades de ce monument symbolisant l'ascension de deux familles, contribuent à faire paraître plus grande sa cour intérieure, relativement exiguë, et les mouvements figés des statues lui donnent une atmosphère de paix. Les proportions équilibrées du palais Medici-Riccardi, ainsi que la netteté de son articulation en firent un modèle de construction des édifices de représentation florentins bâtis ultérieurement.

Palazzo dei Priori ❹
Volterra

Un coucher de soleil sur Volterra, petite ville médiévale de Toscane, vaut bien celui de Capri, que la chanson populaire fit connaître au monde entier. Et quand il embrase le palais des seigneurs (*Priori*), bâti aux XIIIe et XIVe siècles, où siège aujourd'hui encore le conseil municipal, celui-ci paraît presque irréel, baigné dans un rouge brique pénétrant les créneaux de la haute tour octogonale qui fait pen-

ser à deux couronnes superposées. L'édifice lui-même, trapu et austère, dresse des créneaux encore plus puissants et domine, souveraine, la ville fondée avant Rome par les Étrusques et qu'ils appelaient Velathri.

Palazzo ❺
San Gimignano

Les Italiens forment un groupe important de la population new-yorkaise et on dirait, en voyant cette ville de Toscane, que des Italiens ont voulu contribuer à la silhouette de Manhattan en y mettant un vieux *palazzo* du pays. La silhouette de la petite ville médiévale, avec ses tours dynastiques, bâties par des familles ennemies de la haute noblesse en signe de fierté et d'intimidation, ressemble fort,

en miniature, à celle de la métropole américaine.

Quinze tours sont restées sur soixante-douze, la plus haute étant celle du *palazzo*, dite « la grosse ». On a de ce mini-Empire State Building, la meilleure vue sur San Gimignano et le paysage vallonné de la Toscane, formant le décor de nombreuses peintures de la Renaissance.

Palazzo pubblico ❻
Sienne

Le beffroi de l'hôtel de ville est en hauteur ce que le reste du bâtiment est en largeur, l'édifice tout entier est en tout cas au premier rang pour assister, d'un œil sévère, au célèbre Palio, une fantastique course de chevaux annuelle qui a lieu place du marché (campo), sur un espace exigu pavé datant du XIVe siècle, tout comme l'hôtel de ville, et la mince *Torre del Mangia*, de cent deux mètres de hauteur, inaugurée

en 1344, coiffée d'une couronne blanche se terminant par une armature en fer. Le bâtiment donne l'impression d'une forteresse, que les arcades du rez-de-chaussée et les nombreuses fenêtres relativement grandes avec leurs arcs en ogive de style gothique allègent.

Italie

Europe

Palazzo del Comune ❶
Pistoia

Quel bel exemple de gothique toscan, dont les ogives font naturellement partie, mais la sobriété italienne renonce, ici, à l'enjolivement des cathédrales françaises et allemandes. L'hôtel de ville de Pistoia, commencé en 1294 et terminé en 1385, reflète un peu la réserve du Sud envers l'architecture du haut Moyen Âge de l'Europe septentrionale. Mais il montre aussi que les lignes beaucoup plus claires dans la lumière méditerranéenne n'ont pas nui au « design ». La retenue dans le faste confère à l'édifice profane une certaine dignité, et forme un cadre digne du Musée communal.

Castello di Poppi ❷

Les hautes tours, permettant de voir loin, sont commodes dans une forteresse. Mais quand la forteresse ne peut plus se défendre parce que les armes sont trop pointues ou qu'elle n'en a plus besoin parce que la paix s'est installée, au moins partiellement, dans certaines régions, alors les tours trop hautes gênent. Les conseillers municipaux de Poppi, sur le cours supérieur de l'Arno, en Toscane, trouvèrent trop haut le donjon de l'ancien château et le raccourcirent en 1817 de quinze mètres. Les proportions de ce château du XIIIᵉ siècle sont ainsi plus équilibrées. Il est très bien conservé, car il fut toujours utilisé. Depuis 1861 par la commune, et depuis 1987 comme musée et importante bibliothèque historique.

Palazzo Piccolomini ❸
Pienza

L'architecte pontifical Bernardo Rosselino envisageait un palais tel que le palazzo Rucellai à Florence, terminé en 1451, lorsqu'il commença en 1460, sur commande de Pie II, à bâtir un palais pour la famille de celui-ci à Corsignano (aujourd'hui Pienza) près de Sienne. Le Saint Père (Enea Silvio Piccolomini), désirait un palais de trois étages avec une cour intérieure bordée d'arcades, conduisant directement aux écuries et aux remises. Il fit aménager ses propres appartements aux étages supérieurs, où se trouve encore son lutrin. Le souverain pontife avait une belle exposition, au sud, sur Montalcino par-dessus la vallée d'Orcia, et Monte Amiata.

Monteriggioni ❹

On appelle parfois la localité de Monteriggioni en Toscane, au nord-ouest de Sienne, « la couronne d'Italie », et, vue d'avion, la petite ville médiévale a vraiment l'air d'une couronne royale. La vieille enceinte de la ville, mesurant cinq cent soixante-dix mètres, est encore entièrement conservée, si bien qu'avec ses seize dents de tour d'autrefois, plus onze aujourd'hui, elle semble couronner l'éminence sur laquelle se trouvent les maisons. La localité était conçue à l'origine comme château fort devant protéger Sienne des incursions de la très puissante Florence. C'était au XIIIe siècle, peu avant que Dante écrive sa *Divine Comédie*, immortalisant dans son œuvre les tours de Monteriggioni.

Fortezza ❺
Montalcino

À une quarantaine de kilomètres au sud-ouest de Sienne se trouve la petite ville toscane de Montalcino, située à cinq cent soixante-sept mètres d'altitude et déjà connue par les Romains pour ses vignobles. La ville avait autrefois une importance stratégique considérable et revêtit les traits d'une cité militaire, qui eut bien sûr besoin en premier lieu d'une forteresse (*Fortezza*). L'édifice aux tours d'angle caractéristiques, renforcé au XIVe siècle par un rempart de pierre, servit de protection aux gibelins de Montalcino contre les guelfes de Sienne. Aujourd'hui il ne protège plus qu'un dépôt de vins de choix de la région et sert de décor pour des représentations théâtrales en plein air et autres manifestations culturelles.

Italie
Europe

Palazzo ducale ❶
Pesaro

Le palais ducal de Pesaro, à l'embouchure de la Foglia dans l'Adriatique, prit sa forme actuelle vers 1450, sous le règne d'Alessandro Sforza. La façade du château Renaissance fut alors notamment allégée par des arcades qui contrastent avec les fenêtres rectangulaires au-dessus, ce qui augmente le charme de ce large bâtiment surmonté d'une couronne crénelée. Un autre contraste est frappant. La fontaine ornée de Tritons accompagnant Poséidon, dieu de la Mer dans la mythologie grecque, fait en effet revivre l'Antiquité, renaissance voulant bien dire nouvelle naissance. Néanmoins, la forme de ces figures contraste fort avec la digne simplicité du palais.

Rocca Costanza ❷
Pesaro

Nous avons déjà rencontré à Urbino l'architecte Luciano Laurana, qui, autant put-il bâtir là-bas avec élégance, autant conçut-il ici, à Pesaro, chef-lieu de la province du même nom, à l'embouchure de la Foglia dans l'Adriatique, un imposant édifice. Le premier magistrat de la ville, Costanzo Sforza, lui avait passé commande de la Rocca en 1474. Laurana eut juste le temps de terminer les plans et de mettre les travaux en route. Il mourut en 1479. La forteresse de forme carrée aux puissantes tours d'angle rondes ne fut terminée qu'en 1505. Les Sforza utilisèrent parfois le complexe comme résidence, une résidence peu confortable, mais sûre. On le restaure depuis 1989 et, de temps en temps, ont lieu des manifestations sportives dans le château et tout autour.

Palais ducal ❸
Urbino

À Urbino, petite ville dans la province de Pesaro, à une vingtaine de kilomètres au sud de Saint-Marin, se dressent comme frère et sœur dans le même style Renaissance, unissant, comme souvent trône et autel sous le même toit, la cathédrale à gauche, et le palais que se fit construire le duc Federico da Montefeltro de 1464 à 1479 par Luciano Laurana. Le château dépasse en grandeur et splendeur tous les projets profanes de la seconde moitié du *Quattrocento* et servit de modèle à la construction des résidences des époques ultérieures en Europe. En alliant ses expériences dans l'art des fortifications aux principes de l'architecture florentine des débuts de la Renaissance, l'architecte créa un *palazzo* d'une grande élégance avec des tours d'angle rappelant des minarets.

Porta Montana ❹
Macerata

Macerata se trouve à une trentaine de kilomètres au sud d'Ancône à vol d'oiseau, sur une montagne surplombant les vallées de la Potenza et du Chienti. L'enceinte de la vieille ville, encore intacte, est interrompue de puissantes portes comme, ci-contre, la porte de la montagne. Dans d'autres pays, la vieille ville aurait été interdite à la circulation, projet irréalisable en Italie, ce qui gâche un peu le cachet médiéval que pourrait avoir la ville. Néanmoins, elle est tellement séduisante que les touristes ne reculent pas devant l'air vicié par les gaz d'échappement.

Palazzo dei Priori ❶
Pérouse

Sur une crête entre la vallée du Tibre et le lac Trasimène se trouve Pérouse, chef-lieu de la province d'Ombrie, comportant de nombreux vestiges des périodes étrusques et romaines, mais dont le caractère, dans l'ensemble, est celui que donna le Moyen Âge à la ville. Le palais, sur la place du Quatre-Novembre, en est le plus bel exemple. C'est un imposant édifice gothique (fin XIIIe siècle – début XIVe siècle), que firent bâtir jadis les prieurs (Priori) de la ville. Il est utilisé aujourd'hui par le conseil municipal. Il était jadis courant que le principal bâtiment à caractère officiel d'une ville soit non seulement représentatif, mais aussi fortifié, d'où les créneaux, qui donnent une certaine élégance au massif édifice, auquel on parvient par un splendide escalier extérieur.

Palazzo della Regione ❷
Pérouse

L'Ombrie est une des régions d'Italie les plus saturées d'histoire. Alors que Rome était encore à peine née, les Étrusques y avaient déjà dressé leurs forteresses sur les hauteurs et construit leurs nécropoles. Pérouse, chef-lieu de la province, a elle-même une multitude de curiosités datant de ces époques lointaines, et les visiteurs y affluent, ou admirent les édifices plus jeunes, mais aussi séduisants, du Moyen Âge comme le Palazzo Comunale. Or, on néglige souvent de mentionner, chose injuste, que la ville est aussi marquée par une architecture extrêmement moderne. Le palais du gouvernement régional, qui

semble comme monté sur des échasses, mérite considération, même si la sobriété fonctionnelle et sans ornements qui le caractérise n'est pas comparable avec les bâtiments de l'Antiquité.

Fort Stella ❸
Portoferraio

« Si la pierre pouvait parler », celle qui constitue le fort Stella au-dessus de Portoferraio, capitale et principal port de l'île d'Elbe, parlerait sans doute du 26 février 1815, 1er jour où Napoléon Ier quitta, petit

et gros, en uniforme vert, après n'y avoir séjourné que dix mois, l'île sur laquelle il avait été interné, et mit les voiles sur Fréjus, puis finalement sur Waterloo. Les insulaires furent soulagés car l'Empereur, qui leur avait été remis en cadeau, était plus que gênant. Mais, aujourd'hui, leurs descendants, loin d'en vouloir à l'Empe-

reur, lui sont même très reconnaissants d'avoir séjourné dans leur capitale, car si les touristes affluent sur l'île d'Elbe, apportant les sommes d'argent nécessaires pour l'entretien du fort, c'est avant tout pour Napoléon.

Palais du Vatican ❶

Avec un parvis comme celui-ci, chaque maison peut devenir palais, et c'est ce qui motiva papes et architectes à ne pas se limiter à un bâtiment mais à construire un vaste complexe de nombreux palais sur la place Saint-Pierre de Rome et dans les jardins du Vatican. Les travaux durent déjà depuis des siècles. Le bâtiment ci-contre est un bâtiment Renaissance du début du XVIᵉ siècle, du temps où Michel-Ange et Raphaël, au service du pape, influencèrent l'art de l'époque. Ce fut la première résidence officielle du Saint Siège, d'où il règne depuis, et encore maintenant, en souverain absolu, l'un des derniers sur terre, chef d'État et d'une Église à l'échelle mondiale.

Palais de justice ❷
Rome

La copie surpasse parfois, haut la main, l'original, l'exagérant même. Le *palazzo di Giustizia* à Rome, appelé dans le langage populaire *Palazzaccio*, le démontre avec brio. Il n'éclipse pas seulement tous les modèles baroques dans les dimensions, mais il fait bien les choses également en matière d'ornement. Il n'y a qu'à regarder le quadrige au sommet du fronton central. Et pourtant Guglielmo Calderini (1837–1916), qui ne voulait pas de baroque pur, commença l'édifice en blocs de travertin en 1887, dans un style austère, presque Renaissance. Mais au cours de la construction, qui dura jusqu'en 1910, l'envie s'accrut de colonnes, de colonnettes, de figures ornementales et autres ornements. L'accusé a, en tout cas, de quoi regarder et s'ébahir.

Castello Aragonese ❸
Ischia

Les bâtisseurs de fortifications de l'Antiquité ne se privèrent pas de bâtir sur des sites aussi exposés que celui-ci. À la place de ce fort dominant aujourd'hui l'île d'Ischia dans la mer Tyrrhénienne, se trouvait au Ve siècle avant J.-C. un château du maître de Syracuse, que les Romains lui prirent et agrandirent. Ce que nous en voyons aujourd'hui provient, en revanche, du XVe siècle, et pour ce qui est de l'élégance, du XVIe siècle. Les fortifications gagnent l'éperon rocheux en gradins, menant le visiteur jusqu'à la tour surmontée d'une coupole, et enfin jusqu'à la pointe des remparts d'où le panorama est si beau que l'on en oublie le passé belliqueux du fort.

Italie

Europe

Castel Nuovo ❶
Naples

La maison d'Anjou, dont sont issues les branches qui régnèrent sur le royaume de France, perdit en 1268 définitivement toute prétention des Hohenstaufen sur Naples et la Sicile en faisant exécuter le jeune Conradin à l'âge de seize ans. Charles d'Anjou (roi de 1266 à 1285) célébra son triomphe avec un château à Naples dont les tours rondes, sombres et menaçantes, avec leurs couronnes crénelées, expriment nettement le nouveau pouvoir. Bâti de 1279 à 1282, le château, qui ne nous paraît plus si « nouveau », en dépit de son nom, fut, jusqu'au XIVᵉ siècle propriété des Anjou. Puis la maison s'éteignit à défaut d'héritier mâle et le royaume fut transmis à la maison espagnole d'Aragon. Alphonse Iᵉʳ célébra cette victoire, non pas en détruisant le château, mais en lui ajoutant une porte en arc de triomphe qui, dans sa parure claire, jure avec l'obscurité des tours.

Castel de Barletta ❷

Frédéric II de Hohenstaufen (il régna de 1212 à 1250), qui était aussi roi de Sicile et de Naples, et donc d'Apulie, fit construire une forteresse au nord-ouest de Bari, sur les vestiges d'un vieux château normand. Elle est appelée en italien « castel », bien que ce soit un grand complexe élargi de quelques bastions et armé d'artillerie sous Charles Quint (régna de 1519 à 1556, mort en 1558). Il dominait le littoral du golfe de Manfredonia que les pirates et la flotte turque menaçaient à l'époque. Restauré depuis les années 1970, et accessible aux visiteurs, le complexe est aujourd'hui seulement beau. Le temps passe, et laisse ses outrages.

Castel del Monte ❸
près de Barletta

L'empereur germanique Frédéric II (1212-1250), souverain de Sicile et de Naples, se nommait roi d'Apulie, et c'est là qu'il fit dresser, les dix dernières années de sa vie, l'un des plus beaux monuments architecturaux du haut Moyen Âge. En dehors du fait que dans ce château, au sud-ouest de Barletta, l'empereur aimait se livrer à la chasse au faucon, on ne sait pas exactement quelles fonctions exerçait la forteresse octogonale aux huit tours octogonales. Il n'en reste pas moins que l'harmonie de l'édifice, l'heureuse disposition des pièces, sa situation surélevée font du château trapu un joyau serti dans une monture méditerranéenne sous un ciel méridional.

Castel d'Otranto ❹

Les détroits jouent dans le calcul des stratèges un grand rôle, et la surveillance du canal d'Otrante, séparant l'Italie de l'Albanie, encore assez long, avec ses soixante-dix kilomètres, fut d'une extrême importance depuis l'Antiquité. La flotte romaine et plus tard les architectes des Hohenstaufen tentèrent de l'assurer contre les attaques. Mais les anciennes fortifications se perdirent avec le temps et furent remplacées par un édifice des der-

nières années du XVᵉ siècle. Il est dressé sur des fondations irrégulières à cinq côtés et en impose avec ses trois grosses tours rondes. Ferdinand d'Aragon, roi d'Espagne, qui régnait aussi sur Naples et la Sicile, avait passé commande du castel. Son petit-fils Charles Iᵉʳ le fit agrandir, quand il devint empereur germanique, sous le nom de Charles Quint. Ses armoiries se trouvent au-dessus de la grande porte à l'entrée du château.

Santa Cesarea Terme ❺

On sait que les Arabes jouèrent pendant longtemps un rôle important dans le sud de l'Italie. Il n'en est pas moins étonnant de se trouver soudain devant un palais paraissant à peine sorti des Mille et Une

Nuits. On trouve un de ces fastueux édifices orientaux, bâti comme station thermale pour une de ces sources chaudes que les Romains fréquentaient, à Cesarea Terme, aux confins de la Pouille méridionale sur la côte orientale. Ce ne furent, néanmoins, pas les vieux architectes

arabes, mais leurs adeptes modernes, qui, au début du XIXᵉ siècle, ornèrent la localité, au climat favorable, d'édifices fantastiques comme cette Villa Sticci.

Palais normand ❶
Palerme

Le siège du parlement sicilien dans la capitale de l'île, pourrait aussi bien s'appeler palais des Arabes, palais des Hohenstaufen ou palais des Espagnols, car tous y ont mis la main. La première variante, dont il ne reste plus rien, était de source arabe. Les successeurs normands dressèrent le cœur du palais actuel, que l'empereur Frédéric II fit transformer au XIIIe siècle pour son « école de poètes ». Trois siècles passèrent, laissant leurs traces dévastatrices sur la maison, puis, enfin, les Espagnols lui donnèrent une nouvelle parure Renaissance. Un dernier renouvellement après la Seconde Guerre mondiale redonna au palais son ancienne dignité.

Castello di Lombardia ❷
Enna

Enna, au centre de la Sicile, existait déjà avant Rome, et fut fortifiée telle que nous la voyons, d'abord sous les Normands, puis sous les Hohenstaufen du début à la fin du Moyen Âge. La forteresse, dominant la petite ville, comptait vingt tours massives, dont une seule, la tour carrée, *Torre Pisana*, est demeurée intacte avec ses créneaux, comme du reste le haut bloc de pierre au premier plan, tandis que les murs et d'autres tours se sont brisés ou effrités. Un beau panorama s'offre du haut du château, comme d'en bas, sur le château.

Castello di Serravalla ❶
Bosa

Les oliviers arpentent avec une douceur un peu moutonne les collines de Bosa, petite ville portuaire de l'ouest de la Sardaigne, jusqu'à un château médiéval tout gris. C'est aussi de la région de Bosa que vien-nent les beaux foulards brodés dont les motifs et les couleurs sont peut-être ins-pirés du cépage rouge Malvasia di Bosa, une espèce particulièrement exquise du malvoisie sarde. Si les oliviers dominent sur ce flanc de montagne, les vignobles, en effet, commencent à peine plus loin, sur de vastes étendues, également protégés par le château, qui fit de la vallée, dans son dos, une *serra* fermée à toute personne non autorisée. Au temps de sa construc-tion, c'étaient les Sarrasins qui avaient des visées sur l'île.

Su Nuraxi di Barumini ❷

Un type de construction défensive de l'Antiquité, connu sous le nom de *nuraghi*, unique en son genre, se développe en Sardaigne. L'ensemble consiste en tours défensives circulaires en forme de cônes tronqués, dont 7 000 vestiges ont été retrouvés. La photo montre un château situé près de Barumini (milieu du Iᵉʳ millénaire av. J.-C.), au plus profond de l'intérieur des terres, sur un terrain impraticable. C'est dans ces imposants châteaux que se réfugiaient les hommes des alentours quand le poste de guet annonçait l'approche d'étrangers. Les Sardes y descendaient à l'aide d'échelles ou de cordes et attendaient que le danger soit passé derrière des murs de dix mètres d'épaisseur. Un *nuraghi* devait avoir un puits, à cause du risque de siège, si bien que c'était souvent aussi un lieu de culte.

Fort de Cagliari ❸

De petites ruelles anguleuses, ou des escaliers, montent du port au château espagnol de Cagliari, une ville qui donne son nom au golfe du sud de la Sardaigne. Comme le surnom du château fortifié l'indique, la deuxième île de Méditerranée a appartenu du XIVᵉ au XVIIIᵉ siècles au royaume d'Aragon, qui dominait aussi la Sicile et Naples. Les remparts à gauche sur la photo, qui protégeaient le château, s'appellent pour cela remparts aragonais. La vue dont le visiteur jouit d'en haut sur la capitale de la Sardaigne est plus belle que celle d'en bas sur le château.

Citadelle ❶
Gozo

C'est d'ici que l'on a la meilleure vue sur Gozo, cette petite île de la Méditerranée, près de Malte, dont elle dépend. Et la vue était importante pour survivre aux incursions de pillards, Carthaginois, Romains, Arabes, pirates et corsaires, en Méditerranée. Les habitants de l'île y dressèrent donc dès le Moyen Âge un château pouvant tous les contenir au besoin. Il s'avéra efficace, en 1565, lorsque les Turcs mirent le siège pendant assez longtemps devant la ville. Détruit en 1633 par un tremblement de terre, il fut reconstruit en grande partie avec l'aide de l'UNESCO, et l'on peut de nouveau admirer le bel accord optique de l'église baroque dans l'enceinte du vieux fort et la citadelle elle-même.

Fort Saint-Elme ❷
Valetta

Malte a une position-clé en Méditerranée. C'était d'autant plus important au XVIᵉ siècle, que la flotte turque menaçait les côtes de l'Europe méridionale. Charles Quint cède Malte aux hospitaliers de l'ordre de Saint-Jean-de-Jérusalem chassés de l'île de Rhodes par les Turcs, à condition que ceux-ci s'opposent à l'avance ottomane. Les bâtisseurs rompus aux forteresses firent si bien leur travail qu'ils résistèrent en 1565 à un siège de cinq mois par les Turcs, notamment grâce au Fort Saint-Elme, qui se trouve aujourd'hui à Valetta, capitale depuis 1964. À l'intérieur de l'enceinte, les Maltais avaient aménagé des greniers à grain. Aujourd'hui, le musée héberge le *National War Museum*.

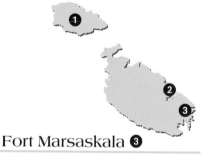

Fort Marsaskala ❸

La côte méridionale de Malte est aussi inabordable que toutes les autres côtes de l'île rocheuse. Quelques trouées dans la roche ont cependant formé des baies qui facilitent l'accostage. Les puissances navales qui convoitaient ce merveilleux bastion au cœur de la Méditerranée le savaient. Les tentatives d'accostage se déroulaient donc dans le village de pêcheurs de Marsaskala qui, pendant très longtemps, ne fut peuplé que par quelques habitants très audacieux, qui se protégeaient par des fortifications curieusement cuboïdes, tranchant sur le reste du littoral. Mais en cas de danger, même ces gros cubes étaient inutiles. Les villageois durent souvent capituler. Aujourd'hui ils ne capitulent que devant les touristes qui interrompent parfois leurs bains de soleil pour y faire une courte visite.

France
Europe

Château
de Fontainebleau
environs de Paris

Le château de Fontainebleau, à une soixantaine de kilomètres au sud de Paris, n'existe, dans toute sa superbe, que depuis Napoléon Ier. D'origine modeste au XIIe siècle, même la version aménagée par François Ier au XVIe n'eût jamais atteint la fière allure du palais actuel baroque et Empire, vu l'austérité qui adhérait à la Renaissance. L'histoire eut donc une fois de plus le sens de l'ironie, en décrétant précisément en ce lieu la fin de Napoléon qui abdiqua le 6 mai 1814, se pliant à la volonté du peuple et des militaires. La seconde abdication en 1815 ne fut qu'un épilogue.

France
Europe

Château de Kerjean ❶
Bretagne

En pleine région fertile de Léon, à une dizaine de kilomètres au sud de la côte septentrionale de la Bretagne, se trouve une grande ferme carrée de cent quarante mètres de côté, pouvant être considérée comme château, vu la finesse de son architecture. Kerjean, un bâtiment de la seconde moitié du XVIe siècle, n'est pas seulement remarquable pour la construction baroque du bâtiment principal, des remises, des écuries, des pavillons, des tours d'angle cuboïdes et tassées, de sa jolie porte et de sa chapelle, mais aussi pour tout le reste : son parc de plus de vingt hectares, une riche collection de mobilier régional du XVIe au XIXe siècle, d'objets de la région, ainsi que des expositions temporaires d'art breton.

Château Bien-Assis ❷
environs d'Erquy

On devait être bien assis dans ce château, à une vingtaine de kilomètres à l'est de Saint-Brieuc sur la côte septentrionale de la Bretagne, d'où l'on peut voir par temps clair, côté Manche, l'île britannique de Jersey. La photo montre la façade sur l'intérieur des terres. L'infrastructure et quelques fortifications proviennent encore du XVe siècle, mais la majeure partie du château fut construite deux siècles plus tard. Il encadre une cour intérieure claire, et expose, dans quelques salons, des meubles de style de la Renaissance bretonne. La région boisée vaut une promenade, bien qu'elle ne se soit pas encore complètement remise d'un ouragan en 1987.

Château de Trécesson ❸
Bretagne

Ce château, qui reflète dans l'eau de ses douves sa grande porte en plein cintre flanquée de deux tours, est d'une grisaille néanmoins accueillante. Trécesson, au sud de la forêt de Paimpont à environ cinquante kilomètres à l'ouest de Rennes, est d'aspect agréable en dépit de son caractère de forteresse, qu'il prit au XVe siècle, alors que le fer était très employé en construction. Différentes légendes courent sur ce château, dont celle de la Dame blanche, contant qu'une nuit deux gentilshommes enterrèrent vivante une jeune femme en robe de mariée, aux abords du château. Un braconnier ayant assisté à la scène alla prévenir le châtelain. La victime ne put être sauvée mais son voile, doué de pouvoirs magiques, resta au château. Les jeunes filles viennent le toucher dans l'espoir de trouver un époux.

184

Château
La Roche-Jagu ❹
Bretagne

La belle vue qu'offrent de nombreux châteaux fait souvent oublier ce qui en fait une curiosité. Ce château militaire du XVᵉ siècle sur la rivière du Trieux, entre les plateaux du Trégor et du Goëlo, se présente, côté cour, d'une simplicité fonctionnelle, tout en ayant un air résidentiel pour l'époque. Beaucoup plus vieux, mais maintes fois détruit, c'est au XVᵉ siècle qu'il prit son aspect définitif. Mais revenons au panorama. La vue sur la rivière scintillante, et au-delà, sur les collines boisées, est aussi belle que le premier jour de sa création.

Citadelle Vauban ❺
Belle-Île

Belle-Île tient ce qu'elle promet. L'île devant Vannes, sur l'Atlantique, de quinze kilomètres de long et dix de large, n'a, cependant, qu'un seul côté « hideux » : cette forteresse guerrière. Les touristes sont néanmoins attirés par ce gros cube chargé d'événements historiques contrastant avec les bateaux aux corps sveltes ancrés à son pied. Le nom, à lui seul, en impose, car Vauban (1633–1707), maréchal de France sous Louis XIV, était de son temps le maître incontestable de la fortification. Examinée de près, l'architecture de la citadelle maritime est un ouvrage militaire des plus sophistiqués.

Château de Costaeres ❶
environs de Ploumanach

Un gentilhomme se fit construire au XIXe siècle un château fortifié près de Ploumanach, au nord de Lannion, sur le littoral septentrional de la Bretagne. Le nom du château de Costaeres porte, comme la région, l'empreinte de la civilisation celte, et le paysage d'îlots rocheux, de falaises, de formations rocheuses, et de blocs de granit est bien celui de la Bretagne, laquelle tolère ces belles constructions un peu lourdes, parfois même inspiratrices. L'écrivain polonais Henryk Sienkiewicz (1846-1916) choisit en effet Costaeres comme domicile temporaire pour écrire son célèbre roman *Quo Vadis ?* sur la persécution des chrétiens sous le régime de terreur de Néron, l'empereur romain.

Fort de la Latte ❷
Bretagne

Une forteresse du XIVe siècle surveille, du haut d'un rocher de soixante mètres de haut, le golfe de Saint-Malo sur la côte nord-ouest de la Bretagne, non loin du cap Fréhel. Le bon état relatif du fort a deux raisons. Vauban (1633-1707), architecte d'édifices militaires, investit tout son génie dans la réhabilitation et la modernisation, avec la précision qui le caractérisait, de ces fortifications très endommagées au XVIe siècle, à l'époque des guerres de Religion. Puis une fois les soldats disparus, il se trouva des touristes qui se chargèrent de la continuité de l'entretien. Le fort de la Latte servit en 1958 de décor pour le film *Les Vikings*, avec Kirk Douglas et Tony Curtis.

Remparts de Vannes ❸

L'épaisseur des murs ne put protéger toutes les villes de la guerre et des maraudeurs. Or, Vannes, sur la côte méridionale de la Bretagne, constitue, heureusement, une exception. Le chef-lieu du département du Morbihan, sur son golfe tacheté d'îles et d'îlots, est demeuré presque intact, comme ses remparts, construits à diverses époques entre le XIIIᵉ et le XVIIᵉ siècles. Mais l'architecture militaire n'ayant pas beaucoup avancé au cours de ces époques, la ville de Vannes semble avoir été coulée d'un seul jet au Moyen Âge. Les maisons, protégées derrière les créneaux, les tours et les chemins de ronde, ont également conservé un digne visage. La cathédrale, de la fin du Moyen Âge, complète le tableau.

France
Europe

Château de Taureau ❶

L'île Louët et, à sa droite, la petite île de Taureau semblent se dorer au soleil dans la baie de Morlaix, devant le littoral déchiqueté et pittoresque de la Bretagne septentrionale. Tandis que Louët donne une impression de douceur, Taureau est une puissante forteresse maritime, curieusement appelée château. Elle l'est tout au plus en ce sens que nul n'y entrait qui n'y était pas autorisé, et c'était d'ailleurs la rai-son d'être du fort. Henri VIII (roi d'Angleterre de 1509 à 1547) avait en effet envoyé une flotte qui débarqua des troupes contre Morlaix. Le choc fut tel après le saccage et la mise à feu, que les habitants adressèrent à François Ier (roi de 1515 à 1547) la requête d'une meilleure protection. Il en résulta cette forteresse, bâtie de 1540 à 1542, avec ses batteries qui, jadis, crachaient le feu.

Château de Saint-Malo ❷

La ville de Saint-Malo, nichée dans sa baie du nord de la Bretagne, apparaît comme un gigantesque navire sur le point de mettre les voiles à la découverte du monde, et le donjon, comme un grand mât, lequel portera le drapeau tricolore au moment de prendre la mer. La ville Saint-Malo, ouverte sur la Manche, exposée au danger, fut fortifiée au XIIe siècle, mais remparts, bastions et casemates sont pour la plupart de date plus récente. Les toits, par exemple, ne furent refaits qu'au XXe siècle, après que la ville et le château eurent connu en août 1944 de durs combats. Les Allemands ne se rendirent qu'à l'issue d'une bataille qui dura douze jours.

Château de Bonne-Fontaine ❸
près d'Antrain

Ce gris édifice d'architecture militaire se situe au bord d'un lac comblé à quarante kilomètres au nord-ouest de Rennes, légèrement au sud d'Antrain. Ses hautes cheminées lui donnent l'air de quelque chose d'irréel, comme une usine médiévale plantée là. Mais l'impression de manufacture s'estompe aussitôt à l'approche de l'édifice, situé au cœur d'un grand parc laissé à l'état naturel, et qui l'adoucit. Le parc est accessible au public, contrairement au château, propriété privée. L'austérité du bâtiment s'explique par le fait que Bonne-Fontaine fut construit dans une période de troubles. Il fut terminé au milieu du XVIe siècle en pleine lutte entre la Ligue catholique et les huguenots.

Hôtel de ville de Rennes ❹

Quelle gentillesse de la part des fanatiques d'avoir au moins laissé intact l'hôtel de ville de la capitale bretonne. La statue de bronze de Louis XV, haute de trois mètres, dressée au cours de la construction de l'édifice, de 1723 à 1734, dans une niche désormais vide, ne plut pas aux révolutionnaires de 1789, qui la fondirent pour en faire des canons. Des séparatistes firent sauter en 1932 une sculpture dressée en 1911 pour combler le vide, en mémoire du rattachement de la Bretagne à la France. Mais ils laissèrent au moins l'édifice baroque avec la jolie tour d'horloge à l'intersection des deux ailes.

Château de Vitré ❺

La Bretagne se défendit et resta autonome longtemps en dépit de la supériorité française. Nombre de forteresses et de châteaux forts en témoignent. C'est le cas du château de Vitré, à une trentaine de kilomètres à l'est de Rennes, auquel les siècles enlevèrent un peu de son allure militaire. Murs, bastions, chemins de ronde et grosses tours racontent cependant encore les batailles qui ont dû s'y être livrées et qui s'engagèrent aussi au nord, contre les Anglais, au cours de la Guerre de Cent Ans (1337–1453). Depuis, le château, qu'entourent de vieilles maisons tout aussi belles, ne connut plus guère de transformations. Mais la Bretagne finit par capituler, en 1491, devant l'héritière du pays, qui suivit le roi de France à l'autel.

189

France
Europe

Tour Solidor ❶
Saint-Servan-sur-Mer

Une forteresse, du nom de sa double tour solitaire (*Solidor*), s'élève à vingt-sept mètres au-dessus de l'embouchure de la Rance, à Saint-Servan, près de Saint-Malo. Le fort, probablement bâti au XIVᵉ siècle (la première mention date en tout cas de 1382) sur des fondations romaines, eut plus tard, outre sa fonction de gardien de sécurité, celle de garder à vue les malfaiteurs de la région et les prisonniers de guerre anglais. Les cellules de l'ancienne prison portent les traces de ce passé, gravées dans les murs. Aujourd'hui, la forteresse abrite un musée sur l'histoire de la navigation à voile, notamment celle des cap-horniers.

Château de Fougères ❷

Les collègues d'Astérix et d'Obélix durent intimider plus d'un Romain dans cette région. Ses habitants témoignent, en tout cas, du même esprit défensif, bien que les fortifications de Fougères, à une soixantaine de kilomètres au sud-est de Saint-Malo, soient de date bien plus récente. Ils ont aussi le sens des proportions et de l'élégance, car l'ensemble de bastions, de tours et d'habitations en fer à cheval s'enchevêtre et s'échelonne avec beaucoup de goût. La ville fortifiée se trouve dans l'état qu'elle eut définitivement au XVᵉ siècle. Elle est soigneusement entretenue car le panorama médiéval nourrit le romantisme des touristes.

Forteresse de Largoët ❸
environs de Malestroit

Malestroit, du nom d'une dynastie de la région, se trouve à une cinquantaine de kilomètres de Rennes. La famille, qui avait affaire dans cette région à une population de faible densité, mais néanmoins rebelle, ne pouvait régner que dans des places fortes. C'est ainsi qu'en continuant sa route en direction de Vannes, le voyageur arrive, sur la côte, à une douzaine de kilomètres en retrait de la route, au fort de Largoët, dissimulé au fond d'une forêt. Ce n'est plus qu'une ruine, dont le donjon, appelé tour d'Elven, pointe soudain devant le passant. La forteresse, du XIVᵉ/XVᵉ siècle, en impose par sa compacité et la hauteur de ses murs.

Ruine de Falaise ❹

Les travaux de restauration du château de
la ville normande de Falaise, à une trentaine de kilomètres au sud de Caen, bat-
tent leur plein à l'endroit où naquit en
1027 le plus illustre fils de Normandie,
Guillaume le Conquérant. Le château,
cependant y fut bâti un siècle après sa
naissance. Devenu duc à l'âge de huit ans,
il partit en 1066 pour l'Angleterre, conquit
l'île, et y régna jusqu'à sa mort en 1087.
Les conseillers municipaux trouvèrent
naturel d'honorer son lieu de naissance.
La municipalité inaugura en 2001 un
centre culturel dans la ruine partiellement
reconstituée du château à la
grosse tour.

Château de Balleroy ❶
environs de Bayeux

Même les soldats les plus endurcis en auront eu le souffle coupé en 1944 en arrivant, le jour le plus long de la Seconde Guerre mondiale, devant cette façade. Le somptueux château normand, non loin de Bayeux, dut certes souffrir de l'invasion des Alliés le 6 juin, mais pas un projectile y faisant ricochet ne put porter atteinte à la majesté du palais construit en 1631 par François Mansart (1598 –1666). Ni les Allemands ni les GI's n'auraient tiré intentionnellement sur cette façade baroque, mélangée de classique. Elle fut complètement remise en état avec le soutien de l'éditeur américain Malcolm Forbes (1919 –1990), qui y installa un musée de l'histoire des ascensions en ballon depuis l'invention de la montgolfière.

Château de Fontaine Henry ❷
environs de Caen

Le monde entier se déplace pour venir voir la côte de Nacre, où se déroula, le 6 juin 1944, en Normandie, l'une des plus grandes invasions de tous les temps. Mais qui vient uniquement revivre cette période spectaculaire passe à côté de monuments racontant aussi, très joliment d'ailleurs, l'Histoire. Le château Fontaine Henry, au nord-ouest de Caen, en est un.

Loin des grèves de la Loire, il se présente néanmoins dans une somptuosité comparable avec ses toits élancés, ses tours pointues, ses fiers pignons. Les rois de la Renaissance Louis XII, François Ier et son fils Henri II mirent ici, comme sur la Loire, leur main royale, avec succès.

Hôtel de ville de Caen ❸

Le duc de Normandie et sa femme Mathilde fondèrent à Caen, bien avant que Guillaume ne conquière en 1066 l'Angleterre, une abbaye si prospère les siècles suivants, qu'elle put se payer cet édifice Renaissance. Mais sa large façade dégageait un tel cosmopolitisme qu'elle invita littéralement les révolutionnaires et postrévolutionnaires à s'emparer de l'édifice. Les Allemands apprécièrent aussi, pendant la Seconde Guerre mondiale, les possibilités offertes par le château, et eurent du mal à le restituer aux Alliés après le débarquement du 6 juin 1944. La bataille de Caen qui ensevelit la ville sous les décombres, dura jusqu'au 19 juillet. Après la reconstruction, la municipalité s'assura la propriété de l'ancienne abbaye.

Château de Saint-Germain-de-Livet ❹

environs de Lisieux

Est-ce une forteresse ou un château de plaisance ? se demande-t-on en voyant cet édifice, à quelques kilomètres de Lisieux. Ses tours menaçantes, ses petites fenêtres comparables à des meurtrières, sa puissante porte et ses murs épais lui donnent un air de fortification. Les tuiles vernissées, en revanche, qui émaillent la pierre, et le ravissant jardin, contredisent son allure militaire. Le bâtisseur du XVIᵉ siècle ne prit manifestement pas les guerres au sérieux et continua de jouer avec les couleurs et les ornements sans se laisser démonter. Nous lui devons aujourd'hui ce charmant manoir Renaissance de mine presque méditerranéenne, dans l'austère beauté du paysage.

France
Europe

Château de Grandchamp ❶
Normandie

Il ne manque plus que le chevalier Lohengrin, héros d'une légende germanique qui épousa la princesse de Brabant à condition qu'elle ne lui demandât jamais le secret de ses origines. La promesse ayant été rompue, il repartit sur le cygne qui l'avait amené. Le visiteur du pays d'Auge, entre les vallées de la Touques et de la Dives, ne laissera pas, lui, voguer le prince sans avoir appris les origines du beau manoir. Il fut bâti au XVIIᵉ siècle par une famille issue de la noblesse de la région, qui ne voulut pas rivaliser de faste et d'ampleur avec les grands, mais tenait au confort et à l'air engageant de la façade.

Palais de justice ❷
Rouen

Il n'eut aucune part au destin tragique de l'héroïne nationale de la France, mais fut bâti presque exactement à l'emplacement où la tragédie se termina. C'est là en effet que Jeanne d'Arc, déclarée hérétique et relapse, fut brûlée vive le 30 mai 1431. Louis XII fit construire l'actuel palais de justice, jadis siège de l'Échiquier permanent, puis du parlement de Normandie, un quart de siècle plus tard. C'est l'un des plus impressionnants édifices profanes du gothique flamboyant dont le fenêtrage est si riche qu'il cache presque les autres richesses, lucarnes, et combles en encorbellement flanqués d'arcs-boutants. Il ne devrait pas se trouver palais de justice plus accueillant.

Manoir de Coupesarte ❸
Normandie

S'il n'a pas les moyens de se payer des remparts, le gentilhomme de la campagne en quête de sécurité cherche la protection naturelle. Les propriétaires terriens du pays d'Auge, contrée où l'eau ne manque pas, choisirent, ainsi, pour leurs résidences, de préférence des îles, des rivières ou des étangs. Le manoir de Coupesarte, dressé au tournant du XVᵉ et du XVIᵉ siècle, est donc relativement bien conservé malgré sa construction en bois, car bâtie sur l'eau une maison ne craint pas le feu. Le manoir est situé dans un triangle compris entre Lisieux, Livarot et Saint-Pierre-sur-Dives.

Vieux château ❹
Dieppe

Ces tours en ont vu, au cours de leur existence ! L'occupation anglaise au XIIIᵉ, les départ et retour des explorateurs aux XVᵉ et XVIᵉ siècles, divers sièges, et enfin l'échec d'une tentative de débarquement des Alliés en 1942, contre les occupants allemands. Le fort de Dieppe, sur la Manche, fut de tous temps au centre de grandes batailles. Mais ses murs résistèrent. Ils abritent aujourd'hui le musée municipal et hébergent des musiciens de grande renommée en tournée. Cette utilisation est idéale pour l'édifice qui rythme la ville à la manière d'un coup de timbale architectonique.

Château d'Eu ❺

Le drapeau tricolore flotte toujours en haut du somptueux palais, où vivent gravées dans la pierre, en bonne intelligence, haute noblesse et révolution bourgeoise. Le château d'Eu, situé à quelques kilomètres de la côte picarde, à trente kilomètres à l'est de Dieppe, fut construit à partir de 1598, par Henri de Lorraine, duc de Guise, dit le Balafré. Le château, remanié au cours des siècles par ses maîtres successifs, devint si beau que Louis-Philippe Iᵉʳ, ledit « roi-citoyen » (régna de 1830 à 1848) l'élut temporairement comme domicile. Désormais propriété de la ville d'Eu, il abrite depuis 1973 le musée Louis-Philippe. Il est entouré d'un magnifique parc aménagé par Le Nôtre (1613–1700), l'auteur du jardin de Versailles.

Palais du Luxembourg ❶

Paris

Il est étonnant de voir transparaître ici la majesté florentine, mais Marie de Médicis (1573–1642), épouse du roi Henri IV, y parvint avec la construction, à partir de 1615, d'une résidence parisienne par l'architecte Salomon de Brosse. Utilisée à des fins différentes, elle servit tour à tour de prison, sous la Révolution française, puis de résidence royale. Aujourd'hui elle est affectée au Sénat. Les somptueuses toiles de Rubens et les chefs-d'œuvre de Delacroix ornent les galeries du palais embelli d'un grand jardin public que les Parisiens apprécient autant que les touristes pour ses magnifiques pelouses, ses parterres de fleurs, ses allées ombragées, ses multiples statues et ses bassins et ses bassins que chamarrent les bateaux d'enfants se livrant à leurs jeux.

Louvre ❶
Paris

Ses dimensions impressionnantes ajoutent à l'attrait de l'agrandir continuellement. L'ancienne résidence des rois de France à Paris, commencée au XIIᵉ siècle, brilla d'un premier éclat sous François Iᵉʳ, le roi de la Renaissance, puis se ferma autour de la cour Carrée sous Louis XIV, le Roi-Soleil du baroque, qui le fit orner de l'onéreuse façade extérieure à l'est et relier à l'ouest par une galerie aux Tuileries. En 1793, le Louvre devient musée. Au XIXᵉ siècle, il est augmenté, sous le règne des deux Napoléon, de bâtiments de style classique, et aujourd'hui, il abrite une des plus grandes collections d'art du monde, sur une étendue de 60 000 m². La pyramide de verre de l'architecte Ieoh Ming Pei forme, depuis 1989, l'entrée principale du musée.

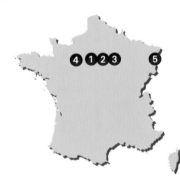

Palais de Chaillot ❷
Paris

Catherine de Médicis (1519–1589) se fit construire un castel sur la colline de Chaillot, jadis en dehors de Paris. Napoléon Iᵉʳ le fit raser pour y édifier un palais pour son fils, le roi de Rome, né en 1811. Mais son Empire s'écroula plus rapidement que n'avançaient les plans. Au lieu du palais, on bâtit un pavillon qui abrita en 1878 l'Exposition universelle. Le bâtiment ci-contre se trouve, depuis l'Exposition universelle de 1937, place du Trocadéro. Les deux ailes galbées du palais dominent l'esplanade des Droits de l'homme et abritent de nombreux musées, la Cinémathèque française, le musée de la Marine et le musée de l'Homme, ainsi que le Théâtre national populaire.

Palais-Royal ❸
Paris

Le Palais-Royal, avec ses arcs et ses colonnes, est de style classique, et ne se présente ainsi que depuis 1829. Avant, se dressait à cet emplacement un château de style baroque ayant appartenu à Richelieu. On ne lui attribua le nom de Palais-Royal qu'en 1643, lorsque Anne d'Autriche s'y installa avec son jeune fils, le futur Roi-Soleil, encore mineur. Le nom resta. Le palais, en revanche, changea de propriétaire et fut remis aux ducs d'Orléans. Le dernier châtelain, Philippe d'Orléans, loin de témoigner au roi sa gratitude, eut au contraire partie liée avec les révolutionnaires, qui le surnommèrent Philippe Égalité, mais le firent néanmoins guillotiner en 1793. Le Palais-Royal devint bien national et sa cour d'honneur fut parée en 1986 de la sculpture de Daniel Buren *Les Deux Plateaux*.

Château de Versailles ❹
environs de Paris

« Mais que veulent donc ces femmes ? » interrogea Marie-Antoinette lorsque, durant la Révolution française, les Parisiennes manifestèrent devant le palais de Versailles. « Elles réclament du pain, Majesté ». « Qu'elles mangent du gâteau ! » Une réponse frappante par son cynisme, tant elle reflète le manque total de sens des réalités des souverains de l'époque. En est-on étonné, en voyant, aux portes de Paris, ce luxueux château construit en 1624 et aménagé, sous Louis XIV, en une somptueuse résidence parée de merveilleux jardins ? Aux yeux des Prussiens vainqueurs, le château était l'endroit idéal pour proclamer leur roi empereur germanique. Une indélicatesse sans nom qui ne fut oubliée qu'au bout de deux conflits armés entre les deux « ennemis héréditaires ».

Pavillon de Joséphine ❺
Strasbourg

On se paraît, sous l'Empire, de titres et d'uniformes, mais on aimait aussi les lignes classiques de la Rome antique. Sous Napoléon Ier, l'Empire français créa d'emblée son propre style. L'empereur des Français (1804–1813 et 1815) fit construire dès 1805, dans le jardin du château Osthoffen à Strasbourg, une orangerie qui se distingue du baroque et du rocaille en ce qu'elle est fonctionnelle, tout en ayant fière allure. En 1809, Sa Majesté, l'Empereur, y donna un somptueux bal pour Sa Majesté, l'impératrice Joséphine. Ce pavillon porte, depuis, le nom de Joséphine. L'Empereur la répudia un an plus tard, ne pouvant avoir d'héritier avec elle.

France
Europe

Hôtel de ville du Pouliguen ❶

Les puissants s'emparent toujours des plus somptueux bâtiments. À la ville, comme à la campagne, la mairie se trouve toujours dans la plus jolie maison. À Pouliguen, presqu'île bretonne au nord-ouest de Saint-Nazaire à l'embouchure de la Loire, la mairie est installée dans un castel qui, comparé aux autres châteaux de la Loire, a plutôt l'air d'une cabane. Or, il est petit, mais ne manque pas de finesse.

Finesse qui se traduit dans la simplicité et dans le décor de la façade aux trois pignons. La magnificence de la floraison et les jardinières sous les fenêtres soulignent l'élégante discrétion du bâtiment.

Château de Pornic ❷

Si les pierres savaient parler, les murs de l'élégant château de Pornic, petite ville de pêcheurs au sud de l'embouchure de la Loire, raconteraient d'horribles histoires. Le bâtiment élevé datant de la Renaissance, avait appartenu au maréchal Gilles de Rais qui participa, en 1429, à l'âge de vingt-cinq ans, au combat de Jeanne d'Orléans, puis se retira, paré d'honneurs et d'avancement, sur ses terres, où s'intéressant soudain à la magie noire, il attira des enfants dans sa demeure pour les sacrifier aux démons. On ne le dépista qu'après une centaine de crimes. Il fut exécuté en 1440. Les monstruosités du maréchal n'atténuèrent pas la beauté de sa demeure.

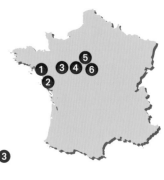

Château d'Angers ❸

Au premier abord, on ne distingue rien du château d'Angers, sur la Loire. Une enceinte de 950 mètres de pourtour, ponctuée de 17 tours massives, dissimule l'édifice du XIIIᵉ siècle et fait de l'ensemble davantage une forteresse qu'une résidence princière. Le château prouve cependant de manière impressionnante qu'un ouvrage de défense peut avoir du charme. Les tores des tours se prêtent comme cadres à de ravissants jardins. Le contraste entre nature et culture est accentué par les gais parterres devant les murs épais et austères, auxquels les dessins ajoutent un brin d'élégance.

Château de Montgeoffroy ❹
environs d'Angers

Une grande maison en tuf-feau blanc accueille les voyageurs à tout juste vingt kilomètres à l'est d'Angers, là où le nord de la vallée de la Loire se fond dans les vallons de l'Anjou. Le château de Montgeoffroy se dresse pratiquement inchangé depuis l'inauguration du gros œuvre en 1772 dans son merveilleux parc. L'intérieur n'ayant pas non plus été modifié, il s'en dégage l'atmosphère des journées que passa dans sa résidence d'été la famille du bâtisseur, le maréchal Contades, gouverneur de Strasbourg. La cuisine d'origine est belle à voir.

Château du Lude ❺

L'affluent d'un affluent ne peut décemment pas porter le même nom que le fleuve principal. Le Loir, qui se jette dans la Sarthe au nord d'Angers, ne prend donc pas de « e », pour le différencier du grand fleuve des châteaux. Certains petits affluents peuvent se vanter d'en avoir aussi, d'ailleurs, et même de beaux. Le Lude, château Renaissance situé à une quarantaine de kilomètres au sud du Mans, a un double charme, le sien, et celui de son reflet dans l'eau à ses pieds. Le noyau de la forteresse est un peu plus âgé que le reste de l'édifice, mais il a pratiquement disparu. Le château étant propriété privée, on ne peut en visiter que quelques parties, par exemple des salles aux somptueuses tapisseries. Les passionnés de promenades apprécieront le parc.

Château de Luynes ❻
environs de Tours

À quelques kilomètres en aval de Tours en longeant la Loire, on aperçoit sur la droite, de l'autre côté d'une vallée transversale, l'admirable complexe du château de Luynes, que l'on peut juste saluer, mais pas visiter. Forteresse du haut Moyen Âge à l'origine, elle est entourée d'une enceinte, qu'assurent de gros donjons des côtés qui sont au niveau du sol. Le plus beau dans le château sont les grosses tours, tels des cigares. Ajoutées aux XIIIe et XVe siècles du côté occidental, elles n'avaient à l'origine que des meurtrières et des mâchicoulis. De plus grandes fenêtres ne leur furent cons-truites que vers 1500. Le bâtiment habitable que l'on voit dépasser derrière est de date beaucoup plus récente.

France
Europe

Château
de Plessis-Bourré ❶
environs d'Angers

C'est avec un tapis de nénuphars que la nature rend honneur à cette architecture qui fait du château de Plessis-Bourré, au nord d'Angers, une œuvre d'art. Quand on pense aux moyens techniques rudimentaires dont disposait le XVe siècle, il paraît incroyable que l'imposant édifice à angles droits avec ses murs épais, sa porte altière et ses grosses tours tassées pût être achevé en l'espace de cinq ans, à partir de 1468. Trois ailes basses et une plus haute (en arrière-plan) entourent une paisible petite cour intérieure. Les douves faites jadis pour protéger les châtelains ne font aujourd'hui que renforcer le charme nostalgique de la demeure seigneuriale. À la place du double pont-levis, c'est maintenant un chemin de pierre qui mène les visiteurs aux portes du château.

Château de Brissac ❶

En quittant Angers par le sud et en traversant le pont au-dessus des flots étincelants et des plages blanches de la Loire, nous atteignons, après un bon quart d'heure de voiture, un paisible village doté d'un moulin à vent. Un chemin tortueux mène à la porte en fer forgé du château de Brissac, avec ses sept étages, le plus haut de tous les palais Renaissance français. Les deux tours rondes datent en tout cas de cette époque, la façade est un peu plus récente. Les travaux commencèrent en 1502 sur l'emplacement d'une forteresse moyenâgeuse, puis le château de Brissac, transformé en 1601, perdit un peu de son austérité. Il appartient encore aujourd'hui à la famille fondatrice des ducs de Brissac, qui en a fait un hôtel très distingué et abordable.

Château de Saumur ❷

Voici une forteresse qui, au fil des siècles, n'est pas tombée en ruine mais fut au contraire consolidée. Flanqué de tours, le château, surplombant la Loire à Saumur, fut édifié au XIIIᵉ siècle. Les ducs d'Anjou avaient élu domicile, durant l'été, dans un manoir fortifié, sage décision à l'époque. Les ouvrages de fortification furent renforcés au XVIᵉ siècle, le château ayant été l'une des principales bases des huguenots, du temps de leur persécution. Après leur défaite, l'État français fit du bel et solide édifice une prison de haute sécurité qui exista jusqu'en 1830. Des couloirs se dégage aujourd'hui encore une froide atmosphère. Le beau Musée d'artisanat d'art au premier étage, et le panorama dont jouit le visiteur depuis les étages supérieurs sont plus gais.

France

Europe

Château d'Oiron ❶
Val de Loire

Le château d'Oiron, très beau château d'inspiration baroque, se trouve à 35 kilomètres au sud de Saumur. Les derniers kilomètres, avant d'y arriver, se parcourent sur des petites routes. Seuls l'escalier et quelques meubles évoquent encore le style Renaissance de l'édifice d'origine. Mme de Montespan, jadis maîtresse de Louis XIV, reçut le bâtiment inachevé en cadeau, le fit terminer, et lui donna l'élégance et la dignité qu'il a aujourd'hui avec sa grosse tour, son énorme comble bleu, ses arcades, son pignon orné de frises, et les chiens-assis des lucarnes paraissant regarder comme des curieux dans la cour. Il est probable qu'elle ait reçu ce cadeau en guise de consolation pour avoir été remplacée, en 1676, par une plus jeune favorite. Le palais abrite aujourd'hui de l'art contemporain.

Château de Chinon ❷

La ruine du château de Chinon sur la Vienne, un affluent de la Loire, surplombe la rivière et semble s'émerveiller. Le bâtiment du XIIᵉ siècle, maintes fois restauré pendant trois siècles, fut témoin de nombreux événements. Mais ce que le musée de sa propre histoire voit aujourd'hui, jette un voile sur son passé, et fait oublier la cité quasi médiévale à ses pieds. Un nouveau complexe, plus petit que le château, et très curieux, vit le jour en face de lui, à Avoine. La centrale nucléaire, à laquelle fut rattaché un musée atomique, est un monument, qui symbolise, celui-ci, la vertigineuse accélération du progrès. Si l'on organisait un référendum pour savoir lequel des deux édifices préfère la population, la ruine l'emporterait probablement, le passé étant plus rassurant qu'un avenir radioactif, redoutable dans les esprits.

Château d'Azay-le-Rideau ❸

Honoré de Balzac décrivit ce merveilleux château situé à une vingtaine de kilomètres au sud-ouest de Tours, sur une île de l'Indre, un affluent de la Loire, comme un diamant taillé, serti dans l'Indre. François Ier se fit construire en 1520 cet édifice Renaissance comportant déjà les éléments fantaisistes du style rocaille et s'y livra à des plaisirs très précis avec sa « petite bande », un cercle de douze jeunes femmes qui avaient à le divertir. On faisait du bateau, on quittait le château au galop par le pont en pierre pour des randonnées équestres dans la vallée de la Loire, ou l'on faisait de longues randonnées à pied dans l'immense parc, comportant un grand nombre d'arbres exotiques, cèdres, séquoias, cyprès.

Château de Langeais ❶

Dès le Xᵉ siècle, s'éleva à Langeais, à vingt kilomètres de Tours et en aval de la Loire, un château fort, dont la plus grande partie date des années 1460. Le bâtisseur ne fut autre que Louis XI. La forteresse n'acquit cependant une dimension historique que lors du mariage de son fils Charles VIII avec Anne de Bretagne à l'aube du 6 décembre 1491 dans la chapelle. Ce jour-là était assuré le rattachement du duché récalcitrant à la Couronne française. Mais revenons au bâtiment : en dépit des efforts faits pour lui enlever son allure militaire, il ne devint jamais vraiment habitable. Même les parterres de fleurs et les haies du jardin à la française paraissent encore aujourd'hui au garde-à-vous.

Château d'Amboise ❷

Il était une fois un jeune roi qui resta toute sa vie attaché à sa maison natale, où il vit le jour en 1470. Cette maison est le château d'Amboise, situé à vingt kilomètres au sud-ouest de Tours. Et ce roi n'était autre que Charles VIII, qui ne voulait pas vivre dans une maison vieillotte, en dépit de son attachement. Il la fit restaurer style Renaissance à partir de 1492, mais, mort en 1498, il n'en vit pas l'achèvement. La restauration de la chapelle en gothique flamboyant venait à peine d'être terminée, que l'on y célébra la messe funèbre. Les successeurs de Charles VIII achevèrent la rénovation, avec l'aide d'illustres personnages tels que Léonard de Vinci, qui trouva à la chapelle sa dernière demeure. En 1804, Napoléon Iᵉʳ offrit, hélas, le château à un compagnon de guerre qui, ayant eu besoin d'argent, en fit raser quelques bâtiments. Les dommages transparaissent encore par endroits.

Château de Loches ❸

À une cinquantaine de kilomètres au sud-est de Tours et à soixante-cinq kilomètres au sud-ouest de Blois, la façade du château de Loches reluit sur les flots étincelants de l'Indre, affluent de la Loire. C'est un édifice profane de style gothique de la fin du XIVᵉ siècle, du temps où la guerre de Cent Ans entre la France et l'Angleterre battait son plein. Ce fut pour la France une période de grande misère. Jeanne, une fille de laboureur, de Domrémy-la-Pucelle, partit trouver le futur roi Charles VII, qui la reçut le 25 février 1429 au château de Loches. Il fut convaincu de libérer Orléans et de se faire couronner roi à Reims. La France fut sauvée et le mythe de Jeanne d'Arc était né. Voilà qui suffit à mettre le visiteur dans l'ambiance du château de Loches.

Château
de Chenonceaux ❶
environs de Tours

La beauté se nourrit aussi d'imprévu. C'est pourquoi, de tous temps, les bâtisseurs ont choisi pour leurs constructions des endroits inconcevables, comme des rochers en cône à des hauteurs vertigineuses, ou dans l'eau. Le nom de l'architecte du château de Chenonceaux est inconnu, mais une chose est certaine, c'est qu'il était dans son art un maître éminent. Même un profane le voit. Nul n'aurait pu aussi parfaitement intégrer le bel et plaisant édifice, situé à une trentaine de kilomètres en amont de Tours, dans la somptueuse nature des grèves du Cher, affluent de la rive gauche de la Loire. Et cela d'aucun point de vue : statique des fondations dans le lac, élégance des tours d'angle, proportions des masses de construction, mansardes en collier de perles.

France
Europe

Château de Chaumont ❶

L'histoire du château de Chaumont, légèrement à l'ouest de Blois sur la Loire, est plus vieille que ne le laisse croire à première vue le bâtiment du XVᵉ siècle. Avant l'édifice Renaissance, portant encore les traces d'une construction militaire avec ses grosses tours défensives, se trouvait un château fort du Moyen Âge. Une description de la forteresse relate que saint Thomas Becket y aurait séjourné avant son assassinat en 1170 dans la cathédrale de Canterbury. L'édifice reçut la visite d'illustres personnages, entre autres celle de Napoléon Iᵉʳ, officier d'artillerie, qui fut très impressionné. Les visiteurs le sont aussi, devant cette masse de pierre et la magnifique vue sur la petite ville d'Onzain au-delà de la rivière.

Château de Blois ❷

Henri III connaissait bien le château de Blois que fit construire son grand-père François Iᵉʳ entre 1515 et 1524, et où il résida avec sa mère Catherine de Médicis. Le château comporte divers bâtiments construits du Xᵉ au XVIIᵉ siècle, mais l'aile de François est incontestablement la plus belle, avec sa façade des loges, son élégant escalier extérieur octogonal et son diadème de mansardes. Henri III connaissait donc bien tout cela, si bien, même, qu'il y mit en scène un crime dont témoigne encore aujourd'hui une peinture au château. Le 23 décembre 1588, le roi y attira les Guises, chefs de la Ligue catholique, qui l'avaient humilié, et les fit assassiner. Moralité : ne vous fiez jamais aux apparences.

Château de Montrésor ❸

On découvre, à dix-sept kilomètres à l'est du château de Loches, sur l'Indrois, un affluent de l'Indre, elle-même affluent de la Loire, le château de Montrésor, avec à droite, en arrière-plan, quelques vestiges de la forteresse médiévale des XIᵉ et XIIᵉ siècles, tandis qu'à gauche se dresse, nettement en meilleur état, la résidence des ducs d'Anjou du XVᵉ siècle. Illuminés les nuits d'été, ces monuments historiques issus de périodes troublées font partie des plus impressionnants repères culturels de la vallée de la Loire, qui ne manque pas de joyaux de ce genre. Tandis que les vestiges de la forteresse exigent toute l'imagination des visiteurs, le château, lui, abrite de précieuses collections de meubles, d'artisanat et de peintures d'origine italienne, hollandaise, française et polonaise.

Château de Chambord ❹

Il n'existe pas plus belle demeure que le château de Chambord, le plus grand château de la Loire, situé à une bonne douzaine de kilomètres à l'est de Blois au milieu d'un immense parc. Le reflet dans l'eau du bâtiment aux gros donjons couronnés de tourelles, aux innombrables colonnes, encorbellements et pignons, lui donne un air plus majestueux encore, et atténue sa lourdeur. On a du mal à imaginer qu'avec si peu de moyens techniques on put charrier le matériau nécessaire à la construction du gigantesque complexe à plan centré, dont la plus grande partie fut bâtie entre 1519 et 1538, y compris, dans la cour intérieure, l'escalier à double révolution de Léonard de Vinci.

France
Europe

Hôtel de ville de Blois ❶

L'Église catholique française dut surmonter une période difficile lors de la Révolution de 1789 et ne put, en dépit du concordat de Napoléon Ier, retrouver sa dignité d'antan. Le plus douloureux pour elle fut la perte de ses riches propriétés foncières. L'évêque de Blois perdit son palais, qui est aujourd'hui l'hôtel de ville.

Construit par Jacques Gabriel (1667–1742) à partir de 1725 et orné d'un merveilleux jardin montant en terrasses fleuries, il domine la Loire, que traverse un pont du même architecte, par-delà les maisons.

Château Dunois ❷
Beaugency

À Beaugency, un peu en aval d'Orléans, se trouve le château du comte Jean Dunois, duc d'Orléans, dit le Bâtard d'Orléans, et fidèle compagnon de d'armes de Jeanne d'Arc, laquelle, pour protéger le domicile de son ami, fit poster ses partisans à l'emplacement, où aujourd'hui, sont plantés deux thuyas. Le château date de l'époque de la libération d'Orléans en 1429 par Jeanne d'Arc, qui réussit à faire sacrer Charles VII roi de France. La façade qui fait presque penser à une architecture italienne avec ses balcons flanqués de deux tourelles, attire particulièrement l'attention. Aujourd'hui, le château abrite un musée.

Hôtel de ville de Beaugency ❸

Petite, idyllique, charmante : voici trois épithètes qui n'épuisent pas le caractère de la petite ville de Beaugency, à vingt-cinq kilomètres en aval d'Orléans, mais qui en définissent l'essentiel. Ces qualificatifs de la façade de l'hôtel de ville Renaissance la décrivent bien. C'est un édifice modeste qui réunit sur une surface relativement petite une abondance d'ornements, tout en étant clairement articulé. La clarté de l'articulation est obtenue sur le plan horizontal grâce à des corniches et à des balustrades d'une grande finesse. Achevé en 1536, il fut entièrement réhabilité au XIXe siècle. C'est aujourd'hui le siège du conseil municipal, mais aussi un musée. Il possède en tout cas une remarquable collection de tapisseries du XVIIe siècle.

Château de Menars ❹

Le touriste qui remonte la Loire à partir de Blois cherche instinctivement le célèbre château de Chambord sur sa droite, et ne voit, hélas, pas le bijou sur sa gauche qui vaut bien plus qu'un simple coup d'œil furtif. Ce joyau est le château de Menars, plus petit que celui de Chambord, mais d'une égale finesse. Il a seulement une histoire plus galante. Le vaste palais aux innombrables pièces au bord de la Loire appartenait à une grande dame très influente sur son époque : Mme de Pompadour (1721–1764), maîtresse de Louis XV, surnommé aussi « le Bien-Aimé » pour ses nombreuses escapades amoureuses.

Maison de Jeanne d'Arc ❺
Orléans

En général, les nobles portent, derrière leur particule, le nom de la ville d'où ils sont issus. Jeanne d'Orléans, elle, était originaire de Domrémy en Lorraine, mais prit le patronyme, non pas de sa ville natale, mais de la ville qu'elle délivra du siège des Anglais. Sa demeure, baptisée la Pucelle, y fut néanmoins bichonnée. On multiplia si bien, même, les restaurations du domicile sacro-saint, que l'original devint méconnaissable. De scrupuleux historiens s'efforcèrent de le reconstruire, avec succès, comme on le voit. Aujourd'hui, la maison de Jeanne d'Arc est un petit musée qui retrace la vie et les souffrances de l'héroïne française.

Château de Montpoupon ❻

En partant de Tours en direction du sud-est, en aval du Cher, jusqu'à Montrichard, puis en tournant à droite, on arrive, après avoir traversé la rivière et un superbe paysage champêtre, et être passé devant la ruine de l'abbaye d'Aiguevive, au château de Montpoupon. De forteresse au XIIe siècle, il devint château à la Renaissance, fut habité, puis augmenté au XVIe siècle d'une porte (voir ci-contre) déjà un peu fantaisiste, mais qui sied bien à l'ensemble. L'édifice fut entièrement restauré en 1920, et abrite aujourd'hui le musée de Touraine ainsi qu'une exposition cynégétique. Le magnifique paysage est en prime.

France
Europe

Château de Cheverny ❶
environs de Blois

Le majestueux château de Cheverny, aux larges ailes, situé à une bonne dizaine de kilomètres au sud-est de Blois sur la Loire, n'est autre que Moulinsart, le cadre que donna souvent le Belge Hergé aux aventures de Tintin et Milou. Les fans de Tintin reconnaîtront la vaste demeure, les tours aux combles obscurs et l'incomparable parc que l'on peut visiter aujourd'hui en voiture électrique et en barque. Le château baroque, construit sur l'emplacement d'un château de la Renaissance, expose d'élégants meubles des XVIIᵉ et XVIIIᵉ siècles, et contient surtout un inégalable musée cynégétique.

Château de Gien ❷

Le château semble couver, comme une grosse poule, la petite ville de Gien, située sur la Loire à trente kilomètres en aval d'Orléans. L'endroit s'est rendu célèbre à la conquête de la Gaule par Jules César. Mais ce n'est que sous Charlemagne qu'y fut bâtie une petite forteresse, bientôt cerné d'un voisinage si étouffant, qu'Anne d'un voisinage si étouffant, qu'Anne de Beaujeu, fille de Louis XI, eut du mal à trouver la place de construire, à la fin du XVᵉ siècle, sa résidence royale sur l'emplacement de la forteresse. Ce qui explique la compacité de l'édifice. La dominance du style Renaissance n'empêche pas que la construction ait gardé un caractère gothique. Le château inspirant confiance à Anne d'Autriche, elle s'y réfugia avec son fils mineur Louis XIV, lorsque, en 1650, la situation devint pour elle trop délicate à Paris.

Château de Valençay ❸

Du calme ! Ne volez pas aux portes de cet imposant château Renaissance, à cinquante kilomètres au sud de Blois, entre le Berry et la Touraine, comme la statue au premier plan. Il déploie tous ses charmes dans l'ensemble qu'il forme avec son environnement. Le grand pavillon central date du XVIᵉ siècle, l'aile sud fut construite un siècle plus tard, et les tours rondes, surmontées sur les créneaux de coupoles foncées, ont un air royal. Cela parut séduire Charles Maurice de Talleyrand, ministre des Affaires étrangères de Napoléon Iᵉʳ, estimant que le plus haut serviteur de l'Empereur avait bien droit à une demeure appropriée. Il le fit discrètement comprendre à l'Empereur et, chose dite, chose faite. Il obtint en 1803, avec l'aide de l'État et le soutien impérial, ce domaine de douze mille hectares, et put y recevoir la haute société européenne pour des entretiens diplomatiques, et autres...

Château du Moulin ❹
environs de Romorantin

Le temps fait parfois bien les choses en détruisant ce qu'il faut. Dans le cas de ce château au cœur de la Sologne, il ne détruisit que les murs d'enceinte et les fortifications militaires, laissant le pitto-resque, e'accentuant même parfois. Le château du moulin donne, en comparaison des autres châteaux de la Loire, l'impression d'une mignonne petite demeure habitée, avec ses tours et ses pignons Renaissance (il fut construit en 1492). C'est ce qui en fait le charme, et comme elle est effectivement habitée, elle est propre et bien entretenue. Un rêve au bord de l'eau.

Château de Serrant ❶

environs d'Angers

Le château de Serrant, site charmant au bord d'un lac, à l'ouest d'Angers, à cinq kilomètres au nord de la Loire, d'une parfaite homogénéité, a presque un pouvoir magnétique. Son parc lui confère beaucoup de charme, et attire le visiteur, ayant du mal à se détourner de la façade des XVIIᵉ et XVIIIᵉ siècles pour visiter l'intérieur. Mais une fois dedans, il ne regrette pas d'y être entré. Le spectacle est grandiose : des appartements, de somptueuses salles au mobilier de différentes époques, de précieuses tapisseries, décorant les pièces et les enfilades de couloirs, des galeries de peintures et une bibliothèque fournie en éditions originales inestimables, qui pourraient éveiller chez les rats de bibliothèque des élans cleptomanes.

Château de Montreuil-Bellay ❷
environs de Saumur

Des murs qui suscitent la peur, des tours qui menacent de s'effondrer et de minces embrasures qui semblent se tenir sur leurs gardes. Le château de Montreuil-Bellay, situé au sud de Saumur sur la rive du Thouet, n'est pas très engageant, et ressemble plutôt à une forteresse. Mais l'habit ne fait pas le moine. À peine a-t-on franchi la porte, légèrement rebutante, que son intérieur, style gothique flam-boyant du XVe siècle et Renaissance, charme le visiteur. La cuisine médiévale vaut le coup d'œil. Laissée dans son état d'origine, on a l'impression que le personnel est juste sorti faire une course et va revenir.

Château de Villesavin ❸
environs de Blois

Le château de Villesavin n'est pas comparable au somptueux château de Chambord, à six kilomètres plus au nord, mais réserve bien des surprises. Qui vient passer sa lune de miel sur la Loire sera ravi d'admirer, dans ces basses maisons du XIVe siècle, le plus grand musée mondial de robes de mariée, ainsi qu'un musée de voitures hippomobiles, montrant aux jeunes époux que la simple limousine n'est pas le seul moyen élégant pour se rendre à l'autel. Et s'ils veulent anticiper sur l'avenir, ils peuvent déjà rêver d'un landau pour leur progéniture, dans le musée de voitures d'enfants, qu'abrite également le château. Qui a passé l'âge des landaus, sera dédommagé par la vue sur les ravissants jardins.

Palais ducal ❹
Nevers

À l'embouchure de l'Allier et de la Nièvre, sur le cours supérieur de la Loire, se trouve, au cœur du Nivernais en Bourgogne, la ville de Nevers, chef-lieu du département de la Nièvre. La cathédrale gothique et le palais ducal, datant des XVIe et XVIIe siècles, dominent l'agglomération de quarante mille habitants. Ce dernier est un des plus beaux exemples d'architecture profane de la Renaissance. Les tours octogonales et les mansardes pointues du complexe ramassé, qui ajoutent des aspérités à son extérieur amène, sont frappantes. Aujourd'hui, le palais est affecté à des administrations telles que la mairie ou l'office de tourisme. Le sous-sol est réservé au Musée lorrain.

Château de Montsoreau ❶
environs de Saumur

Sur la rive gauche de la Loire, à l'embouchure de la Vienne, à une douzaine de kilomètres au sud-est de Saumur, se dresse un bien étrange palais de 1450, dont l'apparence fait penser à une forteresse plutôt qu'à une demeure seigneuriale. Le lieu romantique devint célèbre grâce à Alexandre Dumas père (1802–1870), qui le choisit comme toile de fond d'un de ses romans d'amour entre la châtelaine Françoise de Maridor et le seigneur de Bussy. Aux alentours, s'étend un magnifique paysage englobant l'Anjou, la Touraine à l'est, et le Poitou au sud.

Château de Rigny-Ussé ❷
environs de Saumur

En arrivant au château de Rigny-Ussé, sur la rive gauche de l'Indre, à l'endroit où celle-ci coule presque parallèlement à la Loire, à quinze kilomètres en aval de Saumur, on croit rêver. Bien que deux peupliers se soient mis en travers de la vue, on est comme transporté dans un conte de fées, tel que Louis II de Bavière n'eût pas pu mieux le mettre en scène. Rigny-Ussé ne s'appelle pas pour rien la « belle au bois dormant ». Il a en outre, comparé aux édifices de « Kini » (surnom de Louis II) l'avantage d'être vraiment Renaissance. Les tours du château en sont l'image de marque, et l'on se demande pourquoi sont proposés précisément ici des vols en hélicoptère. La vue d'en haut peut à peine être plus belle que face au château.

Château
de Villandry ❸
environs de Tours

Il ne reste du château médiéval qui était situé à l'embouchure du Cher dans la Loire, à l'ouest de Tours, que l'imposante tour d'angle. Le reste est de style Renaissance française tardive, sans plus aucune influence italienne. Cette architecture, aussi appelée style Henri VI, reflète la consolidation politique ayant eu lieu sous ce roi protestant, qui, pour surmonter les querelles religieuses dans son pays, et pour raisons stratégiques de pouvoir, se convertit au catholicisme, selon la devise : « Paris vaut bien une messe ». Quant à Villandry, il vaut la visite.

Château
Beauregard ❹
environs de Blois

La route de Blois qui longe la Loire vers le sud-est bifurque juste après Saint-Gervais-la-Forêt. En prenant, à ce carrefour, la route de droite, apparaît alors le château Beauregard, aux toits d'ardoise et en tuffeau blanc, ainsi surnommé pour le charme qui s'en dégage. Le complexe carré, entouré d'un vaste jardin à l'anglaise, fut loué dès 1576 dans un ouvrage sur les plus belles constructions de France, et a maintenu son rang jusqu'à nos jours. D'illustres personnages, monarques, ministres, maréchaux et maîtresses, ont par conséquent déjà honoré Beauregard de leur visite. Un grand nombre d'entre eux sont représentés dans la galerie de peintures.

France
Europe

Château de Sully-sur-Loire ❶

À mi-chemin entre Gien et Orléans, en aval de la Loire, sur la rive gauche, se trouve une charmante petite ville du nom de Sully-sur-Loire, avec un joli marché et surtout un beau château du XIVᵉ siècle. Ses douves ne furent creusées qu'au XVIIᵉ par le duc de Sully qui avait acheté la propriété à la Couronne. On dit que l'entretien entre Charles VII et Jeanne d'Arc ayant constitué le tournant décisif de la guerre de Cent Ans eut lieu en 1429 dans ce château. Cet entretien est parfois aussi situé au château de Loches. La version du château de Sully est cependant plus vraisemblable, celui-ci ayant été davantage en mesure, avec son caractère de forteresse, de protéger le souverain des dangers qu'il courait à cette époque.

Château de Selles-sur-Cher ❷

Le Cher se jette dans la Loire, mais à l'emplacement du château de Selles-sur-Cher, flanqué de tours, cent kilomètres le séparent encore de l'embouchure, et quarante kilomètres de Blois, au nord de la Loire. Il est néanmoins, bien que loin des autres, assez typique de l'architecture des châteaux de la Loire, avec ses hautes et élégantes cheminées, ses toits sombres, ses fenêtres encadrées de blanc et ses curieuses mansardes. Il fut construit au tournant de la Renaissance et du baroque, époque architecturale plus décorative, bien qu'étant demeurée assez discrète dans les édifices profanes, en comparaison de l'architecture sacrée. Dans cet esprit de discrétion, le château n'a pas des proportions exagérées et ne détourne pas l'attention des merveilleux jardins.

Château de Blancafort ❸
Sologne

À une cinquantaine de kilomètres au nord de Bourges, aux confins orientaux de la Sologne, et à une vingtaine de kilomètres de la Loire, se dresse, au milieu d'un parc de vingt hectares, le château de Blancafort, conservé dans le style Renaissance du XVᵉ siècle que lui donnèrent les architectes d'antan. Les époques successives l'ont évidemment aussi marqué, mais uniquement dans la toiture, les fenêtres et à l'intérieur. Il a gardé ses contours extérieurs, son aspect massif, trapu, et ses tours fortifiées. Blancafort, encore propriété privée, n'est que partiellement accessible au public. L'extérieur et les jardins valent néanmoins la visite.

Château de Villegongis ❹
Val de Loire

Cet imposant palais du XVIᵉ siècle, aux deux grosses tours d'angle que dépassent même les cheminées, n'est pas sur la Loire, mais dans le Val de Loire, à une vingtaine de kilomètres au nord-ouest de Châteauroux, à droite de la route de Tours. Il avait du temps de sa construction un caractère très fortifié, que les diverses époques adoucirent jusqu'à lui conférer l'aspect d'une demeure plus habitable. Aujourd'hui, l'édifice Renaissance reste malgré tout encore austère à l'extérieur, contrairement à l'intérieur qui subit plus systématiquement les transformations du temps vers un habitat davantage civilisé, et dont l'ameublement et l'architecture intérieure valent la visite.

Château de Culan ❺
environs de Montluçon

Les tours du château, ou plutôt de la forteresse de Culan, bâtie sur un rocher à soixante-dix kilomètres au sud de Bourges et à trente kilomètres au nord de Montluçon, se tiennent fermes et inébranlables comme trois mousquetaires. Le roi Philippe Auguste le fit construire à la fin du XIIᵉ siècle sur l'emplacement d'une construction en bois ravagée par le feu. La force du château réside dans la sérénité qu'il se forgea au fil des siècles, où il eut plus d'un obstacle à surmonter. Il passa de main en main, et ses différents propriétaires ne le cédèrent pas toujours de bon gré. Il traversa des époques mouvementées, guerres, sièges et assauts, et fut maintes fois détruit, puis reconstruit. Le calme revint après le XVIIᵉ siècle, et le château retrouva sa sérénité.

Château du Clos-Lucé ❻

Comparé au gigantesque château d'Amboise, situé à quelques centaines de mètres plus loin, le « petit » château en brique, d'aspect engageant, a l'air d'un chétif bungalow de la Renaissance. Louis XI (roi de 1461 à 1483) le fit construire. Son successeur Charles VIII (roi de 1483 à 1498) l'offrit à son épouse Anne de Bretagne. Et Louise de Savoie, mère de François Iᵉʳ (roi de 1515 à 1547), en hérita. Celui-ci, à son tour, confia la demeure à son hôte et conseiller en matière d'art, Léonard de Vinci (1452–1519) dont la tombe se trouve près de la chapelle. Un illustre palais, princier et multiculturel.

France
Europe

Manoir de Maupas ❶
environs de Bourges

Le manoir de Maupas fut revêtu de l'habit qui lui sied si bien au XVIIIᵉ siècle. Les deux limousines garées devant tranchent sur ce décor, bien que symétriquement disposées de part et d'autre de la tour-escalier au centre du bâtiment. Avant la transformation et l'embellissement de l'ancienne forteresse, elles auraient tranché plus curieusement encore.

Le manoir, situé à une vingtaine de kilomètres au nord-est de Bourges, se rendit célèbre par un vin du même nom, et en décore l'étiquette. Tous deux doivent leur dénomination à la famille du marquis de Maupas, dont les héritiers habitent encore aujourd'hui le joyau architectonique.

Château de Châteauneuf-sur-Cher ❷

Les apparences sont trompeuses. Le château est beaucoup plus grand que n'en laisse paraître la façade représentée en partie sur la photo. L'édifice domine la vallée du cours supérieur du Cher, à une quarantaine de kilomètres au sud de Bourges et fut déjà sous les Romains d'une importance stratégique considérable. *Castrum Novum* s'appelait-il alors, nouveau campement, avant-poste. Il joua vraisemblablement ce rôle lors de la conquête de la Gaule par César. Le complexe comporte aujourd'hui encore beaucoup d'éléments de l'architecture du XIᵉ siècle, mais fut revêtu, au cours du temps, d'une façade plus civile. Toujours propriété privée, le château ne peut être visité que de l'extérieur.

Château de Vougeot ❸
environs de Dijon

Cîteaux, le hameau qui donna son nom aux moines cisterciens, n'est qu'à quelques kilomètres. C'est de Cîteaux que fut aussi fondé le monastère de Vougeot, à dix-sept kilomètres au sud de Dijon, le chef-lieu de la région de Bourgogne. Les moines y développèrent une exploitation agricole florissante, et furent des pionniers de la viticulture. L'exploitation prit de plus amples proportions qui réclamèrent de plus amples bâtiments, que Dom Loisir, quarante-huitième Abbé de Cîteaux, fit construire au XVIᵉ siècle. Aujourd'hui, le château se dresse au cœur de merveilleuses vignes qui font palpiter le cœur des connaisseurs en vins.

Le Manoir de Frontenay ❹
Jura

Le manoir de Frontenay, dans le Jura, à une heure au sud-ouest de Besançon entre Poligny et Lons-le-Saunier, avec sa tour du XIVe siècle, sa maison du XVIIIe et son intérieur du XIXe, est un mélange hétéroclite de murs trapus de temps fort reculés et de charme d'une époque plus éclairée. Le bâtiment plat avec son aile à colombages et son toit décoré de mansardes enlève à la tour un peu embarrassante dont il est flanqué son caractère militaire, grâce à sa façade engageante. La très large maison contraste un peu aussi, comme si elle voulait s'en distancer, avec la petite ville plutôt ramassée et ses ruelles enchevêtrées.

Château de Cordes ❺
environs d'Orcival

Orcival se trouve à trente kilomètres à l'ouest de Clermont-Ferrand, à mi-chemin entre Clermont et le puy de Sancy, dans une vallée encastrée des monts Dore, et le château de Cordes domine la ville, à neuf cents mètres d'altitude au-dessus d'Orcival. C'est un édifice du XVe siècle, en très bon état, aux nombreux angles droits et diverses tours rondes et carrées. L'écrivain Paul Bourget (1852–1935), grand admirateur des propriétaires terriens de l'aristocratie anglaise, situa dans ces murs et aux alentours l'intrigue de son roman *Le Démon de midi* (1914). La chapelle du château avec son autel en marbre de Carrare vaut la visite.

Château de Berzé-le-Chatel ❶
environs de Mâcon

Lorsque les moines de Cluny passèrent ici au Xᵉ siècle, il n'y avait qu'une petite forteresse surveillant la route de Mâcon à vingt kilomètres au sud-ouest de la Saône. Elle ne cessa de s'agrandir, cinq siècles durant, jusqu'aux proportions qu'elle présente aujourd'hui, mais fut aussi diminuée de quelques bastions rasés, que le développement du matériel de guerre et le retour à la paix avaient rendus inutiles. Les hautes et vieilles murailles et les tours rondes sont tout aussi imposantes que la tour carrée plus jeune au centre du château, mais la belle végétation et les forêts qui l'entourent l'adoucissent et le rendent plus accueillant.

Château de Gevrey-Chambertin ❷
Côte-d'Or

Au sud-ouest de Dijon, au cœur du merveilleux paysage de la Côte-d'Or, se cache un château, gris et insignifiant, mais qui vit défiler de nombreuses époques. Les premières mentions sont du XIᵉ siècle mais la forteresse, dont il reste beaucoup d'éléments aujourd'hui, ne fut construite que deux siècles plus tard. Grâce à de multiples restaurations, le caractère rude et austère de l'édifice art roman bourguignon fut conservé. On n'y perçoit que quelques rares éléments gothiques. L'État français acheta au XVIIIᵉ siècle le terrain et le château, mais ce bien coûtait trop cher et fut revendu en 1791 à des particuliers dont les descendants ont trouvé des moyens pour l'entretenir. Le château de Gevrey-Chambertin est classé depuis 1993 monument historique.

Château de Cormatin ❸
Bourgogne

C'est ici que les célèbres trois mousquetaires croisèrent le fer, et c'est dans les luxueuses pièces de ce château logèrent Marie de Médicis et son fils, le roi Louis XIII. On y croit à peine, à voir l'extérieur plutôt simple. Mais, après plus de deux décennies de restaurations, transparaît de nouveau le luxe qui régna dans ce château du XVIIᵉ siècle, situé à une douzaine de kilomètres au sud-ouest de la célèbre abbaye de Cluny et près de Mâcon. L'immense parc de dix hectares qui entoure le château fait état de tilleuls de plus de six cents ans d'âge, qui étaient déjà des patriarches au temps où s'y promenait le monarque. Les courtisans s'amusaient dans le labyrinthe du château, et la volière ravissait les dames.

Château de la Rochepot ❹

Sur une montagne au-dessus de Rochepot, village de Bourgogne, s'élève, massif comme il se doit pour un bastion, le château de la Rochepot, qui, derrière son allure défensive, développe avec ses tuiles de couleur vernissées une élégance séduisante. Un regard dans la cour intérieure et l'ancienne chapelle du XIIIᵉ siècle, vaut la peine, ce qui ne veut pas dire que le reste, reconstruit au XIXᵉ, déçoit. Au contraire, les reconstructeurs, sous la direction de Sadi Carnot, ont travaillé minutieusement et ont très bien reconstitué l'état d'origine. Quelques ornements historisants leur ont échappé, mais ils charment plus qu'ils ne dérangent.

Château du Clos de Brochon ❺

De nombreux châteaux donnèrent leur nom à des crus dont la richesse des propriétés d'origine a trouvé son pendant en architecture. Cela vaut aussi pour celle de Brochon, en Bourgogne, près de Beaune dans la Côte d'Or. C'est un édifice trapu et plat du XVIIᵉ siècle avec des tours d'angle et un rez-de-chaussée sans fenêtres pour les caves à vin. Au-dessus se trouve l'aile d'habitation et, sous les toits, dans les mansardes, logeaient les domestiques. On reconnaît à droite et à gauche, rajoutés, les communs. Ces domaines font la vente directe et la dégustation du vin. Un petit ballon, ici et là, pour entrecouper la route, vous fera connaître de très bons vins.

Château de La Tour ❶
environs de Bordeaux

Ne dit-on pas que les gens de la terre se plaignent toujours ? Cette demeure, et bien d'autres de la région du Médoc, région viticole du Bordelais, montrent, comme le château de La Tour, que cela ne fut pas toujours opportun. C'est un édifice du début de la Renaissance, comportant quelques éléments élancés du gothique flamboyant qu'évoquent notamment les tours pointues et leurs fenêtres. Les propriétaires n'eurent sans doute pas lieu de se plaindre au cours des siècles, car tous les bâtiments publics de cet âge ne sont pas en si bon état. La concurrence est certes à l'affût, et seul le châtelain respectueux des lois du marché pourra continuer de poser un regard satisfait sur ses ceps et ses vignes. La Tour n'a vraisemblablement pas de souci à se faire.

Château de Cazenac ❷
environs de Beynac

Sur les hauts de la localité de Beynac, à une cinquantaine de kilomètres au sud-ouest de Périgueux, veille un château surplombant la Dordogne, mentionné dès 1115. Cazenac servit de base au roi anglais Richard Cœur de Lion lorsqu'il reconquit l'Aquitaine à la fin du XIIᵉ siècle. Peu après, le château fut au centre des guerres entre l'Église et les Albigeois, durant lesquelles, retenu pour imprenable, il fut conquis par le comte Simon de Montfort (1160–1218). On en consolida les fortifications au XIVᵉ siècle, car, pendant la guerre de Cent Ans (1337–1453), Beynac se situa longtemps près de la frontière de la Guyenne occupée par les Anglais. Le château avait donc un rôle stratégique. Aujourd'hui, c'est un hautlieu stratégique du tourisme.

Château de Castelnaud ❸

Le principal foyer de la secte religieuse des cathares, qui astreignait ses adeptes à une vie chaste et austère, était la ville d'Albi. C'est pourquoi on les appelait les albigeois. L'Église se mobilisa contre cette concurrence et poursuivit les pacifiques âmes pieuses par le feu et l'épée. Ils cherchèrent refuge au château de Castelnaud, au confluent de la Dordogne et de la Bave, mais la forteresse ne résista pas longtemps. Elle subit également des dommages lors de la guerre de Cent Ans contre les Anglais (1337–1453). C'est grâce à des réparations ultérieures, mais surtout aux efforts de restauration depuis les années 1960, que le château est en si bon état et a retrouvé son aspect médiéval.

Château de Simorre ❶

Les ensembles formés d'un château et d'une église étaient courants au Moyen Âge. Mais généralement, les constructions militaires dominaient. À Simorre, une localité de l'Armagnac, dans le département du Gers, le caractère sacré, en revanche, prédomine. Le donjon est le clocher de l'église. La forteresse fut construite au XIIᵉ siècle, à l'emplacement d'une abbaye de deux siècles plus vieille, ravagée par le feu. Il en reste encore quelques vestiges, mais c'est l'architecture du haut Moyen Âge, que l'on reconnaît aux créneaux et aux fenêtres brisées, qui l'emporte. On a la curieuse impression que le village courbe l'échine, humilié, malgré les tours pointues à droite. Le château et son enceinte ne voulaient peut-être pas se faire remarquer pour ne pas éveiller de dangereuses convoitises.

Château de Carcassonne ❷

La ville haute de Carcassonne a deux rangées de remparts, les chemins de ronde s'étirent le long de la muraille, trente-huit tours y sont encastrées à intervalles réguliers, qui se dressent en signe d'avertissement pour dissuader d'éventuels assaillants. C'est, ironie du sort, précisément à un saint que la ville sur le canal du Midi doit son caractère martial. Louis IX, ou Saint Louis, qui régna de 1226 à 1270, fit construire les fortifications peu après son accession au trône. Or, cela s'avéra inutile sur le plan militaire, puisque le Roussillon ne fut plus jamais conquis. Aujourd'hui, les habitants ne sont pas mécontents de leurs remparts car la physionomie médiévale de la ville attire une foule de touristes.

Château de Tarascon ❸

Il fut duc de Bar, puis temporairement duc de Lorraine, duc d'Anjou et comte de Provence. Mais il est surtout connu sous le sobriquet de « roi des muses ». René Iᵉʳ (1409–1480) était mécène et fit édifier une des plus belles œuvres d'art sur un rocher à Tarascon. « Le Rhône s'amuse à l'arroser », écrit Conrad Ferdinand Meyer dans un poème. Les grosses tours couronnées de créneaux dominent la ville sur le cours inférieur gauche du Rhône et découvrent une vue sur les flots des maisons et du fleuve, jusqu'au château de Beaucaire, en face. La jolie cour intérieure, avec son élégante tour-escalier sur laquelle grimpent les géraniums, séduit le visiteur.

Palais des Papes ❹
Avignon

Ce qui, dans l'histoire de l'Église est appelé sur un ton plaintif la « captivité de Babylone » des papes, ne peut pas avoir été aussi oppressant. En tout cas, les Saints-Pères qui, au XIIIe siècle, durent gouverner leur Église pendant soixante-dix ans depuis Avignon disposaient d'assez de moyens pour se construire une forteresse. Le luxueux palais des Papes, qui remplit les caisses de la ville de l'argent des nombreux visiteurs qu'il attire, paraît assez surdimensionné dans cette ville relativement petite, et dut paraître plus puissant encore à l'époque, quand quelques maisons seulement l'entouraient, ou courbaient l'échine devant lui.

Citadelle de Sisteron ❺

Les bâtisseurs de fortifications furent toujours attirés par les emplacements exposés, il n'est donc pas étonnant que les Romains entretinrent un fort au-dessus de la Durance. Il devint un château fort au Moyen Âge et ne perdit son importance militaire qu'à l'époque de la guerre aérienne. La citadelle de Sisteron, aux portes de la Provence, à cent vingt-cinq kilomètres au nord de Marseille sur le contrefort des Alpes, domine la ville, où l'histoire se joua à intervalles réguliers, et la vallée du Rhône. Mais tandis que la commune fut maintes fois endommagée, la dernière fois en 1944 lors d'un bombardement allié du pont, la citadelle resta relativement intacte depuis le Moyen Âge. Elle est aujourd'hui un but d'excursion très apprécié par les touristes venant de près comme de loin.

Château de Suze-la-Rousse ❶
Provence

La petite ville de Suze-la-Rousse, baptisée du nom des propriétaires de cette imposante forteresse médiévale, se trouve un peu plus au sud. Les princes d'Orange assuraient leurs possessions en Provence avec des édifices comme cette haute muraille à Suze-la-Rousse, à huit kilomètres à l'est de Bollène, sur un affluent du Rhône. Au XVIᵉ siècle, le complexe fut entièrement transformé dans le style Renaissance, surtout l'intérieur et la cour, que l'on aménagea beaucoup plus élégamment. Ainsi une visite, même rapide, dans ce village endormi, en vaut-elle la peine, pour découvrir derrière cette façade martiale le charme de la forteresse.

Château Le Barroux ❷
Provence

Le château Le Barroux, édifié au XVIᵉ siècle à l'emplacement d'une forteresse plus vieille encore, se dresse en pleine nature, dans une dépression entre le mont Ventoux (1912 m) et les dentelles de Montmirail (734 m), à une douzaine de kilomètres de Carpentras, en Provence. Menaçant ruine après la Révolution française, il fut péniblement restauré à partir de 1929. Mais les troupes allemandes réduisirent à néant le résultat de ces efforts. Elles l'incendièrent en 1944 en battant en retraite. Ce n'est que dans les années 1960 que fut entamée sa reconstruction. On peut, aujourd'hui, visiter les parties dont la restauration est achevée. Les autres sont interdites d'accès pour danger d'écroulement.

Château de Vauvenargues ❸
environs d'Aix-en-Provence

Un grand château campagnard, à l'air un peu de forteresse, se dissimule à dix kilomètres à l'est d'Aix-en-Provence, au pied de la montagne Sainte-Victoire (plus de 1 000 mètres) au milieu d'une verdure méditerranéenne. Construit au XVIIᵉ siècle non loin de Vauvenargues, il n'attirerait pas particulièrement l'attention si Picasso ne l'avait pas découvert, à l'âge de soixante-quinze ans. Est-ce le concret de l'édifice qui attira le virtuose de l'abstrait, ou son côté historique, l'artiste moderne, toujours est-il qu'il l'acheta en 1958 et en fit un lieu de pèlerinage pour ses admirateurs. Ils viennent y chercher le génie du lieu et se recueillir sur la tombe du grand peintre, qui fut enterré dans le jardin le 10 avril 1973.

Château d'Aiguines ❹
Provence

La vue depuis le château et la vue sur le château d'Aiguines, à soixante kilomètres au nord-ouest de Cannes, sur le lac de Sainte-Croix, sont d'égale beauté. La date exacte de sa construction est inconnue, mais on ne manque pas d'y reconnaître un style Renaissance que modela aussi le XVIIIe siècle. Les tuiles vernissées en couleur sur les toits des tours le laissent apparaître. Les jardins bien entretenus d'une surface de trois hectares devraient même être plus récents. La très vivante vue d'ensemble est seulement un peu atténuée par la vieille église avoisinante dont le petit cimetière chuchote le mémento des morts sous les rayons du soleil.

Ruine ❺
environs des Baux

Les Français ont beaucoup fait pour l'entretien des monuments et la restauration des châteaux. Dans une région aussi chargée d'histoire que la Provence, ses responsables durent se concentrer sur les objets dont la conservation valut l'effort. La contrainte peut devenir bénédiction s'il en ressort des ruines aussi pittoresques que ces vestiges de forteresse dans les environs des Baux-de-Provence, entre Avignon et Arles. La nature démontre ici, non loin du fameux moulin des *Lettres* d'Alphonse Daudet (1840–1897), l'insignifiance de l'œuvre créée par l'homme, en dépit de son apparence d'éternité. Elle lèche déjà la muraille, élevant vers elle ses langues de genêts, et autres taches plus sombres, et la recouvrira un jour entièrement.

France
Europe

Palais
de Monaco ❶

Dans un État côtier escarpé de trois kilomètres de long, mais d'une profondeur de
seulement trois cents à cinq cents mètres,
l'art consiste à arracher au pays chaque
mètre carré de terrain à bâtir. La tâche est
d'autant plus difficile quand il s'agit de
construire un vrai château, car Monaco
est une principauté autonome. On voit
dépasser les rochers de la ligne de faîte de
la toiture de l'édifice à la façade d'une fine
simplicité, mais d'une élégance néanmoins inimitable. La vue sur la Côte d'Azur
et les maisons se bousculant devant est
d'autant plus exceptionnelle. Le siège du
gouvernement a la dignité de son âge
(XVIᵉ, XVIIᵉ siècles), augmentée par celle de
ses tours qui lui donnent un petit air de
forteresse, le lui retirant aussitôt grâce
aux gais créneaux.

Citadelle ❶
Corte

L'inextinguible soif de liberté des Corses ne put même pas être réprimée par la France moderne. Elle ne put même pas être tarie par le rattachement de l'île natale de Napoléon Bonaparte, empereur des Français d'origine corse, à la mère patrie par cumul des fonctions. Qui voulait régner sur la Corse – et nombreux furent les potentats qui le désirèrent au cours de l'Histoire – devait se protéger de ses habitants derrière des forteresses, de même que les habitants combattaient à leur tour les intrus de leurs forts. La citadelle médiévale de Corte, au cœur de l'île, est un monument dressé aux incessantes luttes armées. Des traces sur les remparts et les bâtiments montrent que d'audacieux combattants ne se laissèrent pas dissuader par son air inexpugnable et tentèrent l'ascension.

Citadelle ❶
Calvi

Les bateaux qui chamarrent, devant, le port de Calvi, au nord-ouest de la Corse, forment un contraste séduisant avec, derrière, la puissante forteresse qui ne sied pas du tout à la devise des Calvais : *Civi-* *tas Calvi semper fidelis* (« Les citoyens de Calvi ont toujours eu la foi »). Cela ne fut pas toujours le cas, au XVIe siècle, car la citadelle ne fut sûrement pas construite pour le plaisir. Et il y eut aussi quelques raisons de perdre la foi en 1794, lorsque l'amiral Nelson d'Angleterre et sa flotte tirèrent sur Calvi et sa citadelle. Aujour-

d'hui, la devise des Calvais peut s'avérer juste, car la citadelle ne domine plus que le paysage, et les touristes gardent la certitude qu'ils passeront un agréable séjour.

Citadelle ❷
Bonifacio

Construite entre le bleu profond de la mer Méditerranée et bleu du ciel clair, la colossale citadelle de Bonifacio semble planer au-dessus des toits de la ville. Son message est que la pointe sud de la Corse en est l'apothéose. Construite à l'origine pour rebuter les intrus, la forteresse fut, néanmoins, maintes fois conquise. L'apparence qu'elle revêt aujourd'hui date du XVIᵉ siècle et ne rebute pas, loin de là. La citadelle attire les touristes insulaires et leur offre une vue inégalable sur la mer, jusqu'à la pointe nord de la Sardaigne, et sur le port égayé de voiliers du monde entier, venus s'ancrer dans un véritable paradis.

La Granja
environs de Madrid

Il perd la guerre, mais gagne paradoxalement le trône que ses adversaires lui disputaient. Philippe V, premier roi d'Espagne
de la dynastie des Bourbons, est à l'issue
de la guerre de Succession d'Espagne, en
1714, si affaibli que la maison de France
des Bourbons l'accepte comme prince du
sang. Il rend hommage à cette dignité en
construisant des châteaux sur le modèle
de ceux de son grand-père, Louis XIV.
Ainsi passe-t-il commande en 1716 de La
Granja, au nord-ouest de Madrid, qui rappelle Versailles, moins dans les dimensions
que dans l'architecture. La façade
baroque, les ornements du même style à
l'intérieur, et le parc de la résidence d'été
attirent aujourd'hui encore les grands de
ce monde. C'est ici que se rencontrèrent
en septembre 2000 le chancelier allemand et son homo-logue espagnol.

Palacio municipal ❶
La Corogne

Autant la pointe du nord-ouest de la péninsule Ibérique semble être loin de tout, autant elle joua très tôt un rôle historique important. Les Phéniciens, puis les Romains entretenaient déjà une base à l'emplacement du chef-lieu de province actuel, La Corogne, en Galice, sur l'Atlantique, et les fondations du phare *Torre Hercules* rappellent aussi la période romaine. Le lieu ne manque donc point de vénérables traces du passé. Il est d'autant plus étonnant que le palais municipal soit aussi récent. L'édifice néobaroque compense ce défaut avec une somptuosité démesurée, caractéristique des nouveaux riches. Il surveille depuis 1861 l'accès à la véritable vieille ville sur la *Plaza María Pita*.

Hostal de los Reyes Catolicos ❷

Saint-Jacques-de-Compostelle

Les chemins du Seigneur sont prodigieux, en particulier le chemin de Saint-Jacques. On se demande, d'abord, comment l'apôtre put arriver dans cette contrée si retirée de Galice. Les pèlerins en route pour Saint-Jacques-de-Compostelle ont vu sur leur parcours une telle abondance de ravissants paysages et de monuments historiques, qu'arrivés au bout de leur peine, plus rien ne devrait les surprendre. Et pourtant, ils sont stupéfiés face à des merveilles architectoniques du genre de ce portail. L'ancienne auberge des pèlerins, *Hostal de los Reyes Catolicos*, qu'ouvre le portail n'est qu'une parmi tant d'autres merveilles. De 1510 à 1953, se reposaient derrière cette somptueuse porte des pèlerins venus du monde entier. Aujourd'hui, seule la gent aisée peut loger dans l'hôtel de luxe que l'on en a fait.

El Capricho ❶
Comillas

Inutile de faire les difficiles, vous trouverez à peine meilleure nourriture que dans ce palais féerique, aujourd'hui un restaurant, mais conçu à l'origine pour flatter l'excentrique donneur d'ordre Diaz de Quijano. Le riche homme avait commandé un manoir à Antonio Gaudí (1852–1926), qu'il ne connaissait pas et ne désirait pas connaître. Répugnance d'ailleurs réciproque. Gaudí ne se déplaça même pas sur le chantier à quarante kilomètres à l'ouest de Santander où cette merveille fut dressée de 1883 à 1985 sur ses plans par une étude d'architectes locale. Tout ce qui caractérisera plus tard l'œuvre fantastique de Gaudí et qui le rend célèbre par la suite s'y trouve : la couleur, le mouvement, la vision.

Palais des festivals ❷
Santander

Le bâtiment fantastique, presque irréel, du palais des festivals de la Cantabrique est tourné vers la baie de Santander au nord. Les visiteurs y entrent côté sud par un grand escalier découvrant le fabuleux spectacle du mariage des couleurs, du blanc et du rouge des revêtements en marbre avec le cuivre artificiellement vieilli du toit. Le palais, inauguré en 1991, est un lieu idéal pour les congrès, les concerts, les représentations de théâtre et les cérémonies de tous genres. L'effet recherché dans l'agencement de l'espace est impressionnant et n'est surpassé que par le panorama, qui, à son tour, se répercute sur l'intérieur.

Gran Casino del Sardinero ❸
Santander

Le cadre d'un lieu où l'on joue et risque de perdre doit être gai et détendu. Ainsi fait-on son possible, au casino de la capitale de Cantabrique, pour que les joueurs se sentent à l'aise. Le gagnant est, au bout du compte, toujours la banque. C'est sur la base de ce calcul que les conseillers municipaux de Santander remplacèrent en 1913 un ancien édifice par ce palais blanc avec de splendides terrasses, de larges escaliers, des tapis moelleux et une magnifique vue sur la plage du Sardinero. Le bâtiment, sur la *Plaza de Italia*, ne propose pas seulement la roulette et le black-jack, mais met aussi à disposition de qui en a les moyens des salles pour organiser des banquets ou des bals.

Musée Guggenheim ❹
Bilbao

L'architecte américain Frank Owen Gehry (né en 1929) a, dit-on, ébauché les plans de ce génial bâtiment au moins aussi insigne que son contenu, dans les délais les plus courts. Son contenu, c'est le musée Guggenheim, à Bilbao, au Pays basque, une vision de titane, de verre et de pierre du nom du mécène et protecteur des arts américain Solomon R. Guggenheim (1861-1949). On dirait un vaisseau spatial peuplé d'extraterrestres faisant escale sur la planète Terre. Pourtant, l'édifice sur le Nervión, terminé en 1997, contient des œuvres bien terrestres, mais de choix.

Château de Mendoza ❺
environs de Vitoria-Gasteiz

La forteresse du nom de la vieille famille de la noblesse espagnole Mendoza accueille le visiteur à bras ouverts. Grâce à son donjon (*Torre del Infantado*), le complexe, presque carré, situé près de Vitoria-Gasteiz, chef-lieu de la province d'Álava, se voit de loin. De plus petites tours aux créneaux plats font la garde aux angles. Il dut être, pour qui cherchait protection en ce lieu, un tableau rassurant, car les abords de la puissante forteresse que l'on s'est souvent disputé dans des luttes impitoyables pouvaient être dangereux. Elle resta dans l'ensemble relativement intacte et rendit de bons services dans la guerre d'indépendance contre Napoléon.

Palais royal d'Olite ❻

Il était une fois, il y a six cents ans, un riche roi, maître d'un royaume du nom de Navarre, qui, pour bien utiliser sa fortune, décida de reconstruire son vieux palais d'Olite, à une quarantaine de kilomètres au sud de Pampelune. Ledit roi, Charles III le Noble (1361-1425, roi de 1387 à 1425), fut bien avisé de faire venir, à cette fin, les meilleurs bâtisseurs d'Espagne, qui créèrent un palais d'une grande élégance. Séduits, les rois de Castille, qui conquirent le pays en 1511, n'y touchèrent point, et le traitèrent même avec respect. Aujourd'hui, le visiteur les en remercie et apprécie la résidence d'antan, retirée désormais dans un lieu plus qu'enchanteur.

Castillo de Loarre ❶
près de Huesca

La forteresse de Loarre, à une quarantaine de kilomètres au nord-ouest de Huesca dans la province de Cuenca, monte la garde, solitaire, en hauteur, dans la Sierra de Gratal, un contrefort des Pyrénées. Le mot *Loarre* est dérivé d'un idiome des Celtibères, ayant probablement signifié « château bâti sur le roc ». Il est, comme tous les édifices militaires de la région, d'origine médiévale, mais des vestiges prouvent que les Romains apprécièrent déjà le site et le fortifièrent. Le visiteur d'aujourd'hui est surtout séduit par la vue sur la plaine au pied du château, avec ses champs, ses forêts et ses lacs.

Palacio de la Aljafería ❷
Saragosse

Les seigneurs mauresques espagnols surent dès le XIe siècle que, tôt ou tard, le moment viendrait où la pression des États chrétiens du Nord augmenterait, et firent construire une forteresse sur l'emplacement actuel de la ville florissante de Saragosse, au bord de l'Èbre, où ils s'attendaient aux principales agressions. Le complexe, aujourd'hui encore imposant, du nom mauresque de *Aljafería*, se révéla vite insuffisant. Il tomba en 1118 aux mains des Aragonais, et Alphonse Ier, roi d'Aragon et de Navarre, bâtit sa capitale sur ce site. Il n'eut pas grand-chose à embellir dans le beau palais, car les bâtisseurs et tailleurs de pierre arabes avaient créé un ouvrage de maître, qu'il ne restait plus qu'à consacrer pour que les plus chrétiens des souverains puissent l'utiliser.

Castillo Alcañiz ❸

Ce furent d'abord les militaires qui virent que la montagne qui surplombe la rivière *Guadalope,* formant une profonde entaille dans le paysage, se prêtait à la construction d'une forteresse. La petite ville d'Alcañiz, à une bonne centaine de kilomètres au sud-est de Saragosse, se plaça sous sa protection. Le développement de l'artillerie au XVIIIe siècle menaçant la sécurité des places fortes, les architectes trouvèrent que les forteresses exposées avaient au moins deux avantages. On y voyait venir l'ennemi à temps, et on y avait une vue magnifique. Convaincus, les bâtisseurs y firent construire de somptueux palais, comme Alcañiz, si beau que des managers modernes le transformèrent en un hôtel qui attire le monde.

Castillo Belmonte ❹

Cette forteresse de 1456 est relativement jeune, mais ne serait quand même pas si bien conservée si elle n'avait pas été entièrement remise à neuf au XIXᵉ siècle, de toute évidence par des connaisseurs, car, hormis quelques éléments Renais-sance ajoutés pour lui donner plus d'élégance, le reste est tout ce qu'il y eut de plus fin au Moyen Âge. Le nom du château de Belmonte (Beaumont), parure de toute la province de Cuenca, à une centaine de kilomètres au nord d'Albacete, est tout à fait justifié. Du haut des merveilleuses tours du complexe hexagonal s'offre un paysage montagneux que l'on ne se lasse pas de regarder.

Espagne
Europe

Fort Ponferrada ❶
près de León

Les chevaliers du Temple dressèrent, jusqu'en 1282, une forteresse sur un promontoire rocheux au-dessus de la vallée où confluent Sil et Boeza, à une centaine de kilomètres à l'ouest de León. Après avoir combattu les Maures, ils se vouèrent à la protection des pèlerins. Venant du sud, on accédait au château par une rampe élégante franchissant les douves. Une porte flanquée de deux tours donnait sur la cour intérieure. D'autres tours fortifiées assuraient les remparts de la forteresse. Elle est très bien conservée. Ses petites dimensions lui confèrent une certaine élégance.

Palais épiscopal ❷
Astorga

Le palais épiscopal du diocèse d'Astorga, à une quarantaine de kilomètres au sud-ouest de León, brûla en 1887. L'évêque était originaire de Reus en Catalogne, dans la province de Tarragone. Un homme de la même région avait une foule d'idées originales et l'évêque le pria de lui édifier un nouveau palais, qui fut bâti en soixante ans, jusqu'en 1893. Antonio Gaudi (1852–1926), qui d'ordinaire ignorait tous les critères stylistiques, fit, par égard pour la haute dignité de son donneur d'ordre, un palais néo-gothique, mais sans se faire violence. Le jeu des formes enjouées et la singularité de nombreux éléments trahissent déjà la signature de cet homme qui allait devenir célèbre.

Château de Valencia de Don Juan ❸
prés de León

L'amateur de châteaux forts trouve au sud-est de la province de León, à une trentaine de kilomètres au sud du chef-lieu de province, une curieuse ruine, ancienne forteresse des XIVe et XVe siècles, dont les hautes tours aux créneaux dentelés sont impressionnantes. Il est remarquable de voir qu'après chaque défaite militaire les bâtisseurs rehaussaient les murs, renforçaient les fortifications, jusqu'à ce que les nouveaux bastions, victimes à leur tour des agresseurs, fussent finalement abandonnés à leur sort. Le complexe est toutefois entretenu pour en permettre l'accès au public.

Castillo de Peñafiel ❹
environs de Valladolid

Le château de Peñafiel, à une soixantaine de kilomètres à l'est de Valladolid, fait figure de vaisseau échoué sur un rocher. Il était d'ailleurs une sorte d'arche qui offrait l'asile aux chevaliers chrétiens en fuite devant leurs adversaires, d'abord les païens, au Moyen Âge, les Maures musulmans, puis les chrétiens eux-mêmes, qui avaient jeté leur dévolu sur la belle forteresse. L'Espagne était encore constituée de plusieurs royaumes, León, Aragón, Navarre, Castille etc., respectivement à la conquête de territoires, et qui se les disputaient mutuellement. La Renaissance vêtit le château de Peñafiel d'une nouvelle toilette, dans laquelle nous l'admirons aujourd'hui.

Castillo de Simancas ❺
environs de Valladolid

Au XVe siècle, Charles Quint, puis son successeur, Philippe II, roi d'Espagne, confièrent les Archives nationales au château de Simancas, au sud-ouest de Valladolid, un honneur qui contribua à l'épanouissement du château, qui dut être entièrement remis en état, puis continuellement entretenu. Ainsi demeura-t-il un véritable joyau moyenâgeux avec, ici et là, l'élégance des siècles ultérieurs. Son allure militaire est agrémentée des qualités du confort. Le donjon surmonté d'une coupole baroque fait du fort un palais.

Forteresse de Torrelobaton ❻
environs de Valladolid

Un château fort sans créneaux, voilà qui est peu ordinaire. Le fort Torrelobaton, du XVe siècle, trônant à une vingtaine de kilomètres à l'ouest de Valladolid, fut l'un des rares châteaux seigneuriaux de la féodalité à tomber aux mains des insurgés. Les Comuneros, qui s'opposèrent à la souveraineté de l'empereur germanique Charles Quint (roi d'Espagne sous le nom de Charles Ier), laquelle leur paraissait étrangère, remportèrent ici leur seule victoire en 1521, et y tinrent garnison. Mais leur espoir d'une domination plus juste par le peuple s'envola dès le 23 avril de la même année avec la bataille de Villalar. Même cette révolte ne put ébranler ni le beau château, ni ses trois tours rondes, ni son donjon dominant la place.

Espagne
Europe

Palais de Salamanque ❶

La nouvelle cathédrale domine certes la vieille ville de Salamanque, sur le Tormes, mais sans les autres édifices du quartier universitaire elle n'aurait pas cet éclat. Elle est partie intégrante de cet ensemble de palais Renaissance et d'édifices baroques. Le mélange de ces deux styles s'observe sur la *Plaza Anaya* à l'exemple de la chapelle ci-contre à droite, et de la maison à gauche, plus vieille et plus austère, à l'articulation horizontale. Les arbres, tels des flambeaux, et les passants, touristes et étudiants, animent ce cadre de pierre interdit à la circulation, et donc à l'abri de la pollution.

Casa de las Conchas ❷
Salamanque

Au moment où Christophe Colomb apercevait la terre d'Amérique en 1492, Ferdinand II le Catholique et Isabelle de Castille prenaient Grenade, le dernier bastion du royaume arabe. Des édifices représentatifs purent donc de nouveau se construire, car avec l'aide de la noblesse on en avait les moyens. Rodrigo Arias, chef de l'ordre de Saint-Jacques, se fit ainsi bâtir à Salamanque, chef-lieu de la province de Castille-León, la *Casa de las Conchas* (la Maison de la Coquille), du nom du symbole de l'ordre, gravé sur les murs du palais. Celui-ci réalise la séduisante union d'éléments éclectiques du gothique, de la Renaissance italienne et de l'architecture mauresque, ainsi qu'un mélange d'architecture sacrée et profane.

Castillo de Fonseca ❸
environs de Coca

À environ cent cinquante kilomètres au nord-ouest de Madrid, en direction de Valladolid, par Ségovie, on arrive, près de Coca, à un véritable bijou fantaisie. À la différence des autres ouvrages de défense traités dans ce livre, le château de Fonseca présente des éléments de style en apparence peu fonctionnels d'influence mauresque, donnant de l'élégance à une architecture qui n'était auparavant qu'un gros bloc stratégique. Cela séduisit même des ecclésiastiques tels que l'évêque Alonso Fonseca, qui fit bâtir au XVᵉ siècle cette forteresse ayant dû résister à maintes agressions. De nombreux travaux de restauration permirent de la conserver en bon état, si bien qu'elle continue à dominer la Castille.

Enceinte d'Ávila ❹

Ávila, à une centaine de kilomètres à l'ouest de Madrid, aux confins de la Castille, ville natale de sainte Thérèse (1515), est appelée « Ville des saints et des pierres. » Et c'est effectivement la pierre qui domine, tant dans le paysage que dans la ville, munie au Moyen Âge de remparts de douze mètres de haut et de trois mètres d'épaisseur. Plus de quatre-vingts tours et neuf portes furent intégrées dans les fortifications, faisant de la ville, conservée aujourd'hui dans son état du Moyen Âge, un gigantesque château. La cathédrale, du haut de laquelle se présente, à 1100 mètres d'altitude, un vaste panorama, a pris le rôle du donjon.

Castillo Molina de Aragón ❺

Les Celtes et probablement aussi leurs prédécesseurs, de même que les Carthaginois, les Romains et les Maures, utilisèrent déjà le sommet de Molina de Aragón, dans l'est de la province de Guadalajara, pour leurs forteresses. Mais la majeure partie de ce que nous voyons ici est du XIIe et du XIIIe siècles, après la conquête par le royaume de Castille et d'Aragón. Le château, que l'on trouve à cent quarante kilomètres au nord-est de Madrid, connut plus d'un siège et plus d'une conquête, mais ne tomba définitivement en ruine qu'après la guerre d'indépendance contre Napoléon et les trois guerres carlistes au XIXe siècle.

Palacio Real ❶
Madrid

Lorsque celui qui allait plus tard construire ce palais de Madrid voulut monter sur le trône, la guerre sévissait. Philippe V (1700–1746) était un petit-fils de Louis XIV, et l'on craignait une concentration menaçante de pouvoir fran-

çais. Ayant perdu, avec ses alliés parisiens, la guerre de Succession d'Espagne (1701–1714), et un grand nombre de territoires, Philippe put enfin s'établir à Madrid et passer commande, en 1738, du Palacio Real. Il ne survécut pas à la fin des travaux, et ne put donc l'habiter, puisqu'il mourut en 1746. Son palais, terminé en 1764, aurait néanmoins fait honneur

à son grand-père, avec son style réunissant des éléments du baroque au classique. Le pignon central et la façade qui, dans toute sa largeur, mesure cinq cents mètres, en sont une impressionnante démonstration.

Escorial ❷
environs de Madrid

Deux mille fenêtres qui donnent sur seize cours intérieures, quinze cloîtres et quatre-vingt-huit fontaines. La résidence bâtie par Philippe II (règne de 1556 à 1598) en plus de vingt années, à cinquante kilomètres au nord-ouest de Madrid paraît, avec ses édifices de granit gris sur un plan fortifié, aussi austère que son bâtisseur. La cathédrale, bâtiment à plan centré surmonté d'une grande coupole, sur le modèle de la basilique Saint-Pierre de Rome, et intégrée au complexe, témoigne de la même austérité. Les sujets payèrent cher en charges l'épanouissement architectonique de la puissance royale. Mais aujourd'hui, on admire le plus bel exemple de Renaissance de tous les châteaux du monde.

Espagne
Europe

Château de Manzanares el Real ❶
près de Madrid

Situé à une vingtaine de kilomètres au nord-ouest de Madrid, il incarne autant la solidité moyenâgeuse que la dignité princière de la Renaissance et le rang de l'une des plus puissantes familles d'Espagne, les Mendoza, qui le fit bâtir sous les Rois Catholiques Isabelle de Castille et Ferdinand d'Aragón. Les dommages qu'il subit les siècles suivants furent soigneusement réparés par les restaurateurs. Le visiteur plonge dans l'atmosphère d'époques héroïques de l'histoire espagnole et se réjouit de pouvoir admirer les meubles, les armes et les œuvres d'art exposés dans le château.

Prado ❷
Madrid

Deux mille cinq cents œuvres d'art, réparties sur cent vingt salles, attendent le visiteur au Musée national espagnol, le Prado dans le parc (*prado*) de San Jerónimo à Madrid, d'ailleurs lui-même une œuvre d'art. Commencé en 1785 dans le style de la première période du classique, avec un grand portique, des statues et des colonnades, le palais, sur la somptueuse avenue bordée d'acacias *Paseo del Prado*, fut inauguré en 1819 comme Musée royal de sculpture et de peinture, l'un des plus beaux.

Les grands du monde entier, et le visiteur, sont bien avisés de se concentrer sur certaines salles et les artistes les plus importants, comme Titien, Tiepolo, Van Dyck, le Greco, Murillo ou Goya, car on ne peut pas tout voir, même en y venant quotidiennement pendant des semaines.

Palais du ministère de l'Agriculture ❸
Madrid

On appréciera peut-être de nouveau la pompe dans l'avenir. Les architectes du tournant des XIXᵉ et XXᵉ siècles, notamment ceux des édifices publics, avaient un penchant presque irrésistible pour les ornements allégoriques, les pignons surchargés, les grosses colonnes, et tout ce qui en impose en général, ce qui aujourd'hui nous fait frémir. Bien qu'il s'adapte moins à un paysage du Sud que du Nord, les pays d'Europe du Sud participèrent à la mode du style néoclassique de l'impérialisme, connue en Allemagne comme style wilhelminien, (ère de l'empereur Guillaume) et en Angleterre comme style victorien. Cet édifice, baigné dans une lumière méridionale crue, en est une démonstration.

Le Château d'Aranjuez ❹

Qui a lu Schiller connaît, sans avoir jamais été en Espagne, la résidence d'été des rois d'Espagne, au sud de Madrid, sur le Tage. Son *Don Carlos*, drame encore joué de nos jours, commence ainsi : « Finis les beaux jours d'Aranjuez... » Et le moins que l'on puisse dire, c'est qu'Aranjuez est beau sous le soleil méridional. Le blanc palais avec ses parties d'édifice en tuile, sa haute porte, sa tour-horloge surmontée d'un dôme, ses arcades et ses paisibles jardins garantit au visiteur une paix royale. Que, dans ces murs, le héros de Schiller ne l'ait jamais obtenue, tient à son caractère passionné, toujours au centre des intrigues de cour.

Alcázar ❺
Tolède

Il n'est pas contraste plus grand qu'entre ce paisible tableau de l'angle de l'Alcázar au-dessus de Tolède, au cœur de l'Espagne, et la vision du même bâtiment par le Greco. La célèbre toile, peinte en 1600, montre la ville dans une tempête si menaçante que l'on a l'impression que le jugement dernier s'abat sur elle. L'Alcázar, jadis à peine âgé d'un demi-siècle, se dresse dans un grondement de tonnerre. Comme si l'artiste avait pressenti l'enfer que vécut le château en 1936. Occupé par les fascistes, il fut dévasté par une grêle de bombes des troupes gouvernementales. Franco le fit reconstruire, et il est aujourd'hui monument historique national.

Château de Trujillo ❻

Les Romains qui avancèrent jusqu'ici sous l'empereur Trajan (98–117) l'appelaient *Turgallium*; les Maures qui s'y établirent au Vᵉ siècle, *Turgello*; et il fut deux fois nommé *Trujillo*, une fois quand, à la fin du XIIᵉ siècle, des chevaliers espagnols conquirent la forteresse, que les Arabes reprirent en 1196, et une autre fois lorsque, en 1232 la place forte et la ville de Cáceres, à une cin-quantaine de kilomètres, res-tèrent définitivement espa-gnoles. Le château, lui, fut bâti en des temps plus calmes, ce qui explique son état, malgré les dommages causés par Napoléon. Her-nando Pizarro, conquérant de l'empire des Incas, est né à Trujillo en 1478.

Espagne
Europe

Palais du musée de Dalí ❶
Figueres

Si vous arrivez par l'autoroute du Nord en Catalogne, quittez-la troisième sortie et visitez Figueres, la ville natale de Salvador Dalí (1904–1989), auquel beaucoup de gens trouvent un grain de folie. L'artiste peintre s'est lui-même bâti ici un musée, et ses œuvres ne sont nulle part ailleurs aussi bien mises en relief qu'en ce lieu, qu'il créa pour leur donner personnellement un cadre. L'extérieur déjà, une forteresse rouge à pois dorés, bâtie sur un ancien théâtre et surmontée de gigantesques œufs, suscite à la fois les hochements de tête et l'enthousiasme et n'est qu'un avant-goût de ce qui attend le visiteur à l'intérieur. Laissez-vous surprendre.

Castellfullit de la Roca ❷

Les châteaux ne sont pas seuls à donner un sentiment de sécurité, certains paysages y pourvoient aussi. Le village de Castellfullit, au-dessus de la rivière *Fluviá*, profondément creusée dans le basalte à l'extrême nord de l'Espagne (à une bonne centaine de kilomètres au nord de Barcelone), est juché comme une forteresse non fortifiée sur un promontoire rocheux de un kilomètre et demi, et surplombe à une hauteur de plus de cinquante mètres la verte vallée. Nul n'approche sans être vu, ce qui fut un énorme avantage. Aujourd'hui la vue qui s'offre au visiteur d'en haut compense l'effort de la montée.

Castillo Cardona ❸

Les Maures (Sarrasins) et les Espagnols ne se combattirent pas toujours à mort, ils eurent aussi des époques de coexistence pacifique, comme celle où Adalés, fille du duc de Cardona, au nord-ouest de Barcelone, s'éprit d'un prince arabe. C'était cependant trop de fraternisation, même pour des chrétiens, et la jeune fille fut incarcérée au château, dans la tour de la Mignonne (*torre de la minyona*). Elle mourut, à peine libérée, au bout de quelques années. Son père pria sans doute pour elle dans la belle église romane Saint-Vincent (ci-contre au premier plan).

Casa Batlló ❹
Barcelone

Avec ses balcons semblables à des masques, ses tourelles à bulbes, en forme de champignon, son toit en écailles bleues et son faîte tel le dos d'un saurien, la *Casa Batlló* (1907) suscite des sentiments mitigés. L'admiration pour le langage des formes, bravant toutes les convenances, de l'architecte catalan Antonio Gaudí (1852–1926) domine, bien sûr. Mais beaucoup à qui le regard de basilic du palais couleur clair de lune semble trop exotique et sinistre ne savent pas trop

que penser de cette maison de sorcière. Cela vient aussi de l'étrangeté des éléments que Gaudi emprunta au gothique catalan et au style arabe inspiré de l'art mudéjar.

Casa Mila ❺
Barcelone

On cherche instinctivement les grimpeurs sur ce palais de cinq étages de 1910 simulant une paroi rocheuse que campa l'architecte catalan Antonio Gaudí (1852–1926) au cœur de cette ville partout ailleurs si élégante et si digne. Sa version de l'Art nouveau, empreinte d'influences arabes, développa des formes fabuleuses, de bizarres balustrades et de

curieuses sculptures, comme ce banc sur le toit. Des admirateurs ultérieurs comme Fritz Hundertwasser appréciaient dans le style de Gaudí la mobilité et l'effort méritoire d'avoir lutté contre la dictature de l'angle droit. Le renflement vital donne du mouvement à tout le corps d'édifice.

Palau Real de Predalbes ❻
Barcelone

De l'édifice du palais royal de Predalbes dans la métropole catalane se dégage un air d'élégance, de gaieté et de paix, bien qu'il y ait souvent du bruit dans les environs, quand un match de football a lieu au stade Nou Camp « Barca », comme les fans appellent leur club FC Barcelone. Et comme il gagne souvent, la jubilation est souvent bruyante et interminable. Mais les réceptions de

Sa Majesté le roi Juan Carlos, lui-même un fan, et donc indulgent, ne semblent pas en souffrir. Les murs du bâtiment classique sont si épais, que l'on peut, malgré le bruit extérieur, admirer tranquillement la grande collection d'art, et y mener de fines conversations.

Palau Nacional ❶
Barcelone

Les imitations de styles de construction sont toujours plus accusées que l'original. Le palais national de la capitale catalane fut dressé à l'exposition de 1929 dans un habit néobaroque qui lui donne un air pompeux. Et pour que tout le monde le voie bien, on le plaça sous le sommet du palais de Montjuich. Les mauvaises langues disent que le palais n'est beau qu'à l'intérieur parce que c'est le seul endroit d'où on ne le voit pas. C'est exagéré, mais il y a là un brin de vérité, car à l'intérieur, il est vraiment beau. On y admire une exposition d'art médiéval de la région du Musée des arts catalans, ainsi que des œuvres de grands artistes ultérieurs comme Goya ou Zurbarán.

Hôtel de ville de Barcelone ❷

Le bâtiment de la Placa St. Jaume, dans lequel le Conseil de la ville de Barcelone tient ses séances catalanes et gouverne la commune, est empreint d'un classicisme qui se veut digne et sobre. Sans renoncer complètement à l'ornemental, on l'employa avec parcimonie. Au-dessus des armoiries sur le toit, flottent les drapeaux du pays, de la région et de la municipalité, le relief au-dessus de la porte du balcon ne se remarque presque pas, les saints qui symbolisent la bénédiction du ciel flanquent le portail dans des niches. La gravité de la façade à colonnes est ainsi davantage mise en valeur que sur des palais surchargés d'ornements.

Sagrada Familia ❸
Barcelone

L'architecte catalan Antonio Gaudí (1852–1926) se mit à l'âge de trente ans à dresser sa « prière de pierre », la cathédrale *Sagrada Familia* à Barcelone. L'inachèvement de l'œuvre faisait manifeste-ment partie de son plan, car elle attend encore aujourd'hui d'être achevée, malgré les efforts de nombreux artistes. Ou alors, elle ne le sera jamais, car les Barcelonais préfèrent une prière inachevée. Aucun effort humain entrepris pour finir ce sanctuaire n'alla jusqu'au bout. Le palais sacré de l'artiste original n'est-il pas admirable tel qu'il est, avec son fili-grane de pierre et ses tours dressées vers le ciel ?

Espagne
Europe

Castel Vulpellac ❶

Au sud de la ville natale de Dalí, Figueres, s'étend à l'extrême nord de l'Espagne la plaine fertile de l'*Empordà* (*Ampurdán* en catalan). Les grands de ce monde développèrent de tous temps de grands appétits pour les terres riches, et afin de ne pas être mangé on se ménageait des points d'appui. Les hauteurs dignes de ce nom faisant ici défaut, on construisit, pour bien contrôler la situation, sur le plat, avec des murs épais, aptes à recueillir les habitants des localités comme Vulpellac (Forallac), à l'est de Girona, qui se groupa autour du château et de l'église, également fortifiée. Ces deux édifices dominent la plaine depuis plus d'un millénaire.

Château de Peñiscola ❷

Sur une presqu'île rocheuse de la Costa dels Tarongers, dans la province de Castellón, reliée au littoral par une langue de terre sableuse, se dresse une imposante forteresse, bâtie au XIIIe siècle, qui surplombe un dôme et Peñiscola, grimpant vers elle en gradins. Un pape, ou quelqu'un qui se prit pour tel, y résida. L'Espagnol Benoît XIII n'avait pas été correctement élu Saint-Père en 1394 et fut destitué. Il se réfugia dans cette forteresse et y régna comme antipape jusqu'à sa mort en 1423 à l'âge de quatre-vingt-quinze ans. Dans la région, on l'appelle gentiment « Papa Luna ». L'Église, elle, ne le compte pas au nombre des papes.

Palais Llotja ❸
Valence

La métropole de Valence, articulation entre la Costa dels Tarongers et la Costa Blanca, fut toujours un port de commerce. La halle de la soie (*La Lonja de la Seda*), appelée par le diminutif *Llotja,* est un monument élevé à cette tradition dans une vieille ville par ailleurs richement munie d'édifices gothiques. Construit entre 1482 et 1533, le palais est principalement en gothique flamboyant, qui transparaît notamment dans les sculptures et les fenêtres en ogive. L'édifice se compose de trois parties : la halle du commerce, la tour et ledit consulat. Des colonnes en spirale portent avec légèreté la salle de la Bourse, l'escalier monte en hélice dans la tour, le plafond de stuc du consulat se voûte merveilleusement.

Palais gouvernemental de Valence ❹

La place de la Sainte Vierge, Plaza Virgen, à Valence, est gaie et animée. Le palais Renaissance du gouvernement régional eut parfois du mal à se faire respecter comme un patriarche observant d'un œil sévère l'agitation à ses pieds. Afin de ne pas faire figure de rabat-joie, il laisse gaiement flotter la bannière espagnole et le drapeau de la province, à son faîte. L'arbre qui pousse en biais devant ses fenêtres cache la vue des fonctionnaires sur les badauds. La démocratisation n'a rien enlevé à la somptuosité de l'ancien édifice, qu'habite un gouvernement moderne et respectable.

Forteresse de Xàtiva ❺

1492 fut une année très chargée en événements. Grenade fut prise par les Rois Catholiques ; c'était le dernier bastion mauresque sur la péninsule ; Christophe Colomb découvrit l'Amérique ; et Rodrigo de Borja fut élu pape (Alexandre VI). Un Saint-Père qui ne mena pas une vie très sainte, mais, quoi qu'il en soit, avant d'être pape, était évêque de Xàtiva, au sud de Valence, une jolie petite ville, avec un merveilleux château. Remparts et chemins de ronde s'étirent à flanc de montagne jusqu'au cube central au sommet, à trois cents mètres au-dessus de la ville, où se dressa déjà une forteresse du temps des Romains, des Wisigoths et des Maures, que prirent les chevaliers chrétiens.

Espagne
Europe

Forteresse de Cullera ❶
environs de Valence

Un phare, à trente kilomètres au sud de Valence, signale déjà de loin le littoral et Cullera derrière le dernier lacet. Le château musulman est ce que l'on aperçoit en premier, mais ce n'est pas le plus vieux vestige de la région. Les Carthaginois, puis les Romains y résidèrent déjà. Aucun vestige n'est cependant aussi frappant que cette forteresse de la *Costa Blanca*, avec son donjon, bel édifice païen du baroque qui, surmonté d'un comble chrétien, ne célèbre qu'avec retenue la victoire sur les anciens châtelains islamiques.

Château de Dénia ❷

Il n'est pas très haut, mais surplombe la petite ville portuaire de Dénia sur la Costa Blanca, à mi-chemin entre Valence et Alicante, à une hauteur, militairement parlant, suffisante. Le cœur de la forteresse est d'origine arabe, comme c'est souvent le cas dans la région, mais, les siècles passant, ils laissent leurs traces. Remarquables sont notamment la *Torre de Consell* (XVᵉ siècle) et le Palais du gouverneur (XVIᵉ et XVIIᵉ siècles), où se trouve aujourd'hui le Musée archéologique, qui expose des objets évoquant l'histoire de Dénia de l'Antiquité aux Temps modernes. Le château, monumentale coulisse, se prête aux manifestations culturelles et autres divertissements qui ont fréquemment lieu sur cette toile de fond.

Castillo de Almansa ❸

Un monument, à une heure de route au nord-ouest d'Alicante, demande qu'on s'y arrête. Le château, bâti par les Arabes au IXᵉ siècle pour défendre leur conquête, et empêcher que d'autres ne s'emparent de la péninsule, domine la localité d'Almansa, avec ses petites maisons blanches blotties contre la roche, menace suspendue dans la nature, qui fut longtemps efficace. Mais l'ennemi, des chevaliers chrétiens qui prirent la forteresse au début du XIIIᵉ siècle, malgré l'épaisseur de ses murs et la difficulté d'y monter, n'arriva pas de la Méditerranée, mais du Nord. Des travaux de réhabilitation entrepris peu après lui donnèrent son aspect actuel.

Château de Petrel ❹

Si vous êtes las de passer vos journées sur les plages blanches, si jolies soient-elles, de la Costa Blanca, une excursion à trente kilomètres d'Alicante, à proximité d'Elda, au château de Petrel, en vaut la peine. La montée jusqu'aux créneaux de cette imposante forteresse mauresque demande une bonne condition physique, mais l'effort fourni est vite oublié en haut, devant le paysage montagneux et le château, témoin d'une époque marquée par les guerres, qui dut se défendre long-temps des agresseurs chrétiens avant d'être pris et transformé au XIIIe siècle par les conquérants.

Château de Villena ❺

Tel un bon pasteur et ses brebis, la forteresse attira sous son aile les habitations qui se groupaient autour d'elle, comme à Villena, à une cinquantaine de kilomètres au nord-ouest d'Alicante. Son château, bâti au sommet d'une montagne, contrôle depuis le Moyen Âge toute la vallée du Vinalopó. La province n'était alors pas aussi paisible qu'elle l'est aujourd'hui. L'issue des combats était encore indéterminée. Qui aurait le dessus ? Les Maures ou les chrétiens ? Plus tard, les fréquents litiges entre les princes et les rois de certaines provinces d'Espagne légitimèrent les forteresses. Aujourd'hui, le château se contente de rester une belle ruine sans autre fonction que d'être belle.

Castillo Santa Bárbara ❻
Alicante

Du haut du Benacantil, où se trouve le château d'Alicante, les visiteurs voient davantage l'azur de la Méditerranée reflétant un ciel sans nuages, que les plages blanches de la Costa Blanca. Le château s'appelle Sainte Barbara parce que c'est le jour de sa fête de cette dernière le 4 décembre 1248, qu'il fut prise aux Arabes par le roi Alphonse X le Sage. Le souverain, petit-fils de Philippe de Souabe, créa les liens intimes de son État avec l'Allemagne. Ils se traduisent aujourd'hui par un flot continuel de touristes irrémédiablement attirés au château qu'il conquit.

Forteresse de Lorca ❶

La haute tour se dressant derrière les remparts de la forteresse de Lorca, à soixante-dix kilomètres au sud-ouest de Murcia, donne au château un air de vaisseau échoué voila des millions d'années et pétrifié. Du haut de la tour, on arrive à voir au loin la Méditerranée par temps clair. C'est aux qualités inestimables qu'avait en temps de guerres un tel point de vue que l'on doit sa reconstruction, après les guerres mauresques au XIIIe siècle par Alphonse X de Castille.

Fort Sax ❷

Ce fort est l'une des fortifications du Moyen Âge les mieux conservées de la péninsule Ibérique. Sur la Costa Blanca, près de Novelda, au nord-ouest d'Alicante, il surplombe, du haut d'un rocher, la localité de Sax regroupée autour de lui. Il resta très longtemps solitaire dans le paysage montagneux, car la région était des plus dangereuses au temps de la Reconquista, la reconquête de la péninsule Ibérique aux mains des musulmans entreprise par les chrétiens aux Xe et XIe siècles, et achevée en 1492. La région, que le fort protégeait, fut l'une des plus dévastées. Ceux qui y avaient trouvé refuge ne se sentirent en sécurité qu'après la victoire espagnole.

Castillo de las Cinco Esquinas ❸

Cazorla et son château Cinco Esquinas se trouve à neuf cents mètres d'altitude, dans la région des sources du Guadalquivir, la Sierra de Segura. On appelle « fort à cinq angles », des forts plantés dans ces arides paysages montagneux il y a des siècles pour monter la garde. C'est de cette base que partirent à la fin du XVᵉ siècle les troupes de Ferdinand II le Catholique et d'Isabelle de Castille à la conquête du dernier bastion mauresque à Grenade. Aujourd'hui, la forteresse veille, du haut de ses tours, sur l'activité touristique et sur les habitants de cette région de Cazorla, de Segura et de Villas, au cœur du plus grand parc naturel espagnol.

Castillo de Santa Catalina ❹
Jaén

Les vestiges d'une fortification mauresque surplombant Jaén, en Andalousie, à une centaine de kilomètres au nord de Grenade, se dressent dans un ciel presque toujours bleu. Le château fut conquis en 1246 par Ferdinand III, appelé le Saint pour cette raison. L'on ne s'étonne pas que la prise de Grenade durât encore deux siècles et demi. Le château est la preuve du génie des bâtisseurs mauresques en matière de bastions inexpugnables. Juché au sommet de l'abrupt Cerro de Santa Catalina, il est impossible à escalader l'été parce que la roche est brûlante. Il ne fut détruit qu'au XIXᵉ siècle par les troupes napoléoniennes, qui firent du château cette romantique ruine.

Alcazaba ❺
Almería

Almería, port sur la Costa del Sol, est blotti dans un paysage de récifs et de falaises creusées par la mer, interrompu de petites baies. Le danger menaçant autrefois d'en haut, les Arabes, maîtres du pays au Xᵉ siècle, bâtirent la forteresse d'Alcazaba comme poste de garde en haut des falaises. Elle n'empêcha pas la Reconquista espagnole, mais elle était si résistante qu'elle ne commença à s'effriter qu'en 1522, lors d'un tremblement de terre. Sachant que les vieux châteaux attirent les touristes, les conseillers municipaux en firent restaurer quelques bastions. Une restauration réussie.

Espagne
Europe

Alhambra ❶
Grenade

Les Espagnols chassèrent les Arabes, mais n'hésitèrent pas à utiliser leurs précieuses constructions après la Reconquista. Le couple royal Ferdinand le Catholique et sa femme Isabelle occupa l'Alhambra, le « palais rouge » des souverains mauresques, sans y toucher, après que Grenade, dernier bastion islamique, fut tombée en 1492 aux mains des Espagnols. Charles Quint l'augmenta d'un palais, sans en altérer le caractère, et le charme oriental du site ravit aujourd'hui encore le visiteur. Culture et nature s'allient, dans ce plus bel exemplaire d'architecture islamique en Europe, en une intime harmonie. Dans la célèbre cour des Lions (*Patio de los Leones*), l'eau et ses arrangements des plus artistiques jouent un rôle au moins aussi important que dans les jardins.

Espagne
Europe

Castillo La Calahorra ❶
environs de Guadix

Nul n'approche sans être vu de cette forteresse, perchée sur un tertre dénudé à une cinquantaine de kilomètres à l'est de Grenade. Les hauts remparts sont flanqués de quatre tours rondes surmontées de dômes. L'allure militaire du château, à l'extérieur, s'estompe à l'intérieur, que des bâtisseurs italiens de la Renaissance ont revêtu de marbre, et pourvu de belles arcades. Un merveilleux palais d'où le panorama au sud sur les hauts sommets, généralement couverts de neige, de la sierra Nevada, vaut son pesant d'or.

Fort Gibralfaro ❷
Málaga

Qui est parvenu à monter jusqu'à ce château du Moyen Âge est aux premières loges pour voir s'étendre à ses pieds la ville de Málaga, sur la Costa del Sol, au bord de la Méditerranée. Il dépasse même en hauteur la forteresse mauresque Alcazaba, ouvrant d'autres perspectives sur le littoral et l'intérieur des terres. Derrière les créneaux, le visiteur imagine très bien ce que ressentirent ceux qui venaient s'y protéger des agresseurs. C'est sans doute en vain qu'ils tentèrent généralement de le prendre d'assaut, l'avantage du site élevé n'ayant pu être compensé que par l'avantage du nombre. Dans ce cas, il eût fallu prendre en compte d'énormes pertes. Gibralfaro ne connut de graves dommages que sous les bombardements aériens pendant la guerre civile espagnole dans les années 1930.

Alcazaba ❸
Málaga

La Costa del Sol, au Sud de l'Espagne, ne connut pas que des beaux jours. Málaga, jadis important centre musulman, fut exposée aux agressions bien avant d'avoir à résister aux troupes chrétiennes. Des souverains arabes rivaux, venus d'Afrique, tentèrent régulièrement des attaques. Les bâtisseurs de forteresses islamiques, d'habiles architectes, élevèrent au XIIIe siècle, pour se protéger de ces attaques continuelles, Alcazaba, une gigantesque forteresse grimpant à flanc de montagne, dotée de cent dix tours principales et de vingt-deux tours secondaires. Tout en haut, se dressait une citadelle. Le complexe tomba en ruine après la Reconquista espagnole (1492) et ne fut restauré qu'au XXe siècle. La verdure atténue un peu son air martial.

Espagne
Europe

Château d'Almodóvar del Rio ❶

Les Maures avancèrent en Espagne au VIIIe siècle. Leur domination ayant été au début incertaine, ils commencèrent à construire des forteresses, comme ce château, à quelques kilomètres de Cordoue, en aval du Guadalquivir. Les sources font remonter à 740 le début de sa construction, qui dura probablement des années, si ce n'est des décennies, vu la grandeur du fort, le nombre de tours, et le site élevé sur un rocher à cent mètres au-dessus de la plaine. Les bâtisseurs connaissaient, en tout cas, bien leur métier. Au XIIIe siècle, Ferdinand III de Castille assiégea pendant quatre ans le château d'Almodóvar, avant que les occupants se rendent. La forteresse, longtemps laissée à l'abandon, est maintenant rénovée et appartient à l'*Opus Dei*.

Palais de Jabalquinto ❷
Baeza

Même si l'on n'aime pas le multiculturel, on sera séduit par la petite ville médiévale de Baeza, toujours endimanchée, au sud-est de Linares et au nord de Jaén. Les éléments arabes s'y marient avec les éléments chrétiens espagnols, donnant un style mélangé d'ornements orientaux et de formes gothiques. Le palais, ancienne résidence d'un prince de la province de Jabalquinto, illustre à la perfection le mariage des arrondis des arcs de l'architecture arabe et de l'austérité presque sacrale des colonnes et des fenêtres. Les architectes catholiques continuèrent à faire des emprunts auprès de leurs homologues islamistes, bien après la fin de la domination mauresque, comme le montre ce palais.

Château d'Espejo ❸

Les troupes de la Reconquista espagnole assuraient, à mesure qu'elles avançaient, les terres prises aux Arabes (Maures), établis là depuis 711, par des forteresses. Le complexe fortifié d'Espejo, près de Cordoue, du XIVe siècle, se trouve, comme toujours, sur un site exposé au sommet d'une colline, d'où l'on voyait arriver de loin les forces adverses. Comme partout ailleurs, la localité d'Espejo se rassembla autour du château, faisant paraître les maisons blanches comme de paisibles brebis autour de leur bon pasteur. Les créneaux et le donjon ont un air menaçant. L'église à gauche fait partie de l'ensemble.

Château arabe ❹
Antequera

À une cinquantaine de kilomètres au nord de Málaga et de la Costa del Sol, à l'intérieur des terres, la coquette petite ville d'Antequera, presque encore médiévale avec ses nombreux clochers, s'appuie contre une vénérable forteresse. Le châ-

teau, d'apparence anguleuse, domine le paysage, sauf un rocher de huit cents quatre-vingts mètres de haut, *La Peña*, ou « le saut de l'amour ». Selon la légende, des soldats mauresques auraient mis un couple mixte (musulman et chrétien) devant l'alternative, soit de renoncer à leur amour, soit de sauter du rocher. Ils sautèrent. Le château, construit au début

de l'époque arabe (VIIIᵉ – IXᵉ siècle) par des Maures assurant leur progression vers le nord par des forteresses, ne lègue pas de si romantique légende.

Espagne
Europe

Tour La Calahorra ❶
Cordoue

Les Maures arabes dominèrent le sud de l'Espagne pendant plus de cinq cents ans et marquèrent de leur empreinte l'architecture de villes comme Cordoue. La *Torre La Calahorra*, plus un château d'ailleurs qu'une tour, sur un pont romain traversant le Guadalquivir de l'autre côté de la vieille ville, avec la cathédrale, est imposante. Elle fut dressée par des architectes de la dynastie des Omeyades en vue de protéger le passage du fleuve. La présence aujourd'hui dans la Tour d'un Institut pour le dialogue multiculturel, sied au passé romain, arabe et espagnol du site. Un musée retrace avec des effets multimédias la vie quotidienne dans la ville mauresque un millénaire auparavant.

Alcázar ❷
Cordoue

Alphonse XI, roi de Castille et de León, était fier de son surnom « le Vengeur » et se considérait comme le restaurateur de l'honneur chrétien en Espagne. Monté sur le trône à l'âge de un an, il prit en main les affaires du gouvernement à seize ans. L'un de ses premiers actes officiels fut d'ordonner la construction d'une forteresse à Cordoue, tout juste reconquise. Ce vaste palais demeura la résidence des Rois Catholiques jusqu'à la fin de la Reconquista. Le nom mauresque indique que, tout en combattant impitoyablement les musulmans, on tenait leurs enseignements pour précieux. L'architecture et le génie sanitaire s'en inspirèrent, comme dans les merveilleux bains arabes du château.

Alcázar ❸
Séville

Les Phéniciens fondèrent la ville sous le nom de Hispalis, les Romains la reprirent en 45 avant J.-C., les Vandales arrivèrent en 411, les Arabes en 712 et, depuis 1248, elle est castillane sous le nom de Séville. Les accents arabes sont manifestes, malgré toutes les empreintes chrétiennes qui recouvrirent la ville depuis. L'Alcázar (palais royal) en est le plus bel exemple. Du bâtiment, dressé par la dynastie des Almoravides, il ne reste plus, à l'état originel, que la cour de Yeso. Les transformations du XIVᵉ siècle n'éliminèrent cependant pas le cachet arabe du palais. Au contraire, l'art mudéjar, mélange de formes islamiques et gothiques, fut mis en valeur. Les graciles arcades des jardins en sont un témoignage.

Plaza de España ❹
Séville

L'architecte Hannibal Gonzalez reçut l'ordre d'aménager, pour l'Exposition ibéro-américaine de 1929, la *Plaza de España* sur un lac artificiel dans le parc Maria-Luisa à Séville. Il ceintura l'eau d'un palais cintré en hémicycle, fit enjamber les bras du lac de ponts en arc et drapa les bancs de brique des allées d'une mosaïque de carreaux et d'éléments d'architecture populaire. Ils représentent les provinces espagnoles avec leurs armoiries et leurs symboles respectifs. L'édifice se termine par deux tours très particulières.

L'abondance d'ornements s'inspire tant de l'art mudéjar arabe et gothique que d'un baroque espagnol exacerbé et exubérant, qualifié de churriguéresque.

Forteresse de Tarifa ❺

Il est erroné de croire que l'extrémité méridionale de l'Europe est Gibraltar. Tarifa, un peu plus au sud, fut et reste aujourd'hui pour cette raison un point chaud. Le détroit de Gibraltar, reliant l'Europe à l'Afrique est, avec seulement treize kilomètres quatre cents, le passage le plus étroit et donc le plus facile à franchir, entre les deux continents. Les Vandales conquirent d'ici l'Afrique en 429 sous la conduite de Geiséric. Les Arabes (Maures) arrivèrent plus tard en sens inverse, et y établirent une domination de six cents ans. Ils dressèrent le fort se trouvant aujourd'hui dans le port, qui conserva un rôle éminent après la Reconquête (1492), le danger de flottes ennemies en provenance de l'Afrique ayant encore longtemps menacé.

Palais d'Almudaina ❶
Palma de Majorque

L'île préférée des Allemands d'aujourd'hui fut, avant eux, appréciée des Romains, puis des Arabes, qui trouvèrent de bonnes fondations pour dresser à leurs vizirs de somptueux palais, comme le palais d'Almudaina, sur la baie de Palma de Majorque. Bâti au Xᵉ siècle, il fut transformé au XIVᵉ par les Espagnols, notamment à l'intérieur. À l'exception d'un ange juché au faîte de la tour, l'extérieur porte encore nettement les traits de l'architecture mauresque. Ainsi bénie, semble-t-il, et digne d'une résidence chrétienne, la salle du trône est encore aujourd'hui la salle d'audience de Juan Carlos et de la reine Sophie.

Castell de Belver ❷
Palma de Majorque

La Méditerranée, de *Medius* (au milieu) et *terra* (terre), fut, comme son nom l'indique, de tous temps au centre des événements. L'histoire des îles de Méditerranée est très mouvementée. Majorque n'est pas convoitée que depuis l'ère du tourisme, si bien que l'architecture fortifiée y fut très tôt développée, comme le montre le castel, achevé en 1309, surplombant la capitale des îles Baléares. Du haut de ce belvédère, la vue s'étend sur l'horizon, mais il est, lui aussi, pittoresque, aperçu de loin à travers le paysage printanier en fleurs.

Ancienne Bourse ❸
Palma de Majorque

Nul ne se rend sur l'île de rêve des vacanciers pour son architecture gothique, mais on ne peut passer à côté de la cathédrale, admirée de tout le monde. L'autre joyau, en revanche, qu'est la vieille Bourse, surnommée *Llotja*, est plus caché et n'est découvert que par les connaisseurs. Commencés en 1426, les travaux durèrent un quart de siècle sur cet édifice d'une grande finesse, aux fenêtres hautes, aux fenêtrages ciselés, et pourvu d'un hall de quarante mètres sur vingt-huit. C'était, au temps où la Méditerranée jouait le rôle éminent qu'elle céda plus tard à l'Atlantique, un des plus grands centres de commerce. Aujourd'hui, l'édifice au portail engageant, contient des expositions d'art.

Fortifications d'Alcudia ❹
Majorque

Les armes s'entrechoquèrent plus d'une fois à Majorque. Mais les guerres modernes, heureusement, l'épargnèrent, dans l'ensemble. De très anciennes fortifications parent encore les vieilles villes de Majorque. Des fouilles révélèrent qu'Alcudia, la plus septentrionale, où furent trouvées des traces de vie romaine, fait partie des plus vieilles cités. Ses remparts du Moyen Âge sont beaucoup plus jeunes, mais pas moins admirables, avec leur respectable porte principale flanquée de deux tours trapues. Ces témoignages d'une vieille civilisation diversifient le séjour de qui vient passer ses vacances sur les plages de sable fin de la baie d'Alcudia, au sud de la ville.

Château d'Artà ❺
Majorque

La chapelle, construite vers 1800, s'est adaptée, architecturalement, au château, existant depuis un millénaire. Les maîtres de l'île, sous domination arabe, avaient posté, au-dessus d'Artà et du littoral oriental de Majorque, un point de vue fortifié qui se développa en un grand fort. Le site permettait non seulement de surveiller la traversée de Minorque à Majorque, mais offrait aussi un panorama qui sans doute attira les moines qui rattachèrent l'église au vieux château. De nos jours, les visiteurs sont attirés par les trois charmes de cet endroit : l'église, les remparts mauresques et la vue sur la Méditerranée.

Palais épiscopal ❶
Porto

À Porto, sur la rive droite du Douro, un groupe de maisons pittoresques grimpe à flanc de montagne jusqu'au sommet, que dominent plusieurs églises, la cathédrale du XIIᵉ siècle, maintes fois transformée, et le palais épiscopal. Le port, qui donna son nom au célèbre vin, a l'air un peu disproportionné, mais séduit par ses fortifications. La vue d'en bas sur cet ensemble suffit à la plupart des visiteurs, que les bars à vins attirent plus que la grimpée pour voir des édifices beaucoup plus impressionnants de loin que de près. À cela s'ajoute que la promenade et ses alentours est très animée, tandis qu'on ne rencontre, en haut, que des touristes.

Solar de Mateus ❷
Vila Real

Dans ce grand étang de deux mille mètres carrés, plein de cygnes, se reflète à quatre kilomètres à l'est de Vila Real, au cœur de la région vinicole de Porto, un palais d'une somptuosité à la fois orientale et baroque. Solar de Mateus est nommé d'après les propriétaires du château, qui en habitent encore aujourd'hui une aile. Les autres sont ouvertes au public, ainsi que le merveilleux parc naturel très bien entretenu. Les amis de l'architecture sacrée ne repartent pas non plus les mains vides, car la chapelle baroque rattachée au château, qui ne peut bien sûr pas se mesurer aux grandes cathédrales, n'en est pas moins un incomparable joyau.

Château de Buçaco ❸

Deux cent mille bouteilles sont mises en cave dans le château de Buçaco, à quelques kilomètres au nord de Coimbra. Mais la beauté de l'édifice de style néomanuélin, construit en 1887, grise le visiteur avant qu'il s'en soit fait ouvrir une seule. Le mélange des styles tourne d'ailleurs aussi un peu la tête. L'intérieur n'a rien à envier à l'architecture du château, avec son mobilier de choix, son aménagement des plus fins et le confort qu'il offre aux clients qui en ont les moyens. Il héberge, depuis le début du XXᵉ siècle, un hôtel de luxe. Les jardins, avec leur étang peuplé de cygnes, mènent rapidement au cœur d'une forêt féerique. Des moines y plantèrent au XVIIᵉ siècle sept cents espèces d'arbres du monde entier.

Couvent du Christ ❹
Tomar

L'UNESCO prit ce château irrésistible sous son aile, en le déclarant patrimoine culturel mondial. Commencé en 1169 au-dessus de la petite ville de Tomar dans le district de Santarém, puis agrandi en 1356 par l'ordre du Christ, il s'étire sur toute la largeur de la crête d'une montagne, où les Romains avaient déjà bâti un château. Les chevaliers les imitèrent, et la région, gâtée par la nature, se peupla. Les hommes se sentaient en sécurité à l'abri d'une forteresse et de l'église du couvent du Christ. Aujourd'hui le danger de guerre est banni, mais on aime, à Tomar, lever les yeux depuis la place de la République, avec sa statue, vers le fort médiéval.

Palais de Queluz ❺
Lisbonne

Le palais de Queluz, construit pour le futur Dom Pedro III et achevé en 1758, est un palais royal dans tous les sens du terme. De style classique, dans l'ensemble, le vaste édifice blanc porte encore quelques traits baroques, dans le pignon, très abondamment décoré, et au-dessus des hautes et somptueuses fenêtres. Les sculptures, sur le toit, sont empreintes d'une légèreté badine. Le cadre de verdure composé par les jardins et le parc très bien entretenus depuis l'époque de la construction fait que Queluz est souvent comparé à Versailles, cependant beaucoup plus grand et plus vieux.

Portugal
Europe

Cabo da Roca ❶

Une croix à Cabo da Roca, la pointe la plus occidentale d'Europe qui surplombe à cent quarante mètres d'altitude les flots se brisant sur son promontoire, porte l'inscription : *Onde a terra se acaba e o mar começa* (Où la terre s'achève, et où commence la mer). Les Irlandais sourient, car *Slea Head,* sur la péninsule de Dingle, saillit plus à l'ouest encore. Les Portugais, à leur tour, haussent les épaules et disent : « L'Irlande ? C'est une île ! » Ici, nous sommes à l'extrême pointe du continent, à neuf degrés trente minutes de longitude ouest et trente-huit degrés quarante-sept minutes de latitude nord. Les marins qui passent devant le phare, en venant de Lisbonne, pour prendre la route du Nouveau Monde, savent qu'ils sont en train de quitter le Vieux Continent. Le visiteur peut se faire délivrer un certificat de sa visite.

Château de Monserrate ❷
environs de Sintra

Le visiteur de Sintra, à quelques kilomètres à l'ouest de Lisbonne, ne serait pas étonné de croiser Louis II de Bavière en voyant trôner ce château, pas aussi grand que ceux de Bavière, mais au moins aussi somptueux. Celui qui réalisa ici son rêve architectonique n'était que baron, mais allemand, comme le roi de Bavière. Herr von Eschwege commença son palais en pleine verdure en 1840, dans un style « entre Neuschwanstein et Disneyland », disent les connaisseurs, sur un ton un peu méprisant. La majorité des visiteurs apprécient néanmoins ce mélange d'Orient, de néogothique, de romantique et d'édifice à dôme.

Palacio nacional da Pena ❸
Sintra

« Cool », disent les jeunes visiteurs en arrivant dans la belle et verte ville de Sintra, à l'ouest de Lisbonne. Ils apprécient le palais d'été de la reine Amélie, construit vers 1840 dans le style néogothique courant à l'époque. Il domine la ville, de sa structure complexe, et l'on y accède par une route en lacets, de préférence en taxi. En haut, on jouit d'une belle vue et des somptueux intérieurs de la famille royale de jadis, aussi éclectiques que l'extérieur, mais aussi impressionnants, avec leurs décorations en stuc, leurs fresques aux plafonds, leurs toiles de diverses époques et leur mobilier de choix.

Castelo de São Jorge ❹
Lisbonne

L'on n'a de nulle part ailleurs une aussi belle vue sur la capitale du Portugal. Construit du temps des Maures, le château fut jusqu'en 1511 le pivot de Lisbonne. La cour s'en fut alors sur le Tage, dans son nouveau palais, sur la *Praça do Commercio*, et le castel fut laissé à l'abandon. Les tremblements de terre, notamment celui de 1755, aggravèrent encore l'œuvre du temps, jusqu'au jour où l'on prit conscience, à la fin des années 1930, de la valeur historique qui tombait en poussière. On commença à le restaurer et les visiteurs du monde entier y trouvent aujourd'hui un complexe qui parle de manière authentique, pour l'avoir vécu, du grand passé de la ville qui s'étend à ses pieds.

Torre de Belém ❺

La *Torre de Sao Vicente*, mieux connue sous le nom de *Torre Belém*, du nom du quartier de Lisbonne, semble inlassablement dire adieu à qui part de Lisbonne, et bonjour à qui y arrive. À l'embouchure du Tage, elle est reliée aujourd'hui à la terre ferme. Manuel Ier le Grand, roi du Portugal, fit construire la tour, ainsi qu'un couvent des hiéronymites des environs dans le style manuélin. La tour, achevée en 1521, protégeait l'entrée du port Restelo. Le touriste d'aujourd'hui y voit plutôt un monument symbolique de l'âge d'or du Portugal, du temps où elle était grande puissance maritime et patrie d'audacieux explorateurs, qui trouvèrent d'abord la route des Indes, puis celle du Nouveau Monde, peu après Christophe Colomb.

Palacio nacional da Ajuda ❻
près de Belém

Le tremblement de terre de 1755 à Lisbonne bouleversa toute l'Europe, semant la panique parmi ceux qui furent directement touchés. La famille royale fuit à la campagne au nord de Belém et se réfugia dans des logements provisoires. Son palais, commencé en 1802, fut situé sur la *Calçada da Ajuda* par crainte d'un nouveau seisme. Des troubles politiques ayant fait durer les travaux pendant presque soixante ans, il ne fut prêt qu'en 1861. C'est un bâtiment trapu, relativement sobre et classique, accueillant aujourd'hui des réceptions officielles et le public. La chambre bleue de la reine est particulièrement belle. Le palais contient en outre de riches collections de tapisseries, de toiles de peintres flamands, de lustres, de porcelaine, de vases chinois, et de beaux meubles.

Russie
Europe

Palais d'Hiver ❶
Saint-Pétersbourg

Sa Majesté va sortir dans un instant de sa modeste demeure, le cocher ouvrira la portière, puis un signe de main gracieux, et c'est parti pour la promenade quotidienne. Cette scène s'impose encore aujourd'hui au visiteur du beau palais d'Hiver des tsars sur la Neva, sans qu'il le veuille. Le palais, commencé en 1754 et construit en dix ans, porte la signature de l'architecte italien Bartolomeo comte Rastrelli (1700–1771), bâtisseur à la cour depuis 1736 et au moins aussi habile de ses mains que le jongleur qui portera plus tard presque le même nom. Rastrelli créa le style inimitable du baroque russe, caractérisé par l'amour du décor et de la couleur.

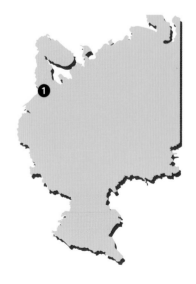

Russie

Europe

Château de Wyborg ❶

Les sites frontaliers ont un avantage pouvant s'inverser. Les souverains respectifs les fortifient, donnant naissance à des édifices qui conservent un charme désuet, mais pittoresque, une fois qu'ils ont perdu la fonction qui motiva leur construction. C'est le cas de la forteresse de Wyborg, au nord-ouest de Saint-Pétersbourg. Au Moyen Âge, la ville appartenait à la Suède. Conquise par les Russes en 1710, elle fut prise par les Finlandais en 1811, puis de nouveau annexée par la Russie en 1840, reperdue un an plus tard, pour ne devenir définitivement russe qu'en 1947.

L'ensemble de la forteresse, y compris le château, témoigne d'une histoire mouvementée du temps où le fer était très utilisé en construction, mais est agréable à regarder, en temps de paix, dans son cadre d'eau.

Palais de Catherine ❷
Pouchkine

L'Union soviétique était pauvre, et investissait le peu qu'elle possédait en armements. Mais elle découvrit, au cours de la grande guerre patriotique de 1941 à 1945, la valeur des trésors de l'art russe comme instrument de consolidation du sentiment d'appartenance à la nation, et se mit, sans un soupçon d'antagonisme, à entretenir les édifices du temps des tsars. Les restaurateurs se consacrèrent avec le plus grand dévouement au palais d'été baroque de Pouchkine, l'ancien Tsarskoïe Selo, près de Saint-Pétersbourg, construit et agrandi au XVIIIᵉ siècle. Ce que ce palais avait de merveilleux lui fut hélas dérobé par les troupes allemandes, et ne fut jamais retrouvé : la salle d'Ambre, cadeau du roi de Prusse, Frédéric Guillaume Iᵉʳ, aménagée en 1755, est actuellement en train d'être péniblement reconstituée.

Grand Palais ❸
Pavlovsk

Tous les tsars pérennisèrent leur mémoire à travers des ouvrages d'architecture. Paul Iᵉʳ, empereur de Russie de 1796 à 1801, s'éleva aussi un monument à Pavlovsk, au sud de Saint-Pétersbourg, devant le grand château construit peu avant son entrée en fonction et agrandi par ses soins au cœur d'un parc de six cents hectares. Le despote fut victime à l'âge de quarante-sept ans d'une conspiration d'officiers. Mais un tsar reste un tsar, et sa résidence d'été, célébrée comme miniature de Versailles en Russie, et réhabilitée après un incendie en 1804, resta intacte. Les visiteurs de l'ex-capitale russe, qui invite à une tournée des châteaux, en sont heureux.

Peterhof (1) ❹
environs de Saint-Pétersbourg

L'ensemble des palais et des jardins de Peterhof, du nom des palais impériaux commencés en 1714, et achevés par Bartolomeo comte Rastrelli (1700–1771), se trouve sur la côte sud du golfe de Finlande, à mi-chemin entre la baie de Cronstadt et Saint-Pétersbourg, qui s'étend aujourd'hui jusqu'à l'ancien faubourg *Petrodvoretz* (palais de pierre), nom que reçut cette ville en 1944 pour éliminer la consonance allemande de Peterhof. L'ensemble de Peterhof contient le Grand Palais et de nombreux pavillons dont trois – Monplaisir, ci-contre, Ermitage et Marly – datent de l'époque pétrovienne. Monplaisir est un véritable joyau entouré de jardins paysagers, eux-mêmes partie d'un grand parc aux nombreux jets d'eau, fontaines et cascades.

Peterhof (2) ❺
environs de Saint-Pétersbourg

L'eau jouait un rôle-clé dans les châteaux baroques, car les palais ne développent tout leur éclat que dans l'intime harmonie de la culture et de la nature, du statisme de la pierre et du dynamisme de la nature. Pierre Ier le Grand, tsar de Russie, en était convaincu lorsqu'il donna l'ordre, en 1714, de bâtir son palais à l'ouest de sa capitale. Riche en eau, la région facilita aux ingénieurs la tâche de remplir, grâce à un système de canaux et d'écluses, un réservoir assez grand inauguré en 1721. Mais il fallut un certain temps pour que fontaines et jets d'eau jaillissent avec cette élégance, car dans les arrangements d'eau, le travail du détail est le plus difficile.

Palais Belozerski ❻
Saint-Pétersbourg

Il est surprenant qu'en 1917 les nouveaux maîtres bolcheviques aient traité avec autant de soin les anciens monuments tsaristes. Dans le cas de ce palais, sur la *Perspective Nevski*, la façade rouge sombre coïncidait peut-être avec celle de la nouvelle idéologie. La section locale du PCUS choisit même à Leningrad ce bel édifice à dominante baroque comme siège. Il est à nouveau, depuis 1991, entre les mains de la municipalité. Bâti en 1847/1848 pour le grand-duc Serge et sa femme Élisabeth, l'édifice est très photographié par les touristes, la statue du dompteur devant le palais et ses atlantes étant une belle prise de vue.

Russie / Estonie
Europe

Forteresse d'Ivangorod ❶

Au Moyen Âge, l'ordre Teutonique étendit rapidement son pouvoir à l'Est et atteignit la Narva en Estonie, où il fit construire, sur la rive occidentale, la forteresse d'Hermann comme délimitation entre l'Estonie et la Russie. Alertés, au XVIᵉ siècle, les Russes firent construire, en face, sur la rive orientale, la forteresse d'Ivangorod (ci-contre), du nom de son bâtisseur, Ivan IV, le Terrible. Ayant franchi plus tard le fleuve, ils firent de la forteresse d'Estonie, jadis en camp ennemi, une sœur jumelle. À l'indépendance de l'Estonie, de 1918 à 1940, et restaurée en 1991, les deux forteresses retrouvèrent leur fonction de poste frontalier. À l'ère des guerres aériennes, leur importance militaire est naturellement nulle.

Kremlin ❷
Moscou

Le Kremlin existe dans de nombreuses villes russes, car c'est un promontoire surmonté d'un château. Celui-ci n'existe cependant qu'à Moscou, où il est le cœur de la ville fortifiée du Moyen Âge, en même temps que le siège du gouvernement de la Russie, l'ex-Union soviétique. Le mot n'évoque donc pas seulement cet ensemble de palais, de bastions, de cathédrales et autres somptueux édifices, mais la politique de la Russie et le siège du pouvoir du plus grand État de la terre. La vue partielle, mais non moins somptueuse, de la photo ci-contre, prise de l'autre rive de la Moskova, suffit à prouver que le Kremlin s'y entend à représenter sa capitale. Malgré la pauvreté du pays, les Russes sont fiers des puissantes coupoles d'or de leur pays.

Château d'Ostankino ❸
Moscou

À l'instar de toutes les grandes métropoles, Moscou s'est considérablement étendu dans la deuxième moitié du siècle dernier, et a depuis longtemps goulûment avalé des faubourgs comme Ostankino, éclipsant avec un appétit d'ogre les orientations précédentes, généralement plus belles. La tour de télévision, haute de 540 mètres, récemment dévastée par un incendie, défraie la chronique, mais pas une feuille n'évoque le beau château classique d'Ostankino, du XVIIIᵉ siècle. Dommage, car c'est un bâtiment aux belles proportions. La façade à colonnes est aussi jolie que la coupole qui semble « couver » le bâtiment sur lequel elle est « assise », et les fresques aux plafonds aussi magnifiques que la collection de maîtres européens, et la salle de bal avec sa grande scène aussi merveilleuse que les couloirs ornés de stuc.

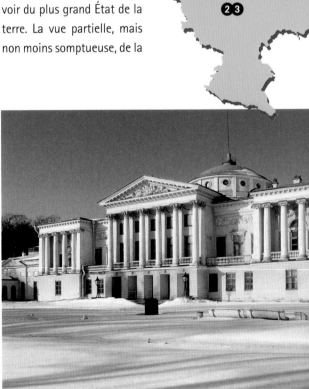

Château de Rakvere ❹

La petite ville rurale de Rakvere, à quarante kilomètres à l'est de Tallinn, anciennement Reval, capitale de l'Estonie, ne se trouverait pas dans les guides touristiques, si ne s'y dressait pas la ruine, bien conservée, d'un château fort du temps où les Danois, et plus tard l'ordre Teutonique, dominèrent l'Estonie. L'ordre trouva en arrivant en 1346 une fortification qu'il trans- forma dans le style de ses châteaux forts. Le site au sommet d'une colline permit de surveiller le pays, souvent agité de troubles, ce qui exigea que le château fût régulièrement remis en état, même sous les Suédois, à partir de 1541. Devenus maîtres du pays en 1721, les Russes l'utilisèrent encore un certain temps.

Château de Kuressaare ❺

L'indépendance de l'Estonie, restaurée en 1991, amène un retour aux anciens noms. Ösel, la plus grande île du pays, formant le golfe de Riga, retrouva son nom de Saaremaa, et sa ville principale, tournée vers le golfe de Riga, sur le littoral méridional, celui de Kuressaare. Ses nombreuses villas en bois et ses jolis édifices du XVIIe et du, XVIIIe siècles forment un paysage varié, que dépare ce palais épiscopal, bâti à une époque où la trapu vie des ecclésiastiques était en danger, car ils furent, les premiers temps, successivement allemands, danois et suédois, et donc des étrangers. On ne les accepta que peu à peu.

Château de Tallinn ❻

On dirait que le temps s'est arrêté sous la domination intacte des chevaliers de l'ordre Teutonique. Sur un promontoire d'une quarantaine de mètres, cathédrale, citadelle et château dominent la vieille ville de Tallinn, anciennement Reval. La capitale de l'Estonie, au sud du golfe de Finlande, profite aujourd'hui d'un passé peu glorieux pour ses habitants. Danois, Allemands, Suédois et Russes se relayèrent depuis le haut Moyen Âge à la tête du pays, depuis des temps immémoriaux sous domination étrangère. Ces mêmes étrangers viennent aujourd'hui admirer les édifices bien conservés et restaurés, comme ce château de l'ordre Teutonique.

Fort Hermann ❶
environs de Narva

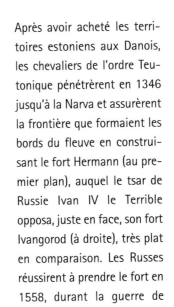

Après avoir acheté les territoires estoniens aux Danois, les chevaliers de l'ordre Teutonique pénétrèrent en 1346 jusqu'à la Narva et assurèrent la frontière que formaient les bords du fleuve en construisant le fort Hermann (au premier plan), auquel le tsar de Russie Ivan IV le Terrible opposa, juste en face, son fort Ivangorod (à droite), très plat en comparaison. Les Russes réussirent à prendre le fort en 1558, durant la guerre de Livonie, mais durent le céder peu après aux Suédois, qui ne quittèrent les lieux qu'en 1710, redonnant définitivement la région aux Russes. Depuis 1991, les deux châteaux forts sont de nouveau sur deux territoires pouvant s'avérer adverses, les Estoniens craignant le facteur de troubles que représentent encore aujourd'hui les nombreux Estoniens d'origine russe vivant à Narva, établis là sous la domination soviétique.

Château de Vahtseliina ❷

Bien cachée dans la verdure, la ruine de Vahtseliina n'est découverte que par qui connaît bien *Suur Munamägi*, région solitaire de collines au sud-est de l'Estonie. Son nom peut en effet se confondre avec la ville de Vastseliina, dans les environs. Mais une fois qu'on l'a trouvée, on est ravi. L'état de délabrement de la forteresse suédoise du XVᵉ siècle lui confère un charme romantique, qui s'adapte à la nature environnante en toute saison. À l'automne, les couleurs sont aussi somptueuses qu'en été, quand les vestiges d'ornements resplendissent dans la verdure et que les angles de la pierre contrastent avec la douceur du feuillage.

Château de Césis ❸

Le voyage au nord-est de Riga vaut le déplacement, ne fût-ce que pour le paysage. La route mène au très beau parc national de Gauja, du nom de la rivière qui y serpente, et murmurant aussi dans la petite ville de Césis, autrefois Wenden, typiquement lettonne. Elle raconte pittoresquement l'histoire mouvementée de ce pays balte, dont la ruine de la première moitié du XIIIᵉ siècle est la protagoniste, par ses proportions et son architecture du Moyen Âge. Le visiteur trouve plus de détails dans le musée historique rattaché à la forteresse, qui expose documents, armes, mobilier d'un grand passé.

Château de Turaida ❹
Sigulda

Il y a une multitude de châteaux moyenâgeux à Sigulda, dont le nom signifie « Suisse lettonne », à une cinquantaine de kilomètres au nord-est de Riga. Située sur les bords de la Gauja, elle fait face, sur la rive droite, à une forteresse intacte du XIIIᵉ siècle. C'est le château de Turaida, « habité » jusqu'au XVIIIᵉ siècle, par une garnison russe, qui l'entretint. À l'indépendance de la Lettonie, le complexe devint musée régional. Le visiteur à la recherche d'ambiance chevaleresque dans un véritable château fort en a pour ses frais. Le musée livre tous les détails.

Château de Riga ❺

Les chevaliers de l'ordre Teutonique commencèrent en 1330 à construire un château dans le port de Riga, ville fondée par des marchands de la Hanse sous l'archevêque Albert de Livonie. De notre perspective, on ne devine que quelques contours moyenâgeux, car les transformations ultérieures dominent, notamment la tour baroque, suggérant nettement un édifice plus récent. Mais on aperçoit, non loin, des bastions qui montrent qu'en ce temps-là château était synonyme de forteresse. L'incomparable attrait de ce complexe de la vieille ville près des bouches de la Dvina est cet accord parfait d'élégance et de lourdeur.

Château de Rundale ❻
Jaunpils

La cour de Saint-Pétersbourg avait le bras long. Le comte Bartolomeo Rastrelli fit aussi les plans de ce château au sud de la Lettonie dans la région de Bauska à la frontière de la Lituanie pour les favoris du tsar, entre autres Ernst Johann von Biron (1690–1772), duc de Courlande. Il prit le nom de *Rundale*, « vallée du repos », car le duc, temporairement régent, espérait finir ses jours dans ce palais construit entre 1736 et 1740. Le rêve faillit ne pas se réaliser, car celui qui lui succéda dans les petits papiers du tsar fit condamner le bâtisseur à mort en 1740. La peine fut atténuée et le duc condamné à l'exil (jusqu'en 1762). Biron ne put se reposer à Rundale que quelques années vers la fin de sa vie. Ses toutes dernières années il les passa non pas à Rundale, mais à Mitau, un peu plus au nord, dans une ville appelée aujourd'hui Jelgava (photo suivante).

Lettonie / Lituanie
Europe

Château de Bauska ❷

Les vestiges d'un château de l'ordre Teutonique bâti au XVe siècle, attirent les touristes à Bauska, dans le sud de la Lettonie, à la frontière de la Lituanie. Ils peuvent, grâce aux travaux de consolidation des escaliers, monter à la tour de la colossale ruine et admirer le paysage. Un musée sur l'histoire du château et de la région expose, dans les bâtiments restaurés qui servirent de résidence aux ducs de Courlande, une collection de plus de cinq mille cinq cents objets d'artisanat des XVIe et XVIIe siècles. Ils donnent une idée de la richesse culturelle d'un pays sous-estimé par l'Europe centrale et occidentale !

Château de Jelgava ❶

Ernst Johann von Biron (1690–1772), duc de Courlande, avait les yeux plus grands que le ventre. Voulant profiter de la faveur qui l'avait promu à de hautes dignités, il posa en 1738 à Mitau, aujourd'hui Jelgava, la première pierre d'un palais conçu par le comte Bartolomeo Rastrelli, l'architecte de la cour de Saint-Pétersbourg, plus grand et plus somptueux que son château de Rundale, commencé deux ans auparavant. Le château fut dressé au nord-est de la ville, sur les vestiges d'une forteresse du XIVe siècle, au bord d'un lac. Le bâtisseur ne put emménager dans son joyau baroque que la dernière année de sa vie, des turbulences politiques l'en ayant empêché auparavant. Il n'en profita que vingt jours. Aujourd'hui, il héberge l'Institut agricole de l'université de Lettonie.

Château de Daugavpils ❸

Fleuves et rivières furent toujours, et sont encore, sous haute surveillance militaire, notamment quand ils marquent des frontières. La Dvina forme le partage des eaux entre la Lettonie et la Lituanie, ce qui explique la présence à Daugavpils des vestiges de l'ancien château de la Dvina. Il n'en reste plus rien, car ce site à la croisée des axes nord-sud et est-ouest fut toujours exposé aux conflits. Les Russes et les Polonais se le disputèrent pendant des siècles. La progression des Allemands en 1941, puis leur retraite en 1944, mit fin à l'entretien de l'édifice. Militairement, la restauration n'en valait plus la peine, et à d'autres fins elle aurait été trop coûteuse. Il ne reste donc à présent que cette ruine dans un océan de verdure.

Château de Kaunas ❹

Le château au confluent du Neris et du Niémen, où se trouve aujourd'hui la ville de Kaunas, remplit pendant un siècle sa fonction, à la grande satisfaction des habitants du château et des environs. Bâti au XIIIe siècle contre les attaques allemandes, il en fut néanmoins victime en 1362. Les nouveaux châtelains le remirent en état, et durent de nouveau le céder en 1404 à la Lituanie. L'édifice demeura intact jusqu'à ce que les Russes le reprennent en 1795 et firent de Kaunas, Kovno. La forteresse à la tour ronde et pointue vit encore passer deux guerres mondiales sans être endommagée. Elle se trouve rue Papilio et est un motif photographique très apprécié par les touristes.

Château de Raudondvaris ❺

À cinq kilomètres au nord-ouest de Kaunas, commence la pleine campagne. Seules quelques petites localités comme Raudondvaris, et une ferme ici et là, tel ce gracieux château rouge d'une famille comtale, interrompent le voyage à travers champs et forêts. Il est remarquable, non seulement par sa couleur, mais aussi pour ses ornements et son joli pignon, auxquels s'ajoutent les tours et un parc naturel, mettant en valeur cet édifice dont les parties les plus anciennes sont de 1615. Il souffrit à peine des guerres qu'il traversa. Laissé à l'abandon, puis intégré dans un kolkhoze, sous domination soviétique (jusqu'en 1990), il s'en tira sans dommage.

Palais Verkiai ❻
Vilnius

La capitale de la Lituanie est une belle ville, qui fut fréquemment pomme de discorde entre les puissances. Allemands, Polonais et Russes s'y relayèrent continuellement. Depuis 1990, Vilnius est de nouveau siège du gouvernement de la Lituanie libre, et fière de ses traditions, beaucoup plus anciennes que ce palais classique, relativement jeune, dans le parc de Verkiai de la capitale. Merveilleusement bien restauré, et surtout bien situé au cœur du poumon de la ville, c'est presque un jardin botanique, avec ses huit cents variétés de plantes poussant sur ce terrain vallonné. La couleur jaune de l'édifice, reconstruit au XIXe siècle sur l'emplacement d'un ancien palais épiscopal, se marie bien avec la verdure et donne un ensemble pittoresque avec ses paisibles étangs. Le bruit de la ville ne se perçoit qu'au loin.

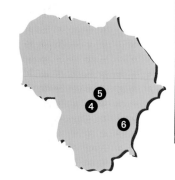

Lituanie / Ukraine
Europe

Palais Lentvaris ❶

Le touriste habitué en Lituanie aux châteaux des ordres de chevalerie, aux vieilles ruines et autres édifices du Moyen Âge n'en croit pas ses yeux en voyant soudain surgir de la campagne vallonnée, à une vingtaine de kilomètres au sud-ouest de Vilnius, un château que l'on situerait davantage à Hollywood que dans cet environnement qui, pour nous, est déjà presque l'Extrême-Orient. Ses pignons néogothiques se dressent vers le ciel, son rouge provocant tranche sur la tapisserie verte que forment la forêt derrière et la pelouse à ses pieds, et ses grandes fenêtres invitent à en rester béat d'admiration. La riche famille des Tiskevicius fit travailler sa fortune dans l'architecture et créa un ravissant palais hors d'époque qui fait battre la chamade au cœur du touriste.

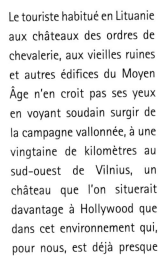

Château de Trakai ❷

Il faut presque une heure de train pour se rendre de l'ancienne à la nouvelle capitale. Trakai, au sud-ouest de Vilnius, était jadis le centre du royaume lituanien, qu'évoquent deux châteaux. L'un, en ruine, témoigne sur une presqu'île au bord d'un lac d'une période de grandeur, et l'autre, de fière allure, continue de trôner sur son île au milieu du lac. Il est aujourd'hui relié à la terre ferme par deux ponts de pierre, mais autrefois, sa situation sur l'eau était une protection. Elle donnait le temps de se mettre en position de combat en voyant arriver l'ennemi. Il serait toutefois tombé en ruine s'il n'avait pas été restauré en 1960, chose surprenante sous domination soviétique. Un beau cadeau pour les Lituaniens, car Trakai, fierté nationale, est le seul château gothique (XIIIe siècle) d'Europe sur l'eau.

Château de Sébastopol ❸

Un nom dans lequel retentissent le bruit du fer, le grondement des canons, les bombes. Sébastopol, la puissante forteresse où fit rage la guerre de Crimée (1853–1856) ; Sébastopol qui, investie et bombardée par la Wehrmacht, tomba sous une pluie d'obus en 1942 après deux cent cinquante jours de siège ; Sébastopol, amas de décombres, reprise en 1944 par l'Armée rouge. C'est cette histoire qu'a en tête, en arrivant à Sébastopol, le visiteur qui s'attend à trouver des ruines et des bunkers troués de balles. Il est surpris de voir, au bord d'une plage, devant une mer d'un bleu profond, un palais classique, tout blanc, bien restauré, avec de belles colonnes et orné de statues, d'autant plus beau qu'il s'attendait à autre chose.

« Nid d'hirondelles » ❹
Yalta

Le XIXᵉ siècle a une meilleure réputation auprès des touristes qu'auprès des historiens de l'art. Ce que ces derniers considèrent comme surchargé et artificiel, est vécu par les premiers comme pittoresque et fait avec art. Si l'on comprend « art » dans le sens de « savoir », il ne fait aucun doute que le Nid d'hirondelles, comme le baron Steingel nomma son poste de guet à trente-huit mètres au-dessus de la mer Noire, est une œuvre artistique. La prouesse statique et logistique accomplie pour dresser cette merveille faite de tourelles, de combles et de créneaux est en tout cas remarquable. Le fantastique donne à l'emblème de la célèbre station balnéaire du littoral méridional de la Crimée un air oriental.

Château Vorontsov ❺
Aloupka

Les deux lions en arrière-plan sont vigilants, mais celui qui, au premier plan, fait son somme n'impressionne personne. Il est au contraire révélateur de l'ambiance détendue qui règne, l'été, dans la station balnéaire d'Aloupka, au sud de Yalta, en Crimée. Le palais bâti et paré entre 1828 et 1848 pour le comte Mikhaïl Vorontso en est le centre d'attraction. Avec sa coquille, telle l'entrée d'une mosquée, son vaste parc, ses cent cinquante salles et les collections qui y sont exposées, il attire le public désirant interrompre les bains de soleil pour enrichir ses connaissances. Il abrite un Musée des arts plastiques et de très beaux meubles dans les anciens appartements du bâtisseur.

Château Teutonique ❶
Malbork

Une symphonie en rouge et bleu. Le bâtiment en brique flamboie dans l'eau sous
le soleil couchant. Le fier château fort,
depuis 1280 siège du couvent de l'ordre
Teutonique, et résidence des grands

maîtres de l'ordre entre 1308 et 1457,
a retrouvé, semble-t-il, pour l'éternité,
après les dégradations subies pendant la
Deuxième Guerre mondiale, son état
d'antan, avec ses tours et donjons, derrière les remparts. Le couvent est de la fin
du XIIIᵉ siècle, les chapelles Sainte-Marie et
Sainte-Anne, ainsi que la tour carrée au

premier plan sont un peu plus jeunes. Le
palais des grands maîtres se trouvait, lui,
vers 1400, tel que nous le voyons ici. Le
visiteur voit l'un des principaux châteaux
de l'ordre Teutonique dans son état d'origine, grâce à des investisseurs polonais.

Château de Frombork ❷

L'ordre Teutonique commença à contrôler la région au sud de la lagune du *Frischer Haff* en 1260, et en 1278 fut créée la forteresse *Castrum Dominae Nostrae* (château Notre Dame), dont la patronne est la Mère de Dieu. En 1329, fut commencée la cathédrale gothique en brique, dont le clocher saille sur la photo derrière le château. Elle dura soixante ans. L'homme qui fut chanoine ici, et y fut inhumé en 1543, contribua à la réputation mondiale du château, du chapitre et de la ville de Frombork. Il s'agit de Nicolas Copernic. L'unique ensemble doit au fondateur de la vision moderne du monde la restauration entreprise depuis 1966 après la Deuxième Guerre mondiale, et les flots de visiteurs qui s'y déversent.

Palais des abbés ❸
Gdańsk

Lorsque les abbés du monastère d'Oliva donnèrent l'ordre en 1756 de construire un palais conforme à leur rang, il était à l'époque près de Dantzig. Aujourd'hui il est le centre de Gdańsk. Les flots de maisons de la métropole de la Baltique se brisent depuis longtemps contre ce havre de paix au cœur de la ville, que le déferlement de la vie, précisément, put préserver. Le parc protège le bâtiment baroque tardif (*Palac Opacki*) d'un contact trop direct avec le bruit et la pollution. Le bassin devant le château pourvoit à l'humidité de l'air et rehausse l'éclat de la maison des ecclésiastiques, d'aspect plutôt séculier. La guerre n'épargna pas non plus leur domicile et la restauration coûta de l'argent, du courage et du savoir-faire. Le musée national, que le palais abrite, montre une collection ethnographique.

Château de Braniewo ❹

L'ordre Teutonique était implanté en Prusse-orientale, et donc des châteaux y furent construits pendant des siècles. La première mention des fortifications de Braniewo, à une quarantaine de kilomètres de Elblag, date de 1240, mais les vestiges du château, de même que la tour sur les vieux remparts, sont presque tous de date ultérieure. Le château subit divers dommages à mesure que se déroulaient les révoltes de citoyens contre l'évêque, les luttes entre Polonais et chevaliers Teutoniques, les guerres des grandes puissances et autres vicissitudes historiques. Mais les ecclésiastiques successifs s'efforcèrent, jusqu'au XVIIIe siècle, de le restaurer. Les dommages causés par la Deuxième Guerre mondiale ne purent toutefois pas être complètement réparés. Les visiteurs doivent se contenter de vestiges, cependant très impressionnants.

Château de Kwidzyn ❶

On imagine mal en voyant un édifice aussi sublime que ces messieurs les chevaliers eurent, comme tout le monde, des besoins prosaïques et humains. Le chemin de ronde enjambe l'eau à hauteur de l'étage du château gothique et se termine à la fosse d'aisances, le *Dansker*, de la grosse tour. Les habitants du château utilisaient la haute tour comme poste de guet et pour se défendre, mais pas seulement. Le château, très bien restauré, dans la vallée de la Vistule, au nord de Grudzladz, vaut le déplacement aussi pour la cathédrale (en arrière-plan), que l'on mit onze ans à construire, à partir de 1344.

Château de Nidzica ❷

Le château de Nidzica, en Mazurie, à une cinquantaine de kilomètres au sud d'Olsztyn, construit et agrandi depuis 1370 par l'ordre Teutonique, n'est pas partout dans l'état de sa façade. Il était resté à peu près intact jusqu'au XXe siècle, mais eut son compte à la fin de la Deuxième Guerre mondiale. Nombre de ses murs et bastions tombèrent en ruine.

La foule d'édifices précieux du Moyen Âge dont la Pologne hérita de l'Allemagne à l'est de la ligne Oder-Neisse, après la guerre, ne rendit pas toujours possible une restauration, du moins complète. Le château de Nidzica abrite néanmoins les collections d'un musée.

Château d'Ostróda ❸

Les édifices en brique sans ornements auraient l'air de communs si les étages n'en laissaient pas supposer de plus hautes utilisations. Nous voyons les vestiges d'un château de l'ordre Teutonique, en Mazurie, élevé depuis 1349 en vingt ans, et qui servit de résidence au commandeur. La modestie du bâtiment est à la mesure de la modestie de rang du religieux. Laissé à l'abandon les siècles suivants, il n'en reste plus que ces gros cubes rouges, que les gens appelaient tendrement « vieux château ». L'attraction réside davantage dans le paysage de lacs environnants.

Palais Winna Góra ❹
Września

Les empereurs prodigues ne regardent pas à la dépense. Jan Henryk Dubrowski (1755–1818), chef d'une légion polonaise aux côtés de Napoléon dans les années 1790 en Italie, reçut, après la victoire sur la Prusse en 1807, cette maison, ou plutôt, ce palais en cadeau. À quinze kilomètres au sud de Września, dans les environs de Poznan, il fut détruit sous la domination russe et dut être reconstruit après 1918. Les plans baroques et classiques furent respectés, ce qui en explique l'élégance et le portique dominant aux colonnes ioniques sur deux étages. L'édifice abrite aujourd'hui l'Institut polonais pour la protection des plantes.

Palais Rydzyna ❺

Rafal Leszczyński, voïvode de Posnanie, issu de la maison de Stanislas Ier, qui devint plus tard roi de Pologne, survécut à la fin des travaux du palais baroque fait pour lui sur les plans d'architectes italiens, à huit kilomètres au sud de Leszno, et put y emménager en 1700. Il devint, après la mort de Rafal en 1703, plus baroque et plus pimpant encore sous les propriétaires ultérieurs, mais fut très endommagé pendant la Deuxième Guerre mondiale. Il retrouva son ancienne somptuosité au bout de dix ans de travaux de restauration commencés en 1972. Aujourd'hui, c'est un hôtel de luxe avec quatre-vingt-dix lits, où il faut avoir dormi une fois.

Palais royal ❻
Varsovie

Au Moyen Âge se dressait à cet emplacement un château gothique. L'essor de la Pologne aux époques suivantes rendit nécessaire la présence d'un édifice représentatif qui fût construit au XVIᵉ siècle à Varsovie. C'était un palais baroque assez austère qui, avec son haut beffroi, ressemblait à cette reconstitution du palais royal qui, entièrement détruit pendant la Deuxième Guerre mondiale, fut reconstruit dans les années 1970. Les Varsoviens sauvèrent de précieux éléments de reconstruction des ruines et des Polonais vivant à l'étranger firent de généreux dons. Le musée aménagé dans le palais raconte l'histoire mouvementée de cette résidence qui abrite aujourd'hui l'état civil.

Pologne
Europe

Palais de la culture ❶
Varsovie

Quelle est la plus belle place de Varsovie ? Le belvédère du palais de la culture et de la science, disent les gens. Et pourquoi ? Parce que c'est le seul endroit de Varsovie d'où l'on ne voit pas ce monstre soviétique élevé sous Staline, dont les Varsoviens se passeraient bien. Ils s'en sont accommodés et utilisent ses bibliothèques et ses cinémas, et s'y rendent pour des expositions ou des conférences. Mais le palais n'est plus, depuis longtemps, seulement voué à la culture. Le business y a fait son entrée. Des bureaux y sont loués, pour le financer.

Château de Wilanów ❷
Varsovie

« Barocissimo ! » L'édifice que se fit construire à Wilanów, au sud de Varsovie, Jean III Sobieski, à peine fut-il élu roi de Pologne en 1674, dépasse toute architecture du même style dans le pays. Il fallut d'ailleurs un certain temps pour le terminer. Achevé en 1696, le bâtisseur, qui mourut cette année-là, ne put qu'en humer l'air. La nature étant, elle, plus longue à pousser, le roi ne put jouir du parc, ce que le visiteur d'aujourd'hui fait à sa place avec plaisir. Les jardins chinois et anglais auxquels est incorporé un jardin à la française invitent à la promenade et sont le couronnement de cette visite que l'on pourra terminer dans un pavillon contenant un musée des affiches.

Porte de Cracovie ❸
Lublin

Pour se rendre à l'hôtel de ville de Lublin, au sud de la Pologne, il faut passer sous cette porte, vestige de la forteresse et de ses remparts qu'était jadis cette ville située sur une colline. La porte de l'ouest, appelée porte de Cracovie (*Brama Krakowska*) pour sa situation, fut élevée au XIVe siècle, perdit au cours de transformations à la Renaissance sa robuste forme gothique et fut surmontée au XVIIIe siècle d'un comble baroque, tout autre que militaire. Les murs se firent de bas en haut toujours plus élégants et engageants. La porte, où jadis les sentinelles armées examinaient avec méfiance chaque arrivant, invite aujourd'hui à entrer dans le musée de l'histoire de la ville qu'elle héberge, contenant une riche collection d'objets et de documents.

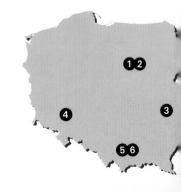

Hôtel de ville ❹
Wrocław

Les perles architectoniques de la métropole ne lancent pas leur éclat que la nuit, mais elles sont de nuit d'un attrait insoupçonné, notamment l'hôtel de ville, la principale perle. Dans la lumière des projecteurs, timidement assistée par quelques réverbères, les pointes gothiques s'élancent encore plus pointues vers le ciel, les angles et les ornements jettent des ombres plus nettes, les fenêtres prennent un air sérieux sur la claire façade. Plusieurs siècles contribuèrent depuis le haut Moyen Âge à parfaire cet ouvrage, emblème de la ville successivement entre les mains de l'Autriche, de la Prusse et maintenant de la Pologne, et qui jouit d'une célébrité mondiale.

Château et palais royal du Wawel ❺
Cracovie

Les éperons royaux s'entrechoquèrent déjà il y a mille ans dans la cour du château fort roman édifié sur la colline du Wawel à Cracovie. Les souverains polonais apprécièrent la citadelle et l'agrandirent au cours des siècles. Architecturalement s'y ajoutèrent donc quelques éléments gothiques, mais c'est surtout de là que rayonna la Renaissance. C'est au roi Sigismond Ier le Vieux (règne 1506–1548) qu'est due la transformation du vieux château en palais à l'italienne pour laquelle il fit venir des architectes et des artistes allemands et italiens. La somptuosité de l'édifice souffrit un peu du transfert de la capitale à Varsovie. Mais la plus terrible période pour le Wawel fut lorsque le gouverneur général allemand Hans Frank hanta littéralement les lieux pendant la Deuxième Guerre mondiale. Les dommages causés par la guerre sont désormais réparés. Cathédrale et palais sont de nouveau le cœur de Cracovie.

Halles aux draps ❻
Cracovie

Lorsque l'on bâtit aujourd'hui des édifices d'utilité, il en ressort des monstres de béton, des casernes en verre ou du préfabriqué. Les capitalistes avaient autrefois plus de goût. Les Halles aux draps sur la grande place du Marché de Cracovie le prouvent. Tout, les éléments gothiques et baroques du grand magasin, de même que la signature de l'architecte du XIXe siècle, y est élégant et de qualité, et ce dans tous les sens du terme. La solide construction tint bon dans les périodes les moins productives, durant maintenant depuis des siècles, et fut payante, comme elle l'est aujourd'hui, puisque les visiteurs de la ville sur la haute Vistule ne vont nulle part ailleurs faire de meilleurs achats que dans les galeries sous les arcades des Halles.

Thermes V ❶
Karlovy Vary

L'un des sujets de composition les plus fréquents commençait jadis, en Allemagne, par : « Si Goethe vivait encore... », et les élèves devaient écrire ce qu'il aurait dit de telle et telle chose. Sur les thermes n° V, de Karlovy Vary, en Bohême occidentale, il aurait certainement eu maintes choses à dire, car il connaissait aussi bien ces lieux que Weimar, et il était exigeant sur le confort et le bon goût. Il n'aurait probablement blâmé que le complément numérique du nom de l'objet, et eût de loin préféré le nom de l'impératrice autrichienne « Bâtiment Élisabeth » qui fut choisi pour ce bâtiment des thermes lors de son ouverture en 1906. Mais l'on est en droit de présumer que l'ornement néobaroque eût suscité les plus hautes louanges de la part du poète et jardinier amateur qui aurait été enchanté de la somptuosité des fleurs devant le bâtiment.

Château de Loket ❷

En Bohême occidentale, l'Ohře entoure à l'ouest de Karlovy Vary, la ville de Loket en formant un angle saillant, ce pourquoi on appelait autrefois cet endroit le « coude ». Le château du XIIᵉ siècle domine incontestablement la localité. L'empereur Charles IV (1346–1378) dut, par manque d'argent, le donner en gage à une riche famille, qui y fit des transformations. Les fortifications finirent par se délabrer avec le temps. Le palais fut démonté et quelques bâtiments utilisés comme entrepôts. Le comble fut quand on y installa une prison en 1822. L'État prit, enfin, récemment la décision d'entreprendre des travaux de restauration. Il abrite désormais un musée et l'ensemble du complexe est ouvert au public.

Palais épiscopal ❸
Prague

Que tout soit entrepris pour l'honneur des autels n'étonne personne, contrarie tout au plus les athées endurcis. Mais que se fassent combler comme des princes ceux qui s'engagèrent à multiplier cet honneur fut de tous temps contesté ; ne se trouvent-ils pas dans la succession de celui qui dit qu'il n'était « pas venu pour être servi, mais en serviteur » ? Les palais des princes ecclésiastiques tranchent souvent avec leur vocation d'humilité, et le faste rococo de ce palais que se payèrent les archevêques de Prague au XVIIIᵉ siècle sur le Hradčany est un exemple de ce contraste. Mais comme, d'après Goethe (dans *Torquato Tasso*), « tout est permis, quand cela plaît », l'absolution leur est donnée d'office.

Hradčany ❹
Prague

Prague est renommée pour la beauté de ses quartiers anciens sur les deux rives de la Vltava, que le compositeur Bedřich Smetana éternisa dans une mélodie qui fit le tour du monde. Elle règne sur le pays du haut de cinq collines, et le Hradčany du haut de la plus élevée sur la ville. Le château de Prague, attesté dès le IXᵉ siècle, fut de tous temps un point chaud historique et un symbole national, ce pourquoi chaque époque lui fit honneur en en peaufinant la construction. Au centre du Hradčany se dresse le plus vaste édifice gothique de la ville, la cathédrale Saint-Guy. L'aile de Louis s'étend dans toute sa largeur dans un style Renaissance de la plus grande finesse ; devant les murs se pressent des palais baroques et à ses pieds des résidences du XIXᵉ siècle tournées comme béates d'admiration vers le château avec sa multitude de palais, de bâtiments administratifs et sacrés, de forteresses et d'habitations.

République tchèque

Palais Kinsky et Maison de la cloche en pierre ❶ + ❷
Prague

Un couple disparate marque la place de la Vieille-Ville à Prague. Le superbe palais de la célèbre famille Kinsky, de l'aristocratie de Bohême, achevé en 1765, dans son manteau rococo, et la Maison gothique de la cloche en pierre, ainsi nommée pour l'insigne sur son pignon, un peu en retrait, mais accolée au palais comme un clocher d'église. Au tournant du XIXe et du XXe siècles, le père de l'écrivain Franz Kafka tenait une librairie (récemment rouverte) dans le palais, et Kafka lui-même fut au lycée allemand, dans les étages supérieurs, de 1901 à 1906. Il n'eut pas connaissance de l'édifice voisin du Moyen Âge, qui n'apparut derrière une façade baroque que dans les années 1960. Il est difficile de dire lequel des deux édifices est le plus beau.

Château de Troja ❸
Prague

Prague, c'est d'abord le Hradčany et le pont Charles. Beaucoup de personnes résument la capitale tchèque à ces deux monuments. Dommage, car il vaut la peine d'aller voir, au nord de Prague, le château de Troja, sur la rive droite de la Vltava. Ce fut, à la fin du XVIIe siècle, le premier grand édifice baroque en Bohême, construit par l'architecte Jean-Baptiste Mathey. La fontaine et les statues qui l'ornent, l'escalier à deux volées, animé d'un combat des dieux grecs, la façade rouge brique et blanc, les encorbellements et les tours d'angle font de l'édifice à trois ailes un joyau serti dans une monture de jardins tout aussi grandioses. Des manifestations culturelles y ont lieu, l'on peut y voir une collection de faïences, et une galerie de peintures montre des toiles de peintres tchèques du XIXe siècle.

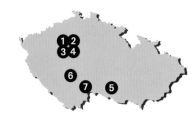

Belvédère ❹
Prague

Ce bâtiment sur la place du Hradčany, légèrement caché dans le jardin royal, mérite une attention particulière. Il fut témoin d'un grand amour comme il est plutôt rare parmi les grands de ce monde, pour qui les mariages étaient des instruments de politique dynastique. L'union entre Ferdinand Ier, plus tard roi de Bohême et de Hongrie, puis empereur germanique, et Anne de Bohême et de Hongrie n'est pas une exception, mais est exceptionnelle, car en vingt-cinq ans de mariage, depuis 1521, ils eurent treize enfants. En effet, contre tous les usages, le mari emmenait sa femme partout avec lui, même après qu'il lui eut fait cadeau en 1538 du Belvédère, en souvenir de son enfance espagnole. Ils passaient beaucoup de temps à Prague et sont inhumés dans la cathédrale Saint-Guy.

Château de Jaroměřice ❺

Baroque sacré et profane main dans la main. Dans la ville de Jaroměřice, en Moravie, au sud de Třebič, se tiennent côte à côte, l'église Sainte-Marguerite et un somptueux château unis avec grand style. Palais et église, bâtis entre 1700 et 1737 sur les plans de l'architecte autrichien Jakob Prandtauer (1660–1726), créateur de la grandiose abbaye de Melk, furent un des plus grands ensembles baroques d'Europe. À l'intérieur, de célèbres artistes furent à l'œuvre, décorèrent couloirs et salles de peintures murales et conçurent à l'extérieur les jardins à la française. Le bâtiment à trois ailes contient une galerie de peintures, de l'art chinois et une bibliothèque qui ravit les passionnés de lecture.

Château de Cervena Lhota ❻
environs de Tabor

Nul ne peut en vouloir à ce féerique château de sa vanité. Quand on est jeune et beau, on se regarde dans le miroir. Jeune ? Cervena Lhota ressemble à une construction Renaissance, et l'est. Le château fut reconstruit au XXe siècle sur les plans exacts du XVIe. Il est donc jeune et vénérable à la fois, alliance idéale pour une carrière dans le cinéma. Le beau joyau rouge au bord de l'eau et sur l'eau fut choisi comme décor de nombreux films, ou il joue le rôle principal. Son environnement est sans égal, avec ses forêts, ses douces collines, ses montagnes, ses prés retirés au bord des rivières, ses villages pittoresques. Tout cela se trouve au sud-ouest de Tabor, dans le sud de la Moravie.

Château de Jindrichův Hradec ❼

À une cinquantaine de kilomètres au nord-est de České Budějovice, se trouve Hradec, une petite ville d'envergure médiévale, dont le château fait partie des plus beaux du pays. Son aspect actuel lui fut imprimé au XVIe siècle, lors de la transformation et de l'élargissement de la forteresse du haut Moyen Âge en résidence moderne. La résidence et la ville profitèrent de leur situation géographique favorable au bord d'une route menant de Prague à la plaine du Danube, aujourd'hui encore très utilisée. La précieuse matière de construction employée pour la ville et le château est sous protection nationale et amène des voyageurs du monde entier, qui photographient avec prédilection la belle petite tour ronde du château.

Slovaquie / Hongrie
Europe

Palais épiscopal ❶
Bratislava

Une résidence ne suffisait pas au prince de l'Église. L'archevêque d'Esztergom en Hongrie à la frontière de la Slovaquie avait besoin d'une demeure à la hauteur de sa dignité à Presbourg (Bratislava). Il se fit construire à la fin du XVIIIe siècle, dans la métropole des bords du Danube, ce palais dont le classicisme et les dimensions auraient aussi bien pu faire honneur à un souverain séculier. C'est ce que se dit aussi le maire de la capitale slovaque qui s'installa ici après la Deuxième Guerre mondiale, comme l'indiquent le drapeau et la sentinelle devant l'imposant portique. La mairie n'utilisant pas tout le palais, certaines pièces sont réservées à des expositions et à des manifestations culturelles.

Château ❷
Bratislava

Une haute maison à plusieurs égards. Le château qui trône au-dessus du centre de Bratislava fut reconstruit à l'emplacement d'une ancienne forteresse du haut Moyen Âge. Son aspect anguleux dominant encore aujourd'hui lui fut imprimé à la Renaissance. Les accents qui en firent la résidence fortifiée des souverains austro-hongrois lui furent donnés ultérieurement. Un incendie détruisit en 1822 le complexe, qui resta longtemps délabré. Les travaux de rénovation et de restauration ne commencèrent qu'en 1968, donnant à la Slovaquie un bâtiment de représentation, à la création, en 1991, de la république de Slovaquie. Il abrite le parlement, le gouvernement, la présidence de la République et les collections du Musée national slovaque.

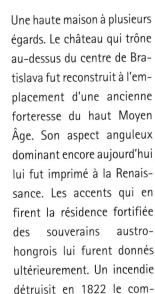

Château
de Spisské Podhradie ❸

Le site plut déjà au néolithique et les Celtes utilisèrent ce point de vue, choisi au Moyen Âge pour la construction de la première forteresse. Le château de Spisské, qui domine la ville de Spisské Podhradie, continua de s'agrandir et changea de visage sans perdre son caractère fortifié. Un incendie détruisit en 1780 le complexe qui fut laissé à l'abandon, car on n'avait alors plus besoin de château fort. Mais la conscience historique et le sentiment national grandissant, on changea d'avis. Une complète restauration est probablement impensable, mais la restauration en cours depuis 1968 fit ressusciter un ensemble imposant le respect.

Château des Esterházy ❹
Fertöd

Le château baroque des princes Esterhazy qui s'assurèrent avec cette construction une place, non seulement dans l'histoire de l'architecture, mais aussi dans celle de la musique, grâce à leur mécénat envers le jeune compositeur Joseph Haydn, rayonne comme un poème symphonique en jaune dans le soleil de l'après-midi. Le précurseur de Mozart vécut et travailla ici, comme dans tous les palais de la dynastie, de 1761 à 1790. Le merveilleux environnement l'inspira peut-être, pour qu'il y réussît des morceaux qui n'ont perdu ni leur fraîcheur ni leur légèreté. Le château de Fertöd, à l'ouest de la Hongrie, fut construit de style baroque jusqu'en 1769, au cours de ses premières années au service de la famille princière. On y donne des fêtes et des concerts, et un musée montre le mobilier de l'époque de Haydn.

Château de Vajdahunyad ❺
Budapest

L'anniversaire d'un État n'est pas toujours facile à déterminer, mais le premier millénaire de la conquête de la Hongrie par les Magyars fut incontestablement célébré en 1896. La capitale fut, pour les festivités, ornée d'un décor qui représentait toutes les stations architectoniques de l'histoire du pays. Cela plut tellement aux Budapestois, qu'ils imitèrent en pierre ce qui leur avait paru si décoratif en carton. Une vingtaine de bâtiments de tous les styles, de l'art roman au rococo, furent dressés, précurseurs de Disneyland, aussi appréciés, par les Hongrois que par leurs hôtes. Depuis 1907, se trouve dans « l'aile baroque » du château un Musée agricole, le premier du monde.

Bastion des pêcheurs ❻
Budapest

Lorsque les guerres sévissaient autrefois à Budapest, chaque corps de métier avait son poste de défense au château. L'architecte Frigyes Schulek (1841-1919) dressa, au tournant du siècle, à l'emplacement de celui des pêcheurs du Danube, un bastion fictif de style néoroman. Il faut croire que les bâtisseurs trouvaient cela romantique. L'endroit est d'ailleurs aussi très apprécié des couples d'amoureux, qui viennent s'y promener, ou se regarder d'un air languissant un verre à la main. Il y a, quoiqu'il en soit, beaucoup à voir : la tour et ses ornements, le panorama au loin, et Pest, par-delà le Danube et le pont Marguerite.

Château de Bled ❶

À cinq cents mètres d'altitude, dans les Alpes slovènes, se trouve la station climatique de Bled, avec sa belle église. Le pittoresque château, pas si joli mais nettement plus vieux, surplombe la ville et le lac de Bled du haut de son rocher, cent mètres plus haut. L'édifice, autrefois militaire, paraît un décor de théâtre ou de cinéma devant son panorama de haute montagne. Mais une visite au château est sans doute plus intéressante qu'un film, car nulle part ailleurs on n'a une meilleure idée de la culture et de la nature slovènes.

Château de Ljubljana ❷

La forteresse, perchée à quatre-vingts mètres au-dessus de la capitale slovène, formée en cercles concentriques autour du centre, semble voguer sur une grande vague verte. Le château fut au XIIᵉ siècle le premier édifice digne de ce nom au-dessus de l'embouchure de la Ljubljanica dans la Save. Sous son aile, s'épanouit une collectivité qui atteint aujourd'hui deux cent soixante-dix mille âmes. Les places et les rues sont donc animées, d'autant plus qu'elles comptent aussi un grand nombre de touristes. Qui n'aime pas l'agitation trouvera le calme au château. Les visiteurs y sont également nombreux mais le bruit de la ville n'y arrive qu'en sourdine. La nuit venue, le spectacle des flots de lumière illuminant la ville par vagues est fascinant.

Château des grottes de Predjamski ❸

Les grottes se forment avec prédilection dans la roche calcaire, et lorsqu'elles ne sont pas assez vastes, l'homme est tenté d'aider la nature. Un chevalier du nom d'Erasmus Luger le fit au XIIIᵉ siècle, près de Predjamski, au sud de Ljubljana. C'est pourquoi la grotte, à l'entrée de laquelle l'homme en armure dressa son monument, tout aussi solide, s'appelle aujourd'hui Erasmova Jama. Le château se trouve sur la plate-forme centrale de trois niveaux de grottes, le niveau inférieur étant traversé par une rivière souterraine, renouvelant continuellement l'eau. Mais le confort laissant peu à peu à désirer, les descendants de Luger construisirent vers 1570 un nouveau château. Sous cette forme, il fait partie des curiosités favorites de Slovénie.

Château de Primosten ❹
environs de Šibenik

Une région agitée, où l'on se livra récemment combat, et où les combats font encore rage non loin de là. Les châteaux forts étaient autrefois des bases militaires sûres. Primosten, place commerciale au sud de Šibenik, est un site exposé sur une ancienne île devenue presqu'île par la construction d'une digue. Les seigneurs vénitiens de la région postèrent au XVᵉ siècle, devant elle, dans les montagnes, de massifs postes de garde, du haut desquels les sentinelles avaient une vue d'ensemble de la situation. Dans ces bâtiments fonctionnels, les bâtisseurs ne renoncèrent pas au chic. La tour octogonale, toute menaçante qu'elle soit, leur confère une certaine élégance.

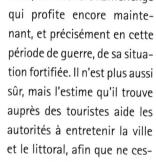

Fort de Kamerlengo ❺
Trogir

Une forteresse n'est jamais assez forte. Trogir, à une trentaine de kilomètres à l'ouest de Split, est une place bien située et sûre sur une île entre l'île de Ciovo et la terre ferme. L'étroit bras de mer aménagé par les Vénitiens, qui dominèrent la région depuis 1420, fut assuré par un pont-levis, et la cité elle-même renforcée par des remparts, des tours et des forts, dont le fort Kamerlengo qui profite encore maintenant, et précisément en cette période de guerre, de sa situation fortifiée. Il n'est plus aussi sûr, mais l'estime qu'il trouve auprès des touristes aide les autorités à entretenir la ville et le littoral, afin que ne cessent pas les flots de visiteurs.

Palais impérial ❻
Split

Les sujets de Dioclétien durent se saigner aux quatre veines pour que leur empereur se fasse construire un palais pour ses vieux jours sur la côte de l'Adriatique en Dalmatie. Sa splendeur nous coupe le souffle aujourd'hui, essoufflement dont la commune de Split et l'État croate se réjouissent, car il rapporte des devises. Mais du temps du bâtisseur, l'Empire romain n'était plus dans sa meilleure forme, même si Dioclétien (284–305) avait pu en freiner un peu le déclin. Il réduisit l'inflation par la promulgation de l'édit du maximum en 301, et fit une politique conjoncturelle avec la construction de fastueux édifices et de routes pour y arriver. Le grand complexe rectangulaire montre dans le détail, avec ses colonnes et ses cours intérieures, son double caractère de forteresse et de palais réunis en un seul bâtiment.

Roumanie / Albanie

Europe

Palais du peuple ❶
Bucarest

Avoir un grain de folie est encore, pour un dictateur, un petit défaut, mais quand le dictateur fait payer ce défaut à un peuple, qu'il a fait plonger dans la misère, comme le fit le despote Ceauşescu en Roumanie, le charme s'envole. Le chef de clan, pris de mégalomanie, fit construire à Bucarest de 1984 à 1989, un Palais du peuple dans le style de l'architecture stalinienne. Ce « centre socialiste », construit pour héberger le parlement et la culture, qu'il piétinait par ailleurs, et devant briller d'un plus grand éclat que Versailles, entraîna la démolition systématique de monuments historiques de la vieille ville. Lui-même ne put qu'en célébrer le gros œuvre, la colère du peuple, qui le fit exécuter, s'étant abattue sur lui avant que l'édifice fût achevé. Le plus grand monument qui s'élève à sa mémoire n'est cependant pas ce bastion communiste, mais la haine qui le maudira jusqu'à sa tombe pendant encore des générations.

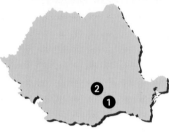

Château de Bran ❷
Bran

On croit deviner les dents de Dracula dans les créneaux, mais le sanguinaire héros de roman créé par Bram Stoker (1847–1912) ne vint jamais ici, ni en réalité ni dans la fiction. S'il avait connu le château de Bran, du nom de la petite localité au sud de Braşov, il serait venu s'y installer. Le château domine du haut d'un rocher une gorge à ses pieds, où les victimes du vampire auraient été nombreuses. Le château est traversé par une route très fréquentée reliant la Transylvanie à la Valachie. Il faut donc s'attendre à un peu d'épouvante en visitant les pièces du château ouvertes au public, sentiment qui disparaît aussitôt en haut de la tour à la vue de la verdure environnante.

Château de Kruja ❸

Skanderbeg (1403–1468), héros national de l'Albanie, chef de la lutte contre les Ottomans, aurait-il été édifié de donner son nom à une formation de volontaires SS au cours de la Deuxième Guerre mondiale ? Il eut à Kruja pendant longtemps son quartier général, et c'est de la forteresse de Kruja, « balcon sur l'Adriatique », à quarante kilomètres au nord de Tirana, qu'il résista contre les Ottomans. La forteresse, plus tard, tomba en ruine et l'on en reconstruit maintenant quelques parties. Mais les ruines n'évoquent-elles pas avec plus d'éloquence le glorieux passé ? La tour, par exemple, avec son entrée latérale, qui ressemble au goulot d'une bouteille. La pierre, qui en fut le matériau de construction, lui assura une stabilité séculaire.

Château de Rozafa ❹
Shkodër

La pauvreté a hélas aussi un côté pittoresque et suscite parfois l'admiration au lieu de la pitié. C'est le cas du château de Shkodër, sur le lac qui sépare l'Albanie du Montenegro. De nos jours, la ville au nord du pauvre État n'a guère que sa célèbre mosquée de plomb et ce château de Rozafa comme curiosités. Un grand nombre de bâtiments y est entre-temps suffisamment restauré pour y ouvrir un musée racontant l'histoire de cet ancien grand centre commercial et religieux, dont les premières mentions datent du IIIᵉ siècle avant J.-C. Ville d'Illyrie, en 168 avant J.-C., elle appartint successivement aux Romains et en 1479 aux Turcs. La vue sur le lac et la mosquée vaut au moins autant le coup d'œil que l'exposition.

Château de Butrint ❺

Un lac, à la pointe méridionale de l'Albanie actuelle, plut déjà aux Grecs anciens, qui fondèrent ici au VIIᵉ siècle avant J.-C. la colonie de Buthroton (aujourd'hui Butrint). Les fouilles en révélèrent des vestiges, de nouveau exposés. On y découvrit aussi des vestiges de la domination romaine qui lui succéda, puis de celle des Vénitiens au Moyen Âge. Leur château sur l'ancienne acropole est si bien conservé qu'y monter par les chemins pavés et jouir de la vue sur ce berceau de très anciennes civilisations est un plaisir. On voit, d'en haut, le canal de Vivar qui relie le lac de Butrint à la mer Ionienne, à quelques kilomètres de là.

Grèce

Europe

Fort de Platamonas ❶

Zeus et ses compagnons, qui n'avaient plus d'adeptes, ne purent qu'assister, impuissants, du haut de l'Olympe, au spectacle des croisés arrivant en 1204 au pied du massif du séjour des dieux et découvrant, près de Platamonas, sur le golfe Thermaïque, un site propice pour la construction d'une base militaire. En deux décennies, s'y dressa sur un terrain accidenté une forteresse encore très stable, bien qu'elle traversât plus d'une période houleuse. Au XVᵉ siècle, vinrent les Turcs, puis les Grecs la reconquirent au XIXᵉ. Mais l'épreuve la plus dure pour la forteresse fut en 1941 lorsque des chars allemands venus du Nord sur le littoral ouvrirent le feu sur Platamonas.

Château de Kavála ❷

Qui passe ses vacances sur Thássos, île verte du nord de la mer Égée, passe inévitablement à Kavála, d'où partent les ferrys. Quels que soient le degré de fatigue et la soif de soleil du visiteur, il ne peut manquer de s'arrêter dans cette ville, ne fût-ce que pour en voir le couronnement qu'est le château. Il pare le faîte de la vieille ville, qui monte vers lui. C'est un édifice de l'époque byzantine tardive.

De nombreuses forteresses furent construites à cette époque pour faire face à la menace que représentaient les Turcs, mais ne furent que temporairement efficaces. Elles sont appréciées aujourd'hui des vacanciers et des touristes de passage auxquels il plaît de faire le crochet par les siècles passés et de se retrouver au temps des preux chevaliers.

Vieux palais ❸
Athènes

Qualifier ce bâtiment de « vieux » est plutôt comique. Dans la capitale de la Grèce, tout est beaucoup plus vieux que ce palais, bâti en 1834, après que le pays se fut libéré de la domination turque et qu'Athènes eut repris son rôle de métropole. Il est vrai que le palais du classicisme sur la place Syntagma, aujourd'hui siège du parlement grec, porte l'empreinte de la sobriété de l'Antiquité. Le vaillant soldat de plomb devant la guérite appartient à la troupe d'evzones (« qui a une belle ceinture »), autrefois gardes du corps royaux et qui ont aujourd'hui un rôle représentatif.

Fortifications de l'Acrocorinthe ❹
Corinthe

Qui veut respirer l'air du Péloponnèse est obligé de passer par Corinthe. La position clé de cette ville, située aujourd'hui à cinq kilomètres plus au nord-est, mais autrefois au pied de la citadelle, en fit une riche commune et, après Athènes, l'une des plus grandes cités commerciales, ce qui suscita des jalousies. Corinthe subit maintes destructions au cours des millénaires qui suivirent l'époque classique au Vᵉ siècle avant J.-C. Même les fortifications bâties au Moyen Âge par les hospitaliers de Saint-Jean-de-Jérusalem et plus tard par les Vénitiens ne tinrent pas. Mais les ruines sont belles à voir, et le visiteur, qui ne se trouve qu'à sept kilomètres de l'isthme de Corinthe, n'a pas trop de regrets.

Palais de Cnossos ❺
Crète

Les hommes de nos latitudes vivaient encore dans des cavernes et des tentes, que prospérait déjà sur l'île de Crète une civilisation qui surprend encore aujourd'hui. Le nouveau palais, bâti vers 1700 avant J.-C., est un véritable joyau, avec ses fresques qui représentent la vie quotidienne minoenne, civilisation qui porte le nom du roi mythique Minos. Minos, fils de Zeus et d'Europe, d'après laquelle est nommé notre continent, apporta à l'île une période de paix qui permit la construction de tels édifices. Les fouilles, depuis 1900, de l'archéologue Arthur Evans (1851–1941), qui firent réapparaître le palais détruit en 1335 avant J.-C. par un tremblement de terre, révélèrent les secrets d'une époque extraordinairement riche.

Francocastello ❻
Crète

Sur la côte sud-ouest de la Crète s'étend, sur une toile de fond montagneuse de l'intérieur des terres, une plaine invitant à débarquer. Les insulaires devaient donc veiller à ce que seuls leurs amis le fassent. Pour parer aux visites indésirables, les croisés, puis les Vénitiens, dressèrent cette forteresse sur les rochers, d'où ils contrôlaient les plages de sable et leurs abords. La supériorité de l'adversaire et le progrès des techniques de guerre firent toutefois que la forteresse ne suffit plus. L'île changea souvent de propriétaire, au XXᵉ siècle les Allemands s'en emparèrent même à deux reprises, en 1941 les parachutistes, et après la Deuxième Guerre mondiale une multitude de touristes, désormais bienvenus, et heureux de trouver les vestiges de grandes civilisations comme Francocastello.

Fort de Rethymnon ❶
Crète

Le nom trahit les bâtisseurs. Le fort de la petite ville du nord de la Crète est d'origine vénitienne. La république de Venise domina l'île grecque pendant plus de quatre siècles, avant que les Turcs la lui reprennent en 1645. Le détail sur la photo est tellement représentatif de la beauté et de la solidité de l'ensemble de la fortification qu'à lui seul il séduit par son élégance et sa fonctionnalité.

À cela s'ajoute la merveilleuse vue sur le bleu méditerranéen qui lui donne un air irréel, fantastique. Les ruines de la chapelle, qui ne furent naturellement pas entretenues sous la domination turque, accentuent encore cette impression. D'autres bâtiments n'ayant pas été reconstruits, les visiteurs trouvent un séduisant mélange de perfection et de délabrement.

Fort d'Héraklion ❷
Crète

Les Vénitiens conquirent la Crète en 1210 et firent de Candie (aujourd'hui Héraklion), sur la côte nord de l'île, la capitale. Cela ne se passa pas sans résistance de la part de la population, et les conquérants s'assurèrent immédiatement contre les rebelles, avec un imposant château fort sur le port, par où arrivait le ravitaillement. Cet endroit fut, dès l'époque minoenne, environ deux millénaires avant J.-C., le lieu de débarquement pour le palais de Cnossos. La ville dut encaisser plusieurs défaites au XVIᵉ siècle. En 1508 elle fut dévastée par un tremblement de terre, en 1523 la peste décima la population, en 1539 les pirates détruisirent les maisons. Quand les Turcs arrivèrent en 1645, il ne restait que très peu de substance vénitienne. Le fort résista, dernier témoin de l'essor médiéval.

Palais des grands maîtres ❸
ville de Rhodes

La grande île de Rhodes avait la situation géographique idéale sur la route maritime des chevaliers qui, au Moyen Âge, partirent libérer des musulmans les lieux saints du christianisme. Les hospitaliers de Saint-Jean-de-Jérusalem dressèrent ici une résidence fixe à leur grand maître. Mais chassé par les Turcs en 1522, il trouva, avec ses chevaliers, une patrie sur l'île de Malte. Leurs constructions à Rhodes, dont ce palais, furent laissées à l'abandon ou transformées par les musulmans. Lorsque, en 1913, la Turquie céda Rhodes à l'Italie, les nouveaux maîtres de l'île se souvinrent du grand passé chrétien et reconstruirent le Palais des grands maîtres sur les plans originaux. Il est un des principaux centres d'attraction pour les voyageurs intéressés par son histoire.

Château de Lindos ❹

Le lieu le plus intéressant et le plus pittoresque après Rhodes, sur l'île de la mer Égée, est le village de Lindos, avec ses petites maisons blanches blotties au pied d'une grande forteresse sur un port naturel. Seuls les piétons et les charrettes à ânes peuvent circuler dans les étroites ruelles. En marchant vite, le visiteur arrive à l'acropole en trois quarts d'heure, où il découvre des vestiges de plusieurs époques, notamment les reliques du sanctuaire d'Athéna et les très beaux remparts du château des chevaliers de l'ordre Teutonique. Et enfin, le plus merveilleux est la vue sur la baie de Lindos, où saint Paul fit une halte en allant à Rome.

Château de Dolmabahçe ❺
Istanbul

L'influence de l'Europe sur l'art ottoman atteignit son apogée avec ce palais, que le sultan Abdülmecid Ier fit construire au XIXe siècle à Istanbul. La façade, néobaroque et classique, s'étend sur une largeur de six cents mètres le long de la côte européenne du Bosphore. Et les ornements de la façade ne sont rien à côté de l'intérieur, où quinze tonnes d'or brillent dans deux cent soixante salles. L'homme à qui la Turquie doit l'ouverture vers l'Occident, Kemal Atatürk (1881-1938), n'avait pas pour rien choisi ce palais pour représenter. Le meilleur exemple d'un passage réussi du traditionnel au moderne.

Fort Rumeli Hisan
Istanbul

Mehmet II (régna de 1451 à 1481) fut surnommé *Fatih*, « le Conquérant », parce qu'il conquit en 1453 Constantinople, qui avait résisté pendant cent ans à la menace turque. Le sultan fit construire avant la chute de la forteresse byzantine, sur le Bosphore, le fort Rumeli Hisan qui compte parmi les meilleurs ouvrages d'architecture militaire du Moyen Âge tardif et les mieux conservés. On l'appelle aussi la « forteresse européenne » pour ses visibles emprunts à l'architecture de fortifications occidentale. Il est utilisé comme coulisse pour des festivals en plein air.

Sérail Topkapi ❷
Istanbul

La porte du palais du sultan à Istanbul pourrait être celle d'une forteresse, si les lettres d'or gravées dessus ne trahissaient pas l'entrée d'un somptueux palais. L'énorme complexe, commandé par le sultan Mehmet II en 1465, comprenait tout ce qu'un souverain oriental pouvait souhaiter, notamment un important harem. Quelle valeur a l'or, quand il ne manque pas, alors que les plaisirs érotiques sont rares ? Le maître du palais pouvait avoir jusqu'à mille deux cents femmes, et ce chiffre plusieurs fois multiplié donne une idée du nombre de serviteurs. Les écuries regorgeaient de purs-sangs. Le palais renferme un musée avec des trésors incomparables.

Palais du Pacha Ishak ❸
environs de Dogubayazit

Vous pourrez flairer ici un peu de l'histoire de la Création. Ce palais, plutôt une forteresse, bâti au XVIIᵉ siècle par un gouverneur de province de l'Arménie turque, s'élève devant le décor imposant du mont Ararat, qui dresse ses sommets recouverts de neige à cinq mille cent trente-sept mètres d'altitude. L'arche de Noé s'y serait échouée à la fin du Déluge, juste avant d'avoir épuisé ses provisions. On dit que la femme de Noé recueillit tout ce qu'elle put trouver de légumes secs pour faire un pudding, devenu depuis des temps immémoriaux une spécialité culinaire arménienne (*asure*). Au palais, la nourriture devrait être meilleure.

Citadelle ❹
Van

Le lac de Van à l'est de la Turquie se trouve déjà à mille six cent cinquante mètres de hauteur, le plateau qui l'entoure est encore plus haut, et les sommets atteignent des altitudes de haute montagne. Les Ourartéens, qui dominaient la région au IXᵉ siècle avant J.-C., et fondèrent Tuschpa (l'actuelle Van), s'y sentaient en sécurité. Pour la rendre plus sûre encore, ils bâtirent une citadelle, transformée et agrandie au fil du temps. Les vestiges de la citadelle formèrent le décor pittoresque de nombreuses toiles d'artistes du XVIIIᵉ siècle qui recherchaient les paysages « héroïques ». Les visiteurs d'aujourd'hui se contentent des montagnes neigeuses en arrière-plan.

Château de Van-Kale ❺
Van

La vie publique ne peut s'épanouir en paix si le voisin a des intérêts contraires. Les Ourartéens assurèrent donc leur royaume dans les montagnes, et loin de tout, au IXᵉ siècle avant J.-C., en construisant des forteresses autour de la capitale, l'actuelle Van, sur le lac du même nom en Anatolie orientale. Ce furent des constructions si solides, que l'on y trouve encore les ruines d'anciennes fortifications ourartéennes.

Le château de Van-Kale est un des plus beaux. Ses créneaux sont impressionnants encore aujourd'hui, et les remparts qui épousent les formes du sol ont une certaine délicatesse malgré leur robustesse. Le rocher et la forteresse se fondent en une massive unité.

Turquie

Europe

Château d'Hosap ❶

Le château d'Hosap, à une soixantaine de kilomètres du lac de Van en direction de Başkale, paraît à première vue bien conservé. Le pont fut refait, mais les remparts au sommet du rocher semblent avoir été rongés par le temps. Les bastions ont pourtant assez peu de siècles sur le dos par rapport à d'autres forteresses de la région, qui en ont quelques millénaires. Hosap, du nom de la rivière qui coule au sud du château, fut construit au XVIIᵉ siècle sur des fondations hexagonales avec quatre donjons ronds. L'intérieur est complètement en ruine.

Citadelle ❷

Harran

L'arrière-plan à gauche de la photo est presque aussi intéressant que la ruine au premier plan. Les cabanes en torchis en forme de ruches sont typiques de la plaine d'Urfa, qui s'étend au sud-est de la Turquie jusqu'en Syrie. Les habitants de Harran, ville hellénisée sous le nom de Carrhes, vivent dans ces demeures depuis des temps immémoriaux, et remontent au patriarche biblique Abraham. Les vestiges de la citadelle, du VIIIᵉ siècle après J.-C., sont, en comparaison, presque jeunes et d'origine islamique. L'un des premiers califes omeyades, qui savait que la région, connue pour être un lieu de passage, était incertaine et convoitée, en serait le bâtisseur.

Fort Selçuk ❸

environs d'Éphèse

Les Seldjoukides turcs construisirent, dit-on, ce château au sud d'Izmir dans les environs de l'ancienne cité grecque d'Éphèse. Mais cela ne peut pas être tout à fait vrai, car les Byzantins avaient déjà fortifié le promontoire bien avant, pour y protéger un lieu saint chrétien. Marie, mère de Jésus, y aurait été amenée par l'apôtre Jean après la crucifixion du Sauveur, et aurait terminé sa vie dans une cabane sur le mont Bülbül (Koressos). Le 15 août, le jour de l'Ascension, est une grande fête chrétienne dans la région. La colline est lieu de pèlerinage pour les croyants, et la forteresse, de même qu'Éphèse, un but touristique très fréquenté.

Petronium ❹

Bodrum

L'histoire s'écrit ici depuis qu'elle commença au Vᵉ siècle avant J.-C. d'être écrite par Hérodote, le « père de l'histoire », issu d'Halicarnasse, l'actuelle Bodrum, port de la côte ouest de la Turquie. Les chevaliers de Rhodes dressèrent un château sur l'île, le nommèrent, d'après l'apôtre Pierre, *Petronium* et ne cessèrent de l'agrandir au XVᵉ siècle. Rhodes et la forteresse tombèrent néanmoins en 1522 aux mains des Ottomans qui firent transformer la chapelle du château en mosquée. Le château leur plut tellement qu'ils le laissèrent intact, et il le resta.

Fort d'Alanya ❺

Ce lieu de vacances du sud de la Turquie est au moins aussi connu que Palma de Majorque. Qui recherche le soleil a des chances de l'y trouver, mais non seulement cela. Les fortifications de la péninsule s'étendent sur plus de six kilomètres. Elles comprennent cent quarante tours et font partie des mieux conservées de tout l'Extrême-Orient. Chaleur, aventure et histoire, un mélange irrésistible. Les pierres, elles-mêmes, pourraient raconter des combats du temps de l'Antiquité, mais leur disposition n'est que du début du règne de la dynastie turque des Seldjoukides, qui se préoccupèrent du plus important dans une forteresse : l'alimentation en eau. Plusieurs centaines de citernes paraient au strict nécessaire en cas de siège.

Fort Anamur ❻

Les murs ne sont pas une protection suffisante contre l'ennemi. Sans l'assistance du Très-Haut, les mesures de sécurité sont vaines. Les mosquées sont aux châteaux turcs ce que les chapelles sont aux châteaux chrétiens. Le fort Anamur, au sud-ouest d'Alanya, montre à merveille l'ensemble harmonieux que peuvent former côte à côte l'enceinte d'une ville et son minaret. Il protégeait surtout la côte, toujours menacée par les pirates et les flottes ennemies. Les temps sont depuis longtemps révolus, néanmoins les remparts martiaux assurent encore la sécurité du pays, car en attirant les vacanciers ils l'alimentent en devises pour leur entretien et pourvoient à l'existence des habitants du bord du littoral méditerranéen.

Turquie / Chypre
Europe

Forteresse de Kizkalesi ❶

Les ennemis qui en veulent, en général, à la vie de quelqu'un sont dangereux, mais plus encore ceux qui en veulent aux femmes. Les sultans turcs eurent besoin, pour la prise de l'île rocheuse de Kizkalesi sur la côte sud d'Anatolie, presque trente ans de plus que pour la prise de Constantinople. Lorsqu'ils l'eurent enfin prise en 1482, ils reconnurent immédiatement qu'elle se prêtait parfaitement à l'établissement d'une résidence d'été et d'un grand harem. D'où le nom de « château des vierges ». Curieuse dénomination, vu l'usage qu'on en fit. Les jeunes filles y étaient en tout cas en sécurité, même si l'on imagine tout dans cette enceinte, sauf des rendez-vous galants. C'est aujourd'hui un but d'excursion apprécié et le nid de deux cents espèces d'oiseaux de mer.

Palais épiscopal ❷
Nicosie

Devenu archevêque de Nicosie à l'âge de trente-sept ans, il ne cacha à personne qu'il était pour l'*enosis* (« union ») de Chypre avec la Grèce. Makários III (1913–1977), ne recula pas devant l'affrontement avec les Britanniques, qui le déportèrent aux Seychelles en 1956/1957. Le populaire prince de l'Église revint triomphant, devint en 1960 premier président de la République indépendante de Chypre et se fit bâtir un palais légèrement teinté d'orientalisme au cœur de la capitale. Mais son État se brisa sur le conflit avec les Turcs insulaires, que lui-même avait attisé. Pour les Grecs, il demeura héros populaire. Sa statue monumentale devant son palais démontre le culte qu'on lui voua. L'édifice abrite entre autres un musée byzantin.

Forteresse de Girne ❸

Le visiteur de la partie turque de Chypre, au nord de l'île, est frappé par l'énorme présence du passé émanant de ce château qui paraît posé sur la côte comme un gros cube. Devant ce spectacle, il faut avoir présente à l'esprit la faiblesse de tels bastions en apparence éternels et imprenables, mais que la technique de guerre dépassa depuis longtemps. Des curieux du monde entier y montent pourtant jour après jour, écoutant parler les pierres de combats et de drames *intra* et *extra muros*. Son manteau n'est plus celui du temps des croisades. Le château prit son air massif sous la domination vénitienne au XVIᵉ siècle, lorsque déjà l'artillerie navale menaçait les bastions.

Château de Paphos ❹

Les chevaliers occidentaux du Moyen Âge choisirent de plus en plus souvent les voies maritimes pour aller libérer la Terre sainte des Sarrasins. Il se conçoit que Chypre fût considérée comme base importante, avant d'arriver au but, mais aussi pour le ravitaillement. Égyptiens, Romains et Grecs avaient déjà utilisé ce site clé. Des vestiges de leur domination respective se trouvent en abondance sur l'île. Les bastions chrétiens comme la forteresse de Paphos au sud-ouest, sur le port, beaucoup plus jeunes et par là mieux conservés, donnent une idée assez précise de l'architecture militaire du temps des croisades, répondant au principe d'une construction solide et anguleuse, sans fioritures.

Château de Kolossi ❺

Que passent encore quelques siècles et plus un seul chevalier ne trouvera sa Belle au bois dormant derrière la somptueuse floraison grimpant le long des murs du château de Kolossi, à quinze kilomètres à l'ouest de Limassol. Malheureusement, l'île méditerranéenne de Chypre, avantagée par son climat, ne laisse rien ni personne s'épanouir en toute tranquillité car elle est trop convoitée pour sa position stratégique, depuis l'Antiquité, et jusqu'au Moyen Âge lorsque les chevaliers d'Europe occidentale et centrale recherchaient des bases militaires sur le chemin de la Palestine. Le château de Kolossi en était une. C'est ce qui fait que la situation ne s'est pas calmée, jusqu'à nos jours, sur la plage au sud de Chypre. Du point de vue touristique, c'est un haut lieu stratégique, et les vacanciers qui cherchent autre chose que les bains de soleil sont reconnaissants au château de leur procurer un apport culturel.

L'Asie

L'aspiration au plus haut des cieux

Les steppes accolées au sud à une ceinture de déserts et plus au sud encore au « faîte de l'univers », avec l'arc montagneux des massifs de l'Hindu Kuch, du Karakorum et de l'Himalaya, ne font pas précisément du nord du plus grand de tous les continents l'endroit idéal pour la construction de somptueux édifices, davantage concentrés dans les pays richement peuplés de l'Extrême-Orient, sur le sous-continent indien et les îles d'Indonésie jusqu'à la Chine et le Japon. Il est cependant surprenant que l'un des plus beaux et des plus « asiatiques » de tous les édifices se soit perdu à des hauteurs vertigineuses, à Lhassa, où le Potala pourrait illuminer l'univers d'une hauteur de trois mille sept cents mètres, s'il n'était pas caché derrière un rideau de géants, qui le maintinrent longtemps inaccessible à l'agitation du monde. La Chine mit un terme à cette situation en 1950, lorsqu'elle s'empara du joyau. Mais, heureusement, elle ne le sacrifia pas aux dispositions hostiles des communistes envers la religion. Comme la plupart des chefs-d'œuvre d'architecture en Asie, il est aussi, en tant que résidence du dalaï-lama, un palais mi-sacré, car les anciennes cultures savaient que l'œuvre de main d'homme, surtout d'une telle envergure, ne peut réussir qu'avec la protection du ciel. Or, la globalisation, qui est avant tout une sécularisation, semble éroder cette sagesse. Elle entraîne dans son sillon un changement de valeurs et de comportement social, qui ne reste pas sans conséquences esthétiques. L'homme aspire au plus haut, aussi en Asie, mais désormais au nom d'autres dieux, dont le plus adoré est l'argent. Si admirables que soient les temples qui lui sont élevés, un exemple inégalable est la tour de 315 mètres de haut de la Bank of China à Hongkong. Le contact avec le ciel semble être brouillé.

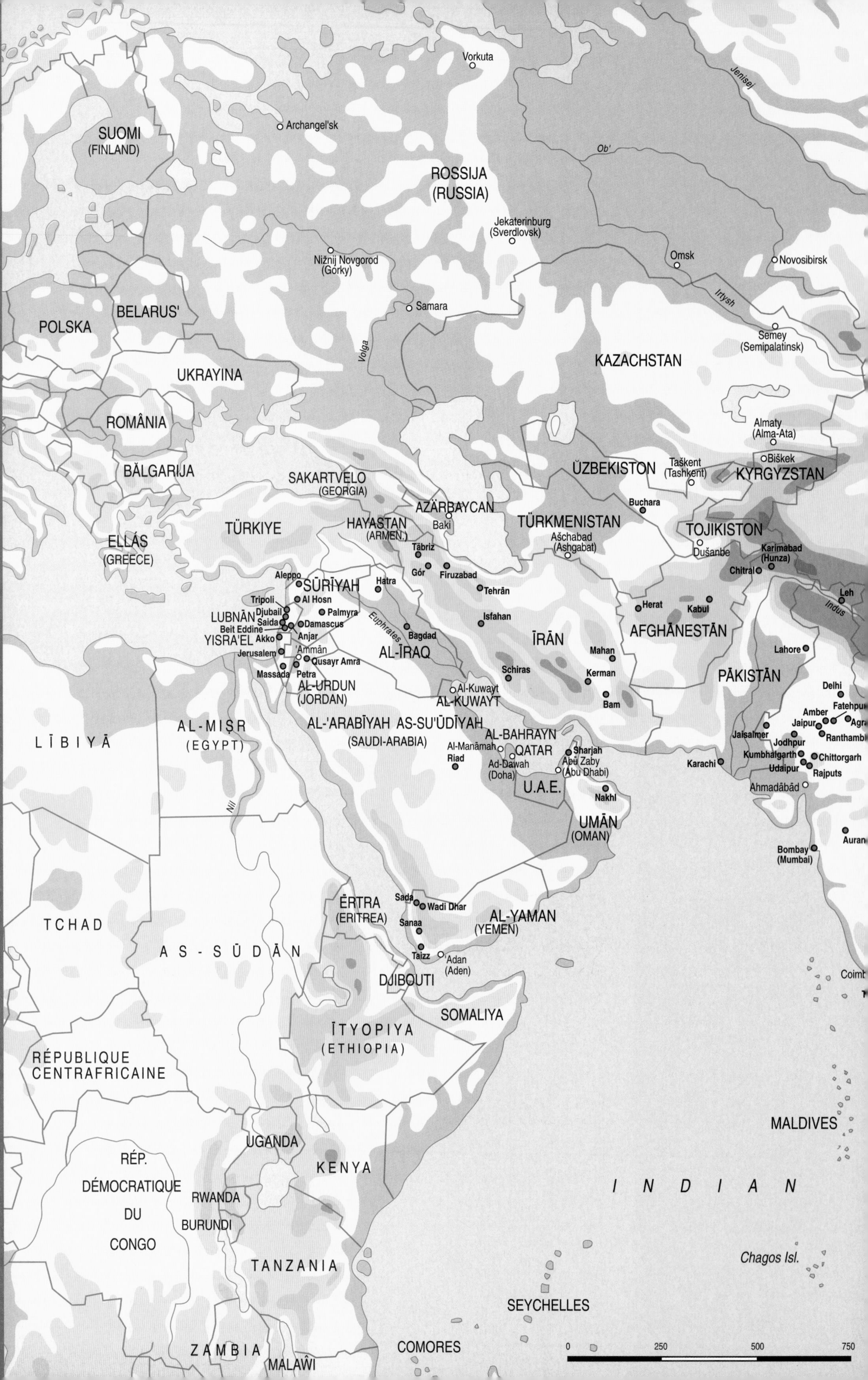

Asie

SUOMI
(FINLAND)

Vorkuta

Jeniséj

Archangel'sk

ROSSIJA
(RUSSIA)

Ob'

Jekaterinburg
(Sverdlovsk)

Omsk

Novosibirsk

BELARUS'

Nižnij Novgorod
(Gorky)

POLSKA

Samara

Irtyš

Semey
(Semipalatinsk)

UKRAYINA

Volga

KAZACHSTAN

ROMÂNIA

BĂLGARIJA

Almaty
(Alma-Ata)

SAKARTVELO
(GEORGIA)

ÜZBEKISTON

Taškent
(Tashkent)

Biškek

ELLÁS
(GREECE)

TÜRKIYE

HAYASTAN
(ARMEN.)

AZÄRBAYCAN

Baki

TÜRKMENISTAN

KYRGYZSTAN

TOJIKISTON

Buchara

Aleppo

Tripoli
LUBNĀN
Beit Eddine
Saida
YISRA'EL Akko
Jerusalem
Massada
AL-MISR
(EGYPT)

SŪRĪYAH
Al Hosn
Palmyra
Damascus
Anjar
'Ammān
Qusayr Amra
Petra
AL-URDUN
(JORDAN)

Hatra

Gór

Tābriz

Firuzabad

Euphrates

Bagdad

AL-ĪRAQ

Al-Kuwayt
AL-KUWAYT

AL-'ARABĪYAH AS-SU'ŪDĪYAH
(SAUDI-ARABIA)

Tehrān

Isfahan

Schiras

ĪRĀN

Mahan

Kerman

Bam

Herat

Kabul

AFGHĀNESTĀN

Aščhabad
(Ashgabat)

Dušanbe

Karimabad
(Hunza)

Chitral

Leh

Indus

PĀKISTĀN

Lahore

Delhi
Amber Fatehpu
Jaipur Agra
Ranthambi
Jaisalmer
Jodhpur
Kumbhalgarth Chittorgarh
Udaipur Rajputs
Ahmadâbâd

Karachi

LĪBIYĀ

Nil

Djubail

AL-BAHRAYN
Al-Manāmah
Riad
Ad-Dawah
(Doha)
QATAR

Sharjah
Abū Zaby
(Abu Dhabi)
U.A.E.

Nakhl

UMĀN
(OMAN)

Bombay
(Mumbai)

Auran

TCHAD

AS-SŪDĀN

ĒRTRA
(ERITREA)

Sada
Wadi Dhar

Sanaa

Taizz
Adan
(Aden)

AL-YAMAN
(YEMEN)

DJIBOUTI

RÉPUBLIQUE
CENTRAFRICAINE

ĪTYOPIYA
(ETHIOPIA)

SOMALIYA

Coimb

RÉP.
DÉMOCRATIQUE
DU
CONGO

UGANDA

RWANDA
BURUNDI

KENYA

MALDIVES

INDIAN

TANZANIA

Chagos Isl.

ZAMBIA MALAŴI

COMORES

SEYCHELLES

0   250   500   750

Krak des Chevaliers ❶
Al Hosn

C'était une aventure en soi pour les croisés du Moyen Âge d'arriver en Terre sainte, et un art de s'y maintenir quand on avait remporté une victoire sur les Arabes. Un art obligeant à construire des forteresses. Les intrus occidentaux maîtrisaient en partie déjà la technique de la forteresse en arrivant, et en partie ils créèrent, en s'inspirant de l'architecture de l'ennemi, des bastions qui sont de véritables œuvres d'art. L'une des plus belles, des plus grandes et des mieux conservées est le krak des Chevaliers, en Syrie, dans le comté de Tripoli. Il domine la ville du haut d'une montagne et impressionne par l'énorme robustesse de ses murs, par ses grosses tours et ses fortifications anguleuses. Il est fonctionnel, mais l'esthétique ne fut quand même pas délaissée. On a du haut de la tour une vue jusqu'au Liban.

Citadelle ❷
Alep

Les bâtisseurs arabes mirent en œuvre tout leur art et leur savoir-faire quand il fallut pourvoir la ville d'Alep d'une citadelle imprenable. Il est clair qu'elle ne put être que temporairement imprenable, car la technique de guerre se développant, on eut au plus tard au XVIe siècle les moyens de prendre ces bastions, ce que firent d'ailleurs les Turcs en 1516. Mais jusque-là, les fossés, les murs habilement inclinés, les portes toujours dressées à angle droit contre les éventuels agresseurs, et les chemins sinueux montant au château, aménagés pour être faciles à assaillir d'en haut, tinrent plusieurs siècles. Une œuvre de maître sans pareille, qui suscite l'admiration du visiteur de la « ville grise », comme est surnommée Alep.

Forteresse de Qalat ibn Maan ❸
Palmyre

Les touristes affluent à Palmyre, capitale de la Palmyrène, située entre Damas et l'Euphrate, pour y admirer les vestiges de l'Antiquité, notamment romains. Beaucoup ne remarquent que sur place, que les vestiges des anciennes civilisations arabes sont au moins aussi beaux. Cette forteresse, bien qu'en ruine, est une merveille qui témoigne de la puissance de l'Islam à la conquête de l'Orient. Et elle montre combien les croisés et les architectes occidentaux apprirent de leurs adversaires arabes. À cela s'ajoute pour le visiteur moderne le spectacle unique qui s'offre de là-haut.

Palais 'Azm ❹
Damas

Le palais 'Azm, bâti au milieu du XVIIIe siècle par le gouverneur turc Assad Pascha al-Azem, est le modèle accompli de la résidence citadine, avec son harem pour les femmes, son *salamlik* pour les réceptions, ses bâtiments domestiques, et son vestibule carrelé, aux décors presque baroques, à travers lequel nous voyons sur la photo une cour intérieure. Le Musée national syrien réside dans ce palais, exposant des collections racontant l'histoire mouvementée du pays et de sa capitale, considérée comme la plus ancienne cité du monde entier. La civilisation islamique est, naturellement, au centre du musée, qui compte un grand nombre de manuscrits du Coran avec enluminures.

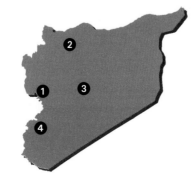

Château de Byblos ❶
Djebail

Là où déjà les Phéniciens, les Grecs et surtout les Romains accumulèrent les gigantesques édifices, les croisés européens trouvèrent du matériau de construction en abondance. Le respect des vestiges était une notion encore inconnue. Ainsi disparurent quelques vestiges anciens lors de la construction du château de Byblos (aujourd'hui Djebail), situé à trente-sept kilomètres au nord de Beyrouth. Mais le nouveau bâtiment est, pour nous, presque aussi vieux, aussi précieux que l'héritage de l'Antiquité, qui n'a en outre pas complètement disparu, car derrière le large château se trouve un chantier de fouilles qui avec le château forme un tout très pittoresque. Du haut de la tour, on aperçoit des millénaires.

Fort de Sidon ❷
Sayda

Sayda, cité célèbre dès l'Antiquité sous le nom de Sidon, se trouve à une cinquantaine de kilomètres au sud de Beyrouth. Avant que Tyr la supplantât, elle était, au Proche-Orient, le centre du royaume des Phéniciens, auxquels succédèrent de nombreux maîtres grecs, romains, arabes et temporairement aussi des croisés occidentaux. Tous laissèrent des édifices, dont beaucoup sont détruits, exploités comme carrière ou recouverts par d'autres. Ce sort ne put être fait à la forteresse que les chevaliers dressèrent au XIIᵉ siècle sur une île rocheuse, car les occupants ultérieurs, Arabes et Turcs, durent l'entretenir pour pouvoir l'utiliser. L'occupant actuel, l'État libanais, l'entretient parce qu'elle attire un grand nombre de touristes.

Palais Beit Eddine ❸

En quittant, peu avant Sayda, la route venant de Beyrouth et en tournant à gauche dans les montagnes, on passe devant des plantations de bananes, puis on arrive à Dayr al-qamar, l'ancienne résidence des califes. Non loin de là se trouve un somptueux édifice d'époque plus récente, appelé Beit Eddine, (Maison de la foi). La dénomination pieuse fut-elle donnée pour que les visiteurs ne soient pas envieux du bien d'autrui à la vue de la finesse des peintures aux plafonds et des élégantes arcades ? L'émir Bachir II se fit construire ce palais, avec son grand harem et les plus beaux bains turcs du début du XIXᵉ siècle, sur un rocher. Soigneusement restauré depuis 1934, c'est désormais un musée de mosaïques byzantines, d'armes anciennes et de costumes.

Ruines d'Andjar ❹

La première dynastie de califes islamiques, les Omeyades, régna de 661 à 750 à Damas avant d'être relayée par les Abbassides et de s'établir à nouveau en Espagne. Elle se bâtit une résidence à Andjar, à une quarantaine de kilomètres au sud-ouest de Baalbek. Walid (régna de 705-715) l'élargit et la fortifia, puis la ville fut laissée à l'abandon. Les ruines s'ordonnèrent ainsi qu'elles devinrent une attraction touristique et furent déclarées patrimoine culturel mondial par l'UNESCO. Un coup d'œil sur les statues au premier plan et sur les arcades presque suspendues de l'ancien palais des califes suffit à comprendre cette décision.

Massada ❶

Élevée sur un piton rocheux, sur la rive occidentale de la mer Morte, l'imposante forteresse juive bâtie par Hérode le Grand vers l'an 30 avant J.-C., est entourée d'un mur blanc de 3,7 mètres de large et 5,5 mètres de haut. L'enceinte mesurait 630 x 130 à 230 mètres. Elle comprenait des abris et trente-sept tours d'environ 32 mètres de haut (exemple en arrière-plan). Tout n'eût servi à rien pendant la guerre juive de 70 à 73 après J.-C., si un système sophistiqué d'approvisionnement en eau n'avait pas permis de résister, dans cette région aride, aux neuf cent soixante assiégés tenus en échec par les Romains. Ils durent pour finir se plier devant la supériorité de l'adversaire, mais les Romains ne trouvèrent que sept femmes et leurs enfants, car ils avaient préféré le suicide collectif à la reddit

Citadelle ❷
Acre

Les victoires chrétiennes sur Jérusalem durant la première croisade en 1099, et plus tard, ne furent jamais de longue durée, car il était trop difficile de s'y maintenir. L'État des croisés en Terre sainte fut cependant stable, grâce à Acre. La ville, plus difficile à prendre, n'avait capitulé qu'en 1104, et les chevaliers purent y rester jusqu'en 1187. Ils cédèrent, mais revinrent, et Richard Cœur de Lion reconquit la ville en 1191. Pour un peu, il aurait échoué devant ses propres fortifications. Les chrétiens s'affirmèrent pendant cent ans à Acre, grâce à sa citadelle, aux fortifications sur le port et aux subsides versés notamment par la France. Puis les chevaliers s'en allèrent. Nombre de leurs constructions témoignent aujourd'hui encore de leur domination.

Citadelle ❸
Jérusalem

Capitale de trois grandes religions, judaïsme, christianisme et islam, Sion, désignant parfois encore Jérusalem, comme dans l'Ancien Testament, fut convoitée pendant des millénaires. Fortifications et maisons de Dieu dominent dans la vieille ville, divisée en quatre quartiers, dont deux quartiers chrétiens. La citadelle est dans le quartier arménien. Datant du roi Hérode, au tournant du millénaire, elle fut l'objet de divers combats à la conquête des lieux saints. Les chevaliers de l'Occident y laissèrent aussi leur signature architecturale, comme le montre la tour sur la photo.

Château du désert Qusayr Amra ❹

Ce merveilleux complexe, réunissant sous un même toit une forteresse et un château de plaisance, fut construit vers 710 en plein désert, à l'est de l'actuelle capitale de la Jordanie, par le calife Walid (régna de 705 à 715), de la dynastie des Omeyades, bâtisseur de la Grande Mosquée de Damas. C'est un complexe bien proportionné avec une salle d'audience à trois nefs, un grand harem et des bains. Une salle chaude sous une coupole peinte, et d'autres jolis espaces en voûte disposaient d'un chauffage au sol. L'eau provenait d'une fontaine par un puits, qui servit probablement aussi à arroser les jardins, sans doute engloutis par le désert, car on n'imagine pas de château de plaisance sans jardin d'agrément.

Nécropole de Pétra ❺

Avec l'annexion par les Romains du royaume de Jordanie en l'an 106 après J.-C. sous Trajan, s'acheva le règne des Nabatéens au sud de la Jordanie actuelle. Mais la somptuosité qu'y trouvèrent les Romains, faite de pierre, plus exactement de roche, y est encore conservée. Les Nabatéens avaient taillé dans la pierre des palais et des temples, des citernes et des tombeaux aux façades rythmées de colonnes. Tombés dans l'oubli après la conquête des Arabes au VIIe siècle, ils furent redécouverts en 1812 par l'explorateur et orientaliste suisse Johann Ludwig Burckhardt, alias cheikh Ibrahim, pour l'Occident. L'exploitation systématique de ces importants vestiges d'anciennes civilisations ne commença que dans les années 1920.

Iraq / Iran
Asie

Hatra ❶

Romains, Parthes et Perses se heurtèrent ici à plusieurs reprises. Hatra, à une centaine de kilomètres au sud-ouest de Mossoul fut, dès l'Antiquité, une place forte. Les bâtisseurs parthes, qui s'inspirèrent des Grecs (ruine du temple) et des Romains, en tirèrent un enseignement si parfait que même Trajan, empereur de 98 à 117, habitué à vaincre, dut interrompre son siège. La forteresse ne céda qu'un siècle plus tard au siège des Perses. Les époques suivantes assistèrent à la ruine progressive de la ville, que les vestiges dominent encore. Ils attirèrent les archéologues du XXᵉ siècle, notamment les Allemands qui, en découvrant les décombres enfouis, firent ressortir le rôle de cette cité commerciale de l'Antiquité.

Vieux château ❷
Gur

La petite ville de Firuzabad, blottie sur les contreforts du Zagros, au sud-ouest de l'Iran, attire par son charme les visiteurs, plus encore fascinés, cependant, par les vestiges d'une ville circulaire en ruine au nord-ouest de la localité. La ville de Gur, dressée au IIIᵉ siècle autour d'un temple, fut enrichie d'un palais royal un peu à l'écart, édifice à trois coupoles, classé monument historique, qui se maintint grâce à l'apport d'un iwan, grande salle voûtée de l'architecture islamique, qui le sauva de l'écroulement. Introduit comme vestibule béant sur un côté, des résidences sassanides, il est repris plus tard par les bâtisseurs de mosquée. Les appartements royaux sont ouverts au public.

Palais du Golestan ❸
Téhéran

Abbas Iᵉʳ le Grand, dont le règne marqua l'apogée de la dynastie des Séfévides, fit construire le palais du Golestan (jardin des roses) à Téhéran, l'un des plus beaux édifices du pays. Le chah transféra néanmoins sa résidence à Ispahan dix ans après son avènement en 1588. Les successeurs du bâtisseur, qui mourut en 1629, l'élargirent peu à peu et lui ajoutèrent un palais de réception, le palais Badgir, avec ses quatre tours le protégeant du vent, et sa salle du trône aux mosaïques de miroirs. L'intérieur avec le musée exposant ses collections de joyaux, de cristal et de céramique, est très intéressant, mais l'ensemble est, de l'extérieur, beaucoup plus impressionnant encore (ci-contre, l'entrée principale).

Ali Kapu ❹
Ispahan

Le chah Abbas Ier le Grand décida en 1598, au bout de dix ans de règne à Téhéran, de transférer sa résidence à Ispahan, quatre cents kilomètres plus au sud. La ville dut par conséquent être parée d'édifices représentatifs, dont Ali Kapu, la haute porte, bientôt surmontée et accolée d'un grand palais. Le péristyle se caractérise par de hautes colonnes élancées, pignon et ogives au-dessus des portes et des fenêtres sont ornés de faïences et de peintures. Un bassin devant le palais apporte une agréable fraîcheur et humidifie l'air de ce haut plateau au climat désertique, lequel accueille Ispahan comme une oasis.

Palais des princes ❺
Mahan

Non loin de Kerman, au sud-est du pays, les fabuleux jardins de la petite ville de Mahan attirent des flots de visiteurs. Ce château de plaisance à l'iranienne est précédé de Baghe Schasde, ou en anglais Shahzadeh Gardens, découvrant avant d'arriver au palais jeux d'eau, fontaines, bassins, entourés de tapis de verdure et d'une végétation en pleine floraison. On ne peut pas dire exactement de quel prince ce palais était la résidence, mais il est certain qu'il fut utilisé par de nombreux aristocrates. Nous voyons ci-contre un pavillon très aéré, monté sur d'élégantes colonnes laissant entrevoir au travers de cette oasis un paysage désertique et montagneux.

Château de Bam ❻

Dans la région de Kerman au sud-est de l'Iran, se trouve, près d'une commune moderne et extrêmement vivante, une cité déserte, Bam, peuplée et fortifiée dès l'Antiquité. Si le château et la vieille ville, à environ un kilomètre et demi en dehors de celle d'aujourd'hui, ressemblent plutôt à un ensemble moyenâgeux, c'est que ses remparts et ses maisons ne cessèrent d'être élargis, changés, améliorés au fil du temps. Ils commencèrent à tomber en ruine, il y a environ un siècle et demi seulement. Son histoire remonte à des époques très reculées, il y a des millénaires. La citadelle et la vieille cité s'étaient alors développées en une communauté de six kilomètres carrés. Les squelettes de pierre des habitations et du château les dominant paraissent presque sinistres sous la chaleur torride.

Palais des cheikhs ❶

Chardja

Les petits États du golfe Persique savent ce qu'est un édifice d'apparat. Chardja, l'un des Émirats arabes unis, de deux mille six cents kilomètres carrés, au nord-est de Dubay, en Arabie Saoudite, s'est payé pour son émir, ou cheikh, un palais digne d'un Roi-Soleil. Le soleil brille, d'ailleurs, presque toute la journée sur son royaume, expliquant la blancheur des murs extérieurs du palais, seulement interrompus de lignes rouges décorant les fenêtres et soulignant l'articulation. Un jardin de palmiers évente la façade de l'admirable et respectable palais dans son enceinte au bord de la mer, lui procurant un peu d'air marin.

Citadelle ❷

Boukhara

Aventuriers et conquérants ont de tous temps été attirés par les grands carrefours où se croisent les axes commerciaux, et où le profit est en perspective. Le sachant, les habitants des cités commerciales se protégeaient contre les vicissitudes de l'Histoire. Ce qu'eurent à cœur de faire dès le VIIIᵉ siècle ceux de Boukhara, la métropole du tapis, en Ouzbékistan, en construisant une citadelle. Elle dut capituler maintes fois, mais empêcha aussi souvent que le pire n'arrive, grâce à l'ingéniosité de sa construction. Les souverains en découvrirent la valeur représentative, après que les progrès de la technique de guerre l'eurent rendue désuète. Ils la parèrent d'une somptueuse porte et y résidèrent jusqu'à leur défaite, en 1920, devant les Soviets. La citadelle abrite aujourd'hui un musée.

Fort Sada ❸

Les châteaux construits en hauteur se prêtent comme les clochers d'église aux antennes. Or, les fins capteurs n'altèrent pas toujours l'esthétique d'un château, comme le démontre Sada, au nord du Yémen. Le château fort du Moyen Âge éclipse même de son rayonnement le mont de scories près duquel il se trouve, provenant de l'extraction de minerai de fer d'époques antérieures. Les résidus noirs soulignent même presque la beauté du château, qui ne fut pas qu'un bastion, mais aussi un palais d'imam. Les touristes admirent aujourd'hui l'élégance des formes de la forteresse, et le panorama.

Palais des imams ❹
Wadi Dhar

Ce n'est pas attesté par des statistiques, mais Wadi Dhar pourrait être le plus photographié des palais du Yémen. Il fut bâti pour un chef de tribu sur un large rocher aux formes irrégulières surplombant le lit d'une rivière asséchée à certaines saisons. Une telle somptuosité du décor est rare dans cette région. La capitale Sanaa n'est qu'à quinze kilomètres au sud de ce site, distance considérable au temps de sa construction, il y a environ cent cinquante ans. Ce site séduisit sans doute pour l'abondante végétation de la vallée.

Vieille ville ❺
Sanaa

Une ville-palais ! Les curieux « buildings » étroits de Sanaa de cinq à neuf étages en pierre de taille et en torchis font parade de décors de peinture sur les façades, et de reliefs. Le cadre gris-brun que leur donnent les remparts fait ressortir leur beauté. L'UNESCO fut convaincu et plaça les édifices bâtis, pour la plupart, au XVIIIe et XIXe siècles sous protection. La pittoresque vieille ville fut déclarée patrimoine culturel mondial. En dépit de subventions calculées au plus juste, elle est bien entretenue, grâce au tourisme qu'elle attire au Yémen et qui remplit les caisses de l'État.

Château du Yémen ❻
environs de Taizz

Dans les douces régions des montagnes à l'est de Taizz, le touriste du Yémen aspire un peu l'air du royaume florissant de Saba, qu'évoque déjà l'Ancien Testament. Les sommets de trois mille mètres sont entrecoupés de larges vallées fertiles aux terres cultivées et aux nombreuses plantations. Dans les régions du monde qui n'en ont pas en abondance, de tels îlots verts furent si convoités, que les potentats se virent obligés d'assurer la région par des forteresses. Nous trouvons ici et là, juchés sur un rocher, des châteaux comme celui-ci, veillant sur les champs environnants, qui s'élèvent jusqu'à lui en terrasses.

Fort Nakhl ❶

À tout juste une heure de voiture à l'ouest de Mascate, une route monte vers les sommets, atteignant plus de trois mille trois cents mètres du massif montagneux de Djebel al-Achdar. Au pied de l'imposant décor se trouve, sur une falaise domi-nant les environs, un vieux fort d'au moins trois cent cinquante ans, surplombant la localité du même nom et ses palmiers. Il a depuis longtemps perdu sa fonction protectrice mais gagné en contrepartie beaucoup de charme. L'Oman en reconnut l'avantage et le fit réparer et restaurer, en 1990. L'effort en a valu la peine, car les touristes, attirés par le sources chaudes de la région, apprécient le fort qui se détache sur le paysage et offre un havre de fraîcheur à qui recherche à l'intérieur la diversion culturelle.

Palais du Mehtar ❷
Chitral

La région de haute montagne de Chitral, au nord du Pakistan, à la frontière de l'Afghanistan, fut rarement touchée par l'agitation de ce monde. Alexandre le Grand y fit une brève apparition, les Arabes y apportèrent l'islam mille ans plus tard et les Mongols s'en emparèrent à la fin du XIVᵉ siècle. Les Mehtars y réclamèrent ensuite le pouvoir au nom de Timur Lang, ou Tamerlan. Il resta établi et incontesté jusqu'au XIXᵉ siècle. Au cours de cette longue période se développa une riche culture, dont le palais du Mehtar, oriental dans la forme mais où transparaît presque l'art indien, peut en être considéré comme une expression.

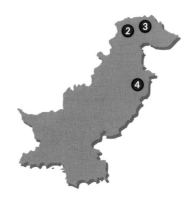

Fort Altit ❸
environs de Karimabad

Dans la vallée de la Hunza, dans la partie pakistanaise du Karakorum, vit une tribu, appelée *Hunza*, qui se distingue nettement du reste de la population de l'État du Pakistan par son teint plus clair et sa langue. La photo du fort Altit, près de Karimabad, montre, en outre, que l'architecture de cette tribu révèle une influence plus tibétaine qu'islamique. L'édifice, bâti il y a environ cinq cents ans, est relativement bien conservé, car cette région de haute montagne, assez impraticable, ne laissa probablement pas souvent passer l'ennemi. Et s'il en fut, la solidité de la forteresse fit sans doute préférer le règlement des conflits par voie de négociation. Les sièges auraient amené des difficultés d'approvisionnement dans le camp de l'agresseur et de grosses pertes, ne fût-ce qu'à cause du climat.

Grand Fort ❹
Lahore

Le Chah Djahan, bâtisseur au XVIIᵉ siècle du célèbre Tadj Mahall, laissa aussi son empreinte architectonique à Lahore, aujourd'hui au Pakistan, en achevant le Grand Fort, commencé par son prédécesseur Akbar. Il n'eut sans doute que modérément les moyens de se permettre des fantaisies, comme ce mausolée blanc, qui n'en devint pas moins un bel édifice, avec une porte élégante flanquée de deux tours joliment couronnées. Derrière les murs d'enceinte protégeant l'édifice, le visiteur est attendu dans des palais aux salles de marbre et de mosaïques, puis est reçu dans le célèbre jardin de Shalimar et invité à admirer ses terrasses fleuries.

Inde
Asie

Tadj Mahall ❶
Agra

La ville d'Agra, à une centaine de kilomètres au sud de Delhi, possède le plus célèbre édifice du sous-continent indien : le Tadj Mahall, mausolée en marbre érigé par l'empereur moghol Chah Djahan pour son épouse favorite, Ardjumand Bégum Banu, surnommée *Mumtaz Mahall* (« Élue du palais ») ou Mahdi-ulya (« Suprême berceau ») à la mort de celle-ci en 1631. Le bâtiment de soixante-treize mètres de hauteur, voûté d'une immense coupole bulbeuse et flanqué de quatre minarets de plus de quarante mètres de haut, est considéré comme le plus parfait fleuron de l'architecture islamique. Les vastes jardins, avec un bassin, où se reflète le bâtiment, sont une invitation à la contemplation de l'édifice central, évoquant une mosquée, et qui est un bastion de la foi, en même temps qu'un monument dressé à la mémoire d'un grand amour.

Inde
Asie

Palais royal ❶
Leh

Il existe encore sur terre, dans les régions difficiles d'accès, entre les chaînes de haute montagne, de petits empires. Plus nombreux autrefois, ils furent presque tous la proie des grandes puissances. Le Ladakh, encadré par les chaînes du Karakorum et de l'Himalaya, où les altitudes s'échelonnent de trois mille à six mille mètres, fut pendant des siècles une monarchie indépendante, dont témoignent encore la langue, la culture et la religion, cette dernière se nourrissant des enseignements du lamaïsme tibétain. Le palais de Leh, chef-lieu du Ladakh, aujourd'hui en Inde, également d'empreinte tibétaine, est une réplique du Potala, le palais du dalaï-lama à Lhassa. Les rois du Ladakh gouvernèrent d'ici leur royaume depuis le XVIIᵉ siècle. Leur domination s'acheva en 1830. Le palais est aujourd'hui le siège d'une institution archéologique indienne.

Fort rouge ❷
Delhi

La capitale de l'Inde est devenue une agglomération de plus de dix millions d'habitants, dont le vieux Delhi n'est qu'une infime, mais importante partie, si l'on en croit le flot de visiteurs qui s'y déverse. Le fort rouge exerce une grande force d'attraction. Achevée en 1648 après douze ans de construction, l'enceinte servit à protéger les palais et les mosquées de l'époque moghole. Le château lui-même, orné de tours et de coupoles, dénote dans sa silhouette la vigueur des palais, sauf qu'un petit air sérieux amortit la solennité caractérisant d'ordinaire les projets de Chah Djahan.

Tombeau d'Humayun ❸
Delhi

Haji Bégum, ou Hamida Banu, était inconsolable à la mort de son mari, l'empereur Humayun, en 1565. Le deuil et l'espoir de revoir son mari dans l'au-delà firent de la veuve l'architecte d'un mausolée à l'extrémité sud-est de Delhi (à l'époque), paré d'arcades, de coupoles et d'un grand vestibule central. La construction dura neuf ans, et vida les caisses de l'État. Les sujets d'antan se plaignirent sans doute des charges qui leur furent infligées, les Indiens et les touristes d'aujourd'hui sont, en revanche, ravis de ce chef-d'œuvre qui rivalise avec le goût du Tadj Mahall, seulement un peu plus spectaculaire. Il est incontestable que ce dernier est inspiré du tombeau de Humayun, bâti avant lui.

Palais de Padma Sambhava ❹

environs de Kalimpong

Le bouddhisme n'a pas de dieux, mais des personnages légendaires jouissant, comme Bouddha, d'une vénération divine. Padma Sambhava (« né du lotus »), ou le guru Rimpoche, en est un. Le moine, né dans la même région que le père du bouddhisme, vivait au VIIIᵉ siècle. Il se retira dans les montagnes du Bhoutan pour méditer, et propagea les enseignements du maître sur les hauts plateaux. Les bouddhistes tibétains lui dressèrent de nombreux sanctuaires. Ce palais, seul sur un rocher, lui est voué. Il symbolise par sa solitude les enseignements du guru Rimpoche (« précieux maître »), notamment le recueillement. Padma Sambhava est aujourd'hui encore un maître vénéré.

Fort rouge ❺

Agra

Les remparts d'une puissante forteresse qu'entreprit de dresser en 1566 l'empereur moghol Akbar (1542–1605) s'étendent sur presque trois kilomètres, épousant un coude que fait la Yamuna à Agra (Uttar Pradesh). Le fort de grès rouge protégeait à l'intérieur de son enceinte de magnifiques bains, des palais et des mosquées, que les successeurs du « Grand » (Akbar) enrichirent d'autres bâtiments. Le détail ci-contre donne une idée de la force du château dont la couleur, symbolisant la colère, à elle seule, dissuadait probablement. Les portes, interrompant les remparts et portant des noms révélateurs comme *Hathi Pol* (porte de l'éléphant), les créneaux et les tours, postées à intervalles réguliers, sont aussi massifs.

Diwan-i-Khas ❻

Agra

Les murs gelés et littéralement furibonds du fort dans la vieille ville d'Agra au sud de Delhi ne protégeaient pas seulement des attaques les précieux bâtiments à l'intérieur de l'enceinte, mais aussi des regards curieux et donc de l'envie. L'exemple, en comparaison modeste, que représente Diwan-i-Khas (« salle d'audience »), montre que l'on ne lésina sur rien et que les bâtisseurs, dans le cas de cet édifice l'empereur Chah Djahan, disposaient de moyens inépuisables. Le grand pavillon au profond avant-corps d'entrée, paré de tourelles aux coupoles dorées de part et d'autre, fut terminé en 1636/1637. L'empereur y recevait, trônant sur un fauteuil pompeux légèrement surélevé, les potentats étrangers et leurs ambassadeurs.

Inde
Asie

Panch Mahall ❶
Fathpur Sikri

Il n'est resté qu'une petite ville de l'ancienne capitale du Grand Moghol Akbar, et c'est grâce à ses monuments, que Fathpur Sikri, à quarante kilomètres à l'ouest d'Agra, où l'empereur résida en 1574 pendant une douzaine d'années, n'est pas aujourd'hui une ville endormie. Les visiteurs du monde entier y affluent pour voir, entre autres curiosités, ce palais de cinq étages avec ses belvédères pyramidaux. Tandis que les touristes estiment cet édifice notamment pour la vue qu'il offre sur la ville et les terres, l'empereur, lui, s'en servait comme château de plaisance. L'une de ses occupations préférées était de jouer à cache-cache avec ses favorites dans la forêt de colonnes.

Palais de Maharwalal ❷
Jaisalmer

De telles maisons féeriques doivent être bien protégées. Les murs du château de Jaisalmer veillent sur le palais de Maharwalal, qui se développa en trois cents ans de construction jusqu'à cette œuvre. Dans l'un des bâtiments, Rand Mahal, les couloirs sont ornés d'une multitude de fresques sur l'histoire de la région. De belles arcades et de magnifiques grilles, qui, curieusement, ne sont pas sculptées en bois, mais taillées dans la pierre, décorent le palais. Jaisalmer était traditionnellement la ville des tailleurs de pierre. On raconte qu'il y en eut qui taillèrent dans le roc de si fines tasses de thé qu'elles flottaient sur l'eau. Ce n'est pas impossible, vu la finesse des ciselures de cet éblouissant édifice.

Fort de Jaisalmer ❸

Le visiteur du Rajasthan se trouve soudain devant un tableau impressionnant en arrivant dans ce paysage d'oasis à l'ouest du désert de Thar. Derrière un palais qui se reflète dans un grand réservoir d'eau, s'élève une puissante forteresse. Le fort doré veillait sur la ville de Jaisalmer et son aisance, résultant de sa situation de carrefour des routes commerciales. Les devises continuent aujourd'hui d'affluer, les touristes voulant voir ce conte de fées fait de pierre, d'eau, de palmeraies et de déserts. Le temps a quelque peu rongé la pierre de certains bâtiments dans l'enceinte de la forteresse, mais n'a pas altéré le charme des anciens édifices débordant d'imagination dans leur facture ni celui, en général, de cet unique ensemble architectonique.

Patwon-ki-Havelli ❹
Jaisalmer

La richesse provenant du commerce des bijoux et du drap prit temporairement à Jaisalmer, à l'ouest du désert de Thar, de considérables dimensions. Certaines familles pouvaient se permettre des palais comme cet *havelli*, nom donné aux résidences citadines des gens du commerce. La photo en montre un de la première moitié du XIXe siècle, lorsque dans le sillage de l'expansion britannique l'Asie du Sud commença à rouler sur l'or. Les balcons et les encorbellements de la façade sont d'une grandeur presque impériale. C'est à son grès jaune baigné de soleil des étages supérieurs, et à l'aisance de son âge d'or, que la ville doit son surnom de « ville d'or ».

Palais des princes ❺
Amber

Avec leurs remarquables édifices, les villes de Delhi, d'Agra et de Jaipur forment un triangle de deux cents kilomètres de côté. Nous faisons halte à l'angle inférieur gauche ou occidental, à Jaipur, et à deux heures de marche à dos d'éléphant, à Amber, où un palais princier attire le visiteur, une résidence d'été bâtie sur une forteresse du XIe siècle, transformée en château au XVIe, au début de l'époque moghole. Dans cet édifice richement orné dominent les éléments islamiques. Les apports hindoues sont néanmoins indéniables et donnent à l'édifice son caractère indien, qui se poursuit à l'intérieur, dans le vestibule et dans la salle d'audience avec ses ornements muraux.

Palais des vents ❻
Jaipur

Les femmes sont trop précieuses pour qu'on les laisse évoluer en liberté sous les regards du monde. Cette devise fit construire au maharaja de Jaipur ce palais de grès rouge, pour préserver ses dames des regards curieux. Réfréner sa propre curiosité aurait été trop exiger et voué à l'échec, c'est pourquoi ce palais de la moitié du XVIIIe siècle a tant de fenêtres, neuf cent cinquante-trois en tout, grillagées et aménagées telle sorte que l'on puisse suivre de l'intérieur l'activité de la rue sans être gêné ni vu. Des cordes d'instrument vibrant au vent avaient été montées, dit-on, devant quelques fenêtres pour le divertissement des belles, ce qui donna son nom au palais en gâteau de cire.

Inde
Asie

Palais du maharaja ❶
Jaipur

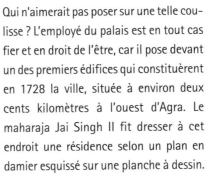

Qui n'aimerait pas poser sur une telle coulisse ? L'employé du palais est en tout cas fier et en droit de l'être, car il pose devant un des premiers édifices qui constituèrent en 1728 la ville, située à environ deux cents kilomètres à l'ouest d'Agra. Le maharaja Jai Singh II fit dresser à cet endroit une résidence selon un plan en damier esquissé sur une planche à dessin.

Son propre palais était au cœur de la ville, qu'un visiteur fasciné désigna une fois de « symphonie en rose ». Le château du maître des lieux de l'époque s'accorde avec elle, c'est même après le palais des vents, pour les dames de la cour, le plus beau.

City Palace ❷
Jaipur

Le vrai bâtisseur de palais est celui qui ne se contente pas de somptueuses façades extérieures, mais voue autant de soin au détail des façades intérieures. Le maharaja Jai Singh II, qui se fit construire comme résidence la ville de Jaipur au XVIIIᵉ siècle, attacha une importance particulière aux cours intérieures, où se jouait la vie de la cour, et les aménagea au moins d'une manière aussi accueillante qu'à l'extérieur. On ne lésina ni sur le grès – rouge bien sûr pour la métropole rose – ni sur les coupoles, les encorbellements et les tours, et créa un palais rivalisant sans peine avec les châteaux baroques de la même époque en Europe.

Château Jai Mahal ❸
Jaipur

Au milieu du XVIIIᵉ siècle, les Moghols créèrent à Jaipur une surface de presque trente hectares de parcs et de jardins, où ils dressèrent sur l'eau le Jai Mahal, un palais d'été agréablement rafraîchi par la végétation et le lac, dans cette région de chaleurs torrides. Même une fois passée la grandeur de l'époque monarchique, le château magique ne fut pas délaissé. Les gouverneurs du Rajasthan déclarèrent aussitôt Jai Mahal comme leur résidence. Ils quittèrent le château, l'abandonnant aux hôtes payants du monde entier, lorsqu'une chaîne hôtelière leur offrit, en contrepartie, une somme rondelette. Qui recherche le calme, l'y trouve.

Fort Meherangarth ❹
Jodhpur

Comme si cent vingt mètres au-dessus de la plaine n'étaient pas assez ! La forteresse a, en plus, des murs de trente-six mètres de haut ! Un sacré château, veillant sur la ville au milieu des dunes et des ronces à l'extrémité orientale du désert de Thar dans le Rajasthan. De hautes tours anguleuses de grès, rougeoyant sous le soleil couchant, se dressent même au-dessus des remparts. Les bastions dissuasifs en ont vu des sièges ! Les guerres relèvent du passé, les forteresses aussi. Meherangarth apporte à présent des devises à l'État.

Palais Umaid Bhawan ❺
Jodhpur

Tandis que le Mahatma Gandhi continuait pieds nus sa marche du sel contre la domination britannique ou était en prison, se créait à Jodhpur, à l'extrémité du désert de Thar, un palais d'une somptuosité faisant même tomber d'admiration les milliardaires. Le maharaja Umaid Singh se fit construire ici entre 1929 et 1943 un gigantesque complexe ultra-moderne de trois cent quarante-sept pièces, avec tout ce qu'il y a de plus choisi en art. La photo ne montre que l'entrée du dôme central flanqué de ses tours, qui se prolongent dans deux grandes ailes qui ne font pas moins parade de leur splendeur que la façade de grès rouge. Umaid Bhawan fut transformé en 1977 en un hôtel de luxe, le plus grand de toute l'Inde, pour des hôtes qui ne regardent pas à la dépense.

Palais près de Umaid Bhawan ❻
Jodhpur

Petit mais élégant. On n'avait d'ailleurs pas le choix lors de la construction d'un palais blanc à proximité du géant rouge Umaid Bahwan à Jodhpur. À côté de lui, tout devait paraître petit. On se décida donc d'emblée pour un pavillon. La « petite » maison blanche, est-on presque tenté de dire, vu le contraste, séduit par ses ornements et ses statues, sa tour et ses tourelles aux angles ainsi qu'au-dessus du portail. Contrairement au géant rouge qui emprunta des éléments au classicisme européen, nous avons là l'Inde pure. Si l'architecture est la « physionomie d'une nation », ce palais contribue à la faire briller.

Inde
Asie

Fort Ranthambhore ❶

Entre les monts Aravalli et les monts Vindhya, à l'ouest de la province de Madhya Pradesh, s'étend le parc national de Ranthambhore, du nom de deux grandes chaînes de montagne. Le voyageur qui a eu l'audace de venir s'égarer dans cet endroit sauvage tombe sur la ruine de ce fort du Xᵉ siècle, qui semble avoir été utilisé longtemps, vu son état. Les habitants de la région racontent à son sujet des choses effrayantes, où le réel se mêle à l'imagination. Ce n'est toutefois pas pure fantaisie, ni pour faire peur, qu'ils racontent y avoir entendu feuler des tigres, car les grands félins ne sont pas rares dans les forêts et les brousses de la région.

Forteresse de Chittorgarh ❷

La montagne choisie par les bâtisseurs de Chittorgarh, au sud du Rajasthan, se trouve à cent quatre-vingt mètres au-dessus de la plaine. La ville au nord-est d'Udaipur était au XVᵉ siècle inclue dans l'enceinte du château comprenant une surface de deux cent quatre-vingt hectares. Elle fut assiégée en 1568 par les troupes d'Akbar, qui venait d'être sacré empereur des Moghols (de 1566 à 1605) et surnommé « le Grand » à cause des pertes considérables que coûta la prise de cette bastille. Les habitants se sont depuis longtemps installés dans la ville basse, au pied de la montagne, et regardent d'en bas ce monument du passé.

Résidence de Fathepur-Sikri ❸

L'empereur Akbar fonda en 1569, trois ans seulement après le début de son règne, une nouvelle résidence, Fath-pur Sikri, à l'ouest de sa résidence d'Agra. La photo montre l'entrée de cette nou-velle résidence aux murs épais, une véritable forteresse. On imagine que l'empereur ne quitta pas de plein gré ce bas-tion de sa puissance quinze ans après. Il y fut obligé, car ses ingénieurs en hydrotech-nique ne parvinrent pas, en dépit de recherches poussées, à trouver le moyen d'un ap-provisionnement suffisant en eau. Le climat sec aida, d'un autre côté, à conserver l'édi-fice en bon état et lui épargna le sort de carrière à matériau pour la construction d'autres édifices, si bien qu'à défaut d'eau, aujourd'hui l'argent au moins afflue grâce au tou-risme.

Forteresse de Kumbhalgarth ❹

Les trente-trois kilomètres de long et huit mètres d'épaisseur de cette enceinte font de Rana Kumbha, comme est également appelé le fort Kumbhalgarth, l'une des plus imposantes forteresses du sous-continent indien, à quatre-vingt-cinq kilomètres au nord-est d'Udaipur, sur un cône de montagne de mille mètres d'altitude, à lui seul déjà difficile à conquérir mais devenu imprenable une fois sur-monté de la forteresse, au temps où l'ar-tillerie lourde était un armement encore sous-développé. Commencée au XVᵉ siècle, elle demeura inexpugnable pendant trois siècles. À l'arrivée des Britanniques, elle ne servit plus à rien et ne fut plus défen-due, si bien qu'elle est restée quasiment intacte. Seule l'érosion naturelle y laissa quelques traces.

Castel d'Udaipur ❺

Cette ville du Rajasthan, au nord d'Ahmadabad, est fière de son titre honorifique de Venise de l'Orient. Dans cette région aride, c'est une oasis de lacs et de forêts sur les flancs des monts Aravalli. Le castel, jadis résidence d'été de la famille royale, baigne dans l'eau du lac de Pichola, non loin du centre de la ville, ravis-sant tableau dans un décor de montagnes. L'hôte de l'hôtel qu'il abrite de nos jours assiste à un cours vivant de civilisa-tion et jouit d'une nature re-posante. Chambres, hall de réception, salles de fêtes et de jeux sont en soi, déjà, des poèmes d'architecture, qui ont leur prix.

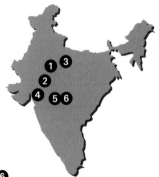

Palais d'Udaipur ❻

L'un des plus grands palais du Rajasthan couronne la ville d'Udaipur, riche en eau, des monts Aravalli. Avec ses élégantes et robustes tours et l'air à la fois inflexible et serein de ses murs, il est à la fois fort et palais en un seul bâtiment. Le complexe s'élève en terrasses comme s'il avait cher-ché à tâtons son assise confortable au sommet de la montagne qui le porte. Et il est vrai que, depuis la fondation de la ville à la fin du XVIᵉ siècle, plusieurs générations de bâtisseurs y travaillèrent, lui ajoutant peu à peu des éléments architecturaux qui en font la variété : balcons, coupoles, encorbellements de divers genres, for-mant un ensemble cependant harmo-nieux qui semble saluer aimablement par la clarté de sa pierre la ville et la région du bord du lac.

Inde
Asie

Château d'Udaipur ❶

Les sites en montagne et au bord de l'eau sont aussi privilégiés par les bâtisseurs de châteaux. Les uns offrent l'avantage de la sécurité d'une vue dégagée, les autres amènent la fraîcheur, d'une grande importance dans les régions chaudes. Udaipur, dans le Rajasthan, disposant de nombreuses eaux, les riches bâtisseurs de la ville ne se sont pas privés du plaisir de se faire construire un château les pieds dans l'eau. On ne put pas entièrement renoncer aux fortifications, à cause des envieux, néanmoins l'élégance domine, s'accentuant à mesure que l'édifice s'élève. Les tourelles de couronnement sont, en haut, de très jolis belvédères. Des barques, amarrées devant les jardins et aux ouvertures dans le mur, permettaient de sortir.

Victoria Memorial ❷
Calcutta

La ville du Bengale ne vivait déjà pas dans l'aisance du temps de sa construction. L'édifice commencé en 1906 et terminé seulement en 1921 à cause de la Première Guerre mondiale, devait donc à l'époque paraître monumental à côté de la misère dans les bidonvilles, qui s'amplifie de nos jours dans l'agglomération de douze millions d'habitants. Le sujet est passé sous silence, et le touriste est heureux de trouver dans la vieille ville ce monument de la domination britannique que représentait à l'époque la reine Victoria, depuis 1876 impératrice d'Inde, et qui commençait à décliner quand ce temple lui fut dressé.

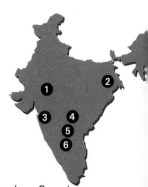

Palais de la gare ❸
Bombay

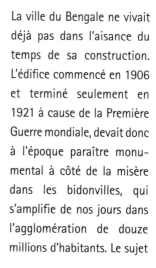

L'union de la volonté de grandeur de l'Inde avec les styles néobaroque, colonial et ornemental de l'Orient ne peut manquer son effet. Dans ce palais, bâti vers 1900, tous les efforts convergent pour faire oublier sa profane fonction. De semblables bâtiments de la même époque existent aussi en Europe. Certains bureaux de poste en témoignent encore. Mais aucun édifice occidental d'usage courant ne rivalise avec l'apogée du faste oriental de Bombay. Quand on connaît les scènes qui se jouent derrière cette façade ornementale, elle paraît encore plus déplacée. Des millions de personnes se bousculent quotidiennement sur les quais pour monter dans les trains bondés se suivant à intervalles d'une minute afin de ramener chez eux les banlieusards de la ville de dix millions d'habitants le soir, après les y avoir déversés par flots le matin.

Porte de Hyderabad ❹

Les bâtisseurs de la ville d'Hyderabad, qui compte aujourd'hui plusieurs millions d'habitants, érigèrent deux ans après que se fut formé le noyau de la cité au pied du Golconde, en 1591, la haute porte *Car Minar*, avec ses quatre minarets, pour remercier Allah. Moins surchargée que les palais indiens ultérieurs, elle a un air très majestueux, avec ses tours élancées et sa façade finement articulée. Elle ne se sou-cie aucunement de l'agitation à ses pieds, car elle en a vu d'autres au cours d'une histoire mouvementée. Des assiégeants lui tirèrent dessus, des troupes l'emprun-tèrent pour entrer et sortir comme dans un moulin, divers étendards y furent arborés. Un monument aguerri.

Forteresse de Golconde ❺
Hyderabad

Les mausolées, devant, sont recouverts d'herbes et de buissons et la forteresse de Golconde, derrière, commence à s'effriter. L'œuvre de main d'homme est périssable, c'est le message que nous communique cette perspective sur la vieille ville d'Hyderabad, capitale de l'Andhra Pradesh. L'histoire de Golconde nous enseigne également que la ville fondée en 1589 autour de la forte-resse de 1525 tomba aux mains de l'empire moghol au nord, s'en libéra quarante ans plus tard, et devint la capitale d'une principauté indépen-dante sous Nizam al-Mulk, avant d'être occupée par des troupes indiennes en 1948 et incorporée à l'union. La belle forteresse avait alors perdu depuis longtemps sa signifi-cation militaire.

Palais du maharaja ❻
Mysore

« Joyeux Noël », serait-on tenté de dire devant ce spectacle si l'on ne se trouvait pas à Mysore, dans la province de Karnataka, du sud de l'Inde. Le palais illuminé est la résidence d'été du maharaja, qui, à Mysore, « possédait » la princi-pauté du même nom, et en uti-lisa les ressources pour pouvoir se payer un tel palais, appelé *Lalita Mahal*. Il n'était déjà plus maître du pays quand il exécuta son projet en 1897, les Britanniques l'ayant privé de son pouvoir, sans néanmoins toucher à sa fortune. Le peuple dont il était issu était habitué, et il se réjouit de nos jours que l'édifice féerique attire à Mysore des hôtes bienvenus.

Inde / Sri Lanka
Asie

Fort Tiruchirapalli ❶

Les religions nous enseignent que l'argent et le salut de l'âme ne se contredisent pas. Les lieux de pèlerinage ne refusent pas les oboles des pèlerins pour que les communes s'épanouissent. Dans la nuit des temps, un démon à trois têtes (*tirusiras*) serait venu chercher la délivrance au temple de Shiva, à Tiruchirapalli, ou Tiruchi, dans l'État de Tamil Nadu, au sud de l'Inde, à l'entrée du delta de la Kaviri, et l'aurait trouvée après de longs exercices de pénitence. Le temple juché sur une montagne au centre de la ville fut fortifié. Pour les hindous, c'est un lieu saint. Fortifications et sanctuaire sont intéressants à voir.

Hôtel colonial ❷
Colombo

Le visiteur peut être sûr, quand il voyage en Asie du Sud, que tout ce qui manque d'ornements est de main européenne. C'est le cas de cet édifice de la capitale du Sri Lanka, très marquée par la domination coloniale britannique. Mais la sobriété ne voulait pas dire manque de dignité et d'apparat, car la domination nécessite une expression architecturale. C'est pourquoi l'architecte de cette maison, où siégeait à l'origine une administration, et qui abrite aujourd'hui un hôtel, fit ressortir l'entrée par un portique et souligna l'horizontalité pour donner plus de largeur et de puissance au bâtiment.

Temple du Dalada Maligawa ❸
Kandy

Le bouddhisme est en soi une religion sans dieu, mais son fondateur, Bouddha, l'« Illuminé », jouit de fait d'une vénération divine. Le culte qui lui est voué est capable d'imaginer les choses les plus exotiques. À Kandy, au nord-est de Colombo, dans les montagnes verdoyantes de l'État insulaire, un sanctuaire blanc abritant une dent du Bouddha attire des flots de pèlerins espérant y trouver l'illumination du maître. Les « huit voies vers la vertu » sont un chemin difficile et le pèlerin recherche auprès de cette haute et digne relique un soutien dans la méditation. Le palais aux gracieux ornements dressé à cet effet de 1707 à 1739 contribue à encourager le recueillement.

Fort Galle ❹

Tout au plus la végétation indique que nous nous trouvons ici dans le sud de l'Asie. Les murs sobres et la tour menaçante sont indéniablement inspirés de la pensée pragmatique européenne. Et il est un fait que le port de Galle, situé à la pointe sud de l'île de Sri Lanka, fut l'agglomération la plus marquée de l'empreinte des puissances coloniales de Ceylan. Les Portugais, arrivés en 1505, furent suivis en 1640 des Hollandais, lesquels durent céder en 1796 devant les Anglais. La pointe sud de l'île fut pour les trois puissances d'un intérêt capital pour le ravitaillement. Ce fort, essentiellement construit par les Hollandais, en sait quelque chose.

Ruines de Polonnaruwa ❺

La jungle dévora pendant des siècles la ville royale cinghalaise de Polonnaruwa, datant du VIIIᵉ siècle et abandonnée au XIIIᵉ. Des touristes redécouvrirent vers 1900 les ruines disparues sous la végétation, où se trouvaient des palais comme cette « Maison des portraits de Bouddha ». La ruine impressionne encore aujourd'hui par ses proportions massives et ses austères ornements qui soulignent son utilisation cultuelle. L'État gouverné d'ici est une théocratie, c'est-à-dire que le souverain, en même temps le plus haut prêtre, est presque vénéré comme un dieu. D'autres ruines, comme la « Maison des soixante reliques », en témoignent.

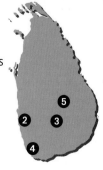

Népal / Thaïlande
Asie

Palais royal ❶
Patan

L'homme n'est nulle part ailleurs plus proche du ciel qu'au Népal. Cela favorise la spiritualité de qui vit sans cesse dans ces hautes sphères. L'Himalaya n'est pas facile à vivre, même à des hauteurs moyennes. Il est haut et dangereux. Rester en bons termes avec les Dieux est ce qu'il y a de plus important. On y parvient, comme dans toutes les religions, par le sacrifice et l'art figuratif. Nous voyons sur la photo des poutres de charpente du palais royal de Patan, près de Katmandou, décorées par des artistes du XVIIe siècle de divinités à plusieurs bras intervenant dans la solidité des édifices.

Palais d'Hanuman-Dhoka ❷
Katmandou

Tout ce qui brille n'est pas or. La sculpture sur bois et les ornements bien faits sont aussi nobles, et plus discrets, plus distingués. Ce palais n'est pas d'or, mais brille d'un grand éclat. La fenêtre en bois est plus apte à conjurer les mauvais esprits que d'éblouissants dragons. Des masques en décorent les montants, des dieux semblent attraper de leurs bras qui n'est pas autorisé à pénétrer dans ce temple, des grillages tamisent la lumière très intense en haute montagne et éclairent ce qu'il est préférable de laisser dans la pénombre. À l'intérieur du palais qui, entre-temps, est un musée, est exposée une collection de sculptures népalaises.

Palais de Gorkha ❸

Avec l'Himalaya en toile de fond, tout fait figure de jouet. Inutile de faire étalage de grandeur. Seule la beauté a une chance d'être vue et le palais de Gorkha est beau dans sa simplicité sous ses toits en chapeau de champignon. La population hindoue des Gurkhas conquit au XVIIIᵉ siècle le petit pays sur le toit du monde et consolida sa domination en construisant de tels châteaux. Le mot forteresse serait trop fort pour cet ensemble riant, bien que les murs ressemblent un peu à des fortifications. Les Gurkhas étaient connus pour leurs traditions martiales qui les firent retenir pour la composition de régiments d'élite de l'armée britannique et indienne.

Wat Mahatat ❹
Ayuthia

Ce fut la capitale du Siam pendant plus de quatre cents ans, depuis 1350. Assez de temps pour que s'épanouisse une ville aux somptueux bâtiments de représentation. Détruite par les Birmans en 1767, sa splendeur transparaît encore et, depuis quelques années, quelques édifices sont soigneusement restaurés. Palais profanes et sacrés comme les deux tours (*Chedis*) du Wat Mahatat dominent la ville en ruine et montrent la peine que se donnèrent les habitants pour rester dans les bonnes grâces de leurs rois, et ceux-ci dans celles de leurs dieux. Les temples élancés rappellent la tour de Babel. Les puissances célestes ne virent-elles pas dans ces tours plus d'orgueil que d'humilité et n'envoyèrent-elles pas pour cela les ennemis réduire les puissants souverains à des dimensions terrestres ?

Thaïlande
Asie

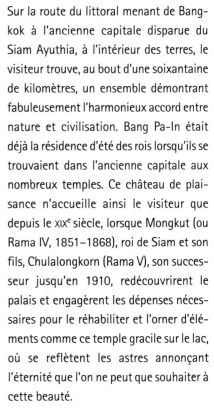

Bang Pa-In ❶

Sur la route du littoral menant de Bang-kok à l'ancienne capitale disparue du Siam Ayuthia, à l'intérieur des terres, le visiteur trouve, au bout d'une soixantaine de kilomètres, un ensemble démontrant fabuleusement l'harmonieux accord entre nature et civilisation. Bang Pa-In était déjà la résidence d'été des rois lorsqu'ils se trouvaient dans l'ancienne capitale aux nombreux temples. Ce château de plaisance n'accueille ainsi le visiteur que depuis le XIXᵉ siècle, lorsque Mongkut (ou Rama IV, 1851–1868), roi de Siam et son fils, Chulalongkorn (Rama V), son successeur jusqu'en 1910, redécouvrirent le palais et engagèrent les dépenses nécessaires pour le réhabiliter et l'orner d'éléments comme ce temple gracile sur le lac, où se reflètent les astres annonçant l'éternité que l'on ne peut que souhaiter à cette beauté.

Vimanmek Mansion ❷
Bangkok

On le trouve, sur les listes de rois, sous le nom de Rama V, mais pour le peuple c'est Sa Majesté Chulalongkorn, qui régna de 1868 à 1910. Il passa les dernières années de son règne, à partir de 1901, surtout dans ce palais dont le nom signifie « Le Nuage d'or ». L'édifice entièrement en teck, trône au nord de Bangkok au centre d'un ensemble de jardins constellés de bassins où la famille royale jouissait de la nature en plein centre de la capitale.

L'État rénova complètement le palais dans les années 1980 et le rendit accessible au public sous forme de musée. On y admire à l'état original la demeure de son suprême occupant, des collections de trophées et de porcelaine, de même que la première machine à écrire utilisée en Thaïlande.

Palais royal ❸
Bangkok

Il est typique, pour cette architecture, que l'on arrive à la résidence de la famille royale en traversant un temple, le Wat Phra Keo. Les architectes démontrent par là le lien étroit rattachant les souverains au ciel, dont témoignent aussi les ornements, les tourelles et les toits colorés, le dynamisme des façades et l'or, marquant l'énorme ensemble (400 x 500 mètres) de leur empreinte. Deux salles sont ouvertes au public : la salle d'audience aux lustres de cristal, avec son trône d'or en forme de bateau, auquel on accède par neuf marches, et une salle avec un autel en nacre derrière lequel une porte, nommée « Siège de la victoire », ferme l'accès aux appartements privés du palais.

Palais d'été Khao Wang ❹
Phetchaburi

L'autoroute du littoral de la péninsule de Malacca de Bangkok mène au sud, au bout de cent cinquante kilomètres, à Phetchaburi, il y a un millénaire déjà plaque tournante du commerce. S'il ne reste presque plus rien de cette époque, les vestiges d'un passé plus récent sont, en revanche, très beaux. Une colline de presque cent mètres d'altitude, qui plut, en son temps, au roi Mongkut (Rama IV), domine la ville. Son site élevé, proche du ciel, lui plut tant qu'il y dressa une résidence d'été, dont les travaux furent terminés en 1860. Le roi, jadis, s'y faisait porter. Le visiteur d'aujourd'hui y accède par *Cable-Car*, mais les ouvriers d'antan qui bâtirent le somptueux palais n'avaient que leurs jambes pour y monter, et leurs épaules pour charrier le matériau.

Palais de la gare ❺
Hua Hin

L'on n'a généralement pas longtemps la jouissance exclusive de sites aussi beaux, même quand on les a découverts. Lorsque la famille royale prit possession de Phetburi, le peuple la suivit rapidement. Soucieuse de garder ses distances, elle se retira plus au sud, dans une région sauvage et giboyeuse. Les monarques aimant les plaisirs de la chasse, Chulalongkorn (Rama V) se fit construire au début du XXᵉ siècle un pavillon de chasse à Hua Hin, à environ deux cents kilomètres de Bangkok. Lors de la construction en 1922 d'une ligne de chemin de fer de Bangkok à Singapour, son successeur Rama VII veilla à ce que la localité de Hua Hin fût royalement pourvue d'une gare. Au lieu d'y construire un édifice commun, les architectes choisirent d'y mettre un petit palais, qui augmente le plaisir du voyage en train.

Wat Xieng Thong ❶
Luang Prabang

« Temple de la ville d'or » signifie le nom du plus célèbre de tous les palais laotiens. Ce fut le premier édifice autour duquel se constitua la ville au XVIᵉ siècle. Son aspect était alors probablement différent, mais le gracieux mouvement du toit date des origines. Le toit, et les riches ornements, sont une caractéristique de l'architecture indochinoise. L'arbre qui décore le pignon est une sculpture apposée sur fond rouge sombre en verre, symbolisant le devenir et le périr. Une illustration que l'on imaginerait bien en couverture du livre du prix Nobel Patrick White, *L'Arbre de l'homme*. L'ancien temple de couronnement n'a plus, depuis le début de la domination communiste en 1975, que valeur de musée.

Ta Keo ❷
Angkor

De tout ouvrage d'architecture fait de main d'homme ne reste en principe, au bout du compte, que ce que Bertolt Brecht retint dans la maxime suivante : « De ces murs ne restera que le souffle de celui qui les traverse : le vent. » Quelques murs restent néanmoins encore à Angkor, aujourd'hui site archéologique du nord du Cambodge, mais capitale de l'empire des Khmers pendant cinq cents ans à l'époque de notre Moyen Âge européen. Les Thaïlandais détruisirent en 1431 la métropole florissante dont la majesté transparaît encore aujourd'hui sous les ruines et la végétation. Les visiteurs du monde entier sont en admiration devant cette architecture dressée vers le ciel. Les palais en terrasses du Ta Keo semblent avoir jailli en pleine nature des profondeurs de la terre, et content l'espoir de tous les hommes d'accéder à ce qui détermine leur sort, et fut de tous temps recherché au firmament.

Palais royal ❸
Phnom Penh

« Laissez-nous piquer le ciel, pour en faire jaillir la bénédiction. » C'est ce qu'espéraient les architectes indochinois qui firent dresser le palais royal de Phnom Penh, commandé par les colonisateurs français, selon les coutumes du pays, clair, léger, dynamique et avec une tour pointue se dressant à soixante mètres vers le ciel. La salle du trône, ci-contre, achevée en 1917, est le plus jeune bâtiment de cet ensemble, et l'un des plus beaux. Les Européens comprirent dès cette époque qu'il était inutile d'implanter leur goût en Extrême-Orient, celui de ses populations étant au moins aussi bon, si ce n'est meilleur.

Viêt-nam
Asie

Mausolée d'Hô Chi Minh ❶
Hanoi

Tous ses adeptes ne vivaient pas jadis aussi vertueusement que le réclame le surnom honorifique de leur idole : Hô Chi Minh veut dire « celui qui a accédé à la Sagesse ». Beaucoup de ceux qui, chez nous, l'acclamaient de son vivant (1890–1969), ont compris entre-temps que les recettes révolutionnaires de l'homme d'État vénéré n'étaient pas applicables partout. Et nombre de ceux qui détiennent aujourd'hui dans son pays des postes de responsabilité et jouissent de la réunification obtenue grâce à son inflexibilité, ne savent toujours pas comment sortir de son ombre démesurée. Reste à espérer que l'incessant pèlerinage sur sa tombe à Hanoi fasse comprendre que quelque chose doit changer, pour que l'édifice à colonnes ne devienne pas une charge insupportable, la dernière chose qu'aurait souhaité Hô.

Palais impérial ❷
Huê

Le Viêt-nam ne survient heureusement plus aussi souvent dans les nouvelles que dans les années 1960 et 1970, et quand il y survient, les nouvelles ne sont pas aussi meurtrières. Cela présente le désavantage qu'on ne parle plus de Huê, appelée autrefois la ville impériale, ce qui rappelle qu'une guerre fut menée sur le terrain d'une très ancienne civilisation et que des biens culturels irremplaçables furent menacés de destruction. Beaucoup de choses périrent d'ailleurs sous les bombes des Américains en 1968. Il en resta néanmoins suffisamment pour que le visiteur puisse mesurer pertes et dégâts. Résidence de l'empereur d'Annam au XVIIᵉ siècle, Huê s'était parée d'édifices aussi fabuleux que ce palais, qui résista, heureusement, parce que bâti sur de solides fondations.

Palais de la réunification ❸
Hô Chi Minh-Ville

Les gros « cubes » que nous avons érigés pour célébrer des actions plus ou moins héroïques plairont peut-être à des époques ultérieures, qui sait ! Les hommes et l'art moderne ont toujours fait deux. Il est en tout cas difficile de trouver à un bâtiment comme le palais de la réunification davantage que de l'admiration pour son nom monstrueux. À première vue, la maison n'a pas beaucoup plus de charme que le palais de la République de Berlin-Est dans l'ex-RDA, avec lequel des communistes voulurent également célébrer leur État ouvrier et paysan. La victoire du Viêt-cong sur le régime sud-vietnamien soutenu avec tous les moyens par la puissance mondiale des États-Unis perd beaucoup de son éclat en ne devenant plus que monument. Le drapeau rouge est, dans ce monument, ce qu'il y a de plus beau.

Hôtel de ville ❹
Hô Chi Minh-Ville

Les puissances coloniales n'ont pas fait que des bêtises. En comparaison des édifices bâtis par les nouveaux maîtres communistes du Viêt-nam, la mairie construite par les Français à Saigon, rebaptisée Hô Chi Minh-Ville, dénote une beauté révolutionnaire. Mais cela tient aussi à ce que les maîtres étrangers n'ont pas cherché à imposer à tout prix l'esthétique européenne. Ils ont plutôt mis en valeur les éléments architecturaux autochtones. Le pur pragmatisme n'a pas triomphé, les ornements n'ont pas été exclus et l'irréel put y être exprimé, comme l'aiment les Asiatiques, pour qui le visage est tout, et dans les palais la façade. Un peu surchargé d'ornements, certes, mais d'abord profondément agréable, et un peu français. Il y a plus mauvais goût.

Chine
Asie

Palais Potala
Lhassa

On comprendrait presque la convoitise chinoise à l'égard du Tibet en voyant le plus beau de tous les palais asiatiques, si ce n'est du monde entier. Le palais de Lhassa, nommé Potala, fut jusqu'en 1959 la résidence du dalaï-lama, le chef spirituel des Tibétains, avant que les Chinois l'aient poursuivi et fait de son pays, au milieu des chaînes de l'Himalaya, une province de leur grand empire rouge. L'édifice de treize étages fut bâti au XVIIe siècle, d'abord le palais blanc avec ses fondations dynamiques en gradins, puis, cinquante ans plus tard, le palais rouge fut incorporé au complexe, imprimant à l'ensemble le caractère qui le rendit mondialement célèbre. La perspective que nous en avons, vue du côté de l'eau, en augmente le charme par le reflet de la silhouette de l'édifice dans l'eau.

Chine

Asie

Résidence d'été ❶
Chengde

Pékin prenait de l'ampleur, n'arrêtait pas de s'agrandir, et le palais d'été fut un jour si bien rattrapé par la ville que l'empereur mandchou Kangxi, ne pouvant plus faire ses exercices de chi kong sans être dérangé, craignait déjà pour sa santé. Il se fit donc construire en 1703 une résidence de campagne à soixante kilomètres au-delà de la Grande Muraille dans la localité alors appelée Jehol.

Aujourd'hui, la ville de la province de Hebei est proche de Pékin et s'appelle Chengde. Il n'y réside plus de souverain, le touriste y est roi et admire palais et temples, dont il y a beaucoup dans cette région montagneuse aux sommets de plus de deux mille mètres. Des noms comme « Monastère de l'amour universel » témoignent de l'espoir de renouvellement spirituel qu'avaient jadis les habitants.

Palais impérial ❷
Pékin

Une locution proverbiale dit que les arbres cachent la forêt. Mais le phénomène contraire peut se produire, quand la grandeur d'un ensemble architectural empêche de voir le détail. C'est ce qui peut arriver au visiteur du palais impérial de Pékin, s'il ne sait plus où il doit commencer à admirer. Il ne s'agit en aucun cas d'un seul palais, mais de toute une ville constituée de palais, avec tant de curiosités qu'il est

recommandé de bien les examiner. On découvre alors des trésors comme cette porte, qui prend sous son aile quiconque en passe le seuil. Des guides sont à disposition pour expliquer la signification de chaque ornement et sont capables d'en nommer la date d'origine. Le palais impérial a mis des siècles (depuis 1407) à devenir ce qu'il est aujourd'hui.

Palais d'été ❸
Pékin

La méditation ne marche pas sans la concentration nécessaire. Méditer dans le sens de l'enseignement de Quigong (conduite de l'imagination) fait partie des exercices principaux de la médecine chinoise. Les empereurs chinois décidèrent donc très tôt de se faire construire pour l'été un palais en dehors de Pékin, ville trop bruyante et trop chaude. Il s'agrandit depuis la dynastie des Ming (1368-1644) sur un terrain de presque

trois cents hectares, principalement constitué de jardins avec étangs, bassins, pavillons et maisons de thé, mais aussi de grands bâtiments comme celui-ci avec sa tour, qui font presque l'effet de châteaux. Les visiteurs affluent bien que l'on ait radicalement rompu avec le passé féodal. Les communistes ont aussi leurs nostalgies.

Forteresse de Jiayuguan ❹

Le seul édifice de main d'homme visible à l'œil nu de l'espace est la Muraille de Chine, qui mesure sept mille kilomètres compte tenu des parties du mur ensevelies. Sa pointe occidentale dans la province de Gansu, près de Jiayuguan, est à considérer comme une sorte de fort d'angle. Il date du XIVᵉ siècle et dénote un curieux mélange de château d'Extrême-Orient de construction massive et de style pagode, beau et élégant. La tour, en tout cas, qui se dresse fièrement au-dessus des créneaux, semble en démentir le caractère guerrier. Les marchands, qui, traversant la contrée désertique, apercevaient le fort, se réjouissaient doublement, car ses murs promettaient la protection, et le palais, l'hospitalité.

Mémorial du Sun Yat-sen ❺
Canton

C'est avec les « Trois Principes du peuple », indépendance, souveraineté et bien-être, que le médecin chinois Sun Wen, qui se fit appeler plus tard Sun Yat-sen (1866–1925), voulait révolutionner la Chine féodale après la chute de la dynastie des Qing qui régnait depuis 1644. Il échoua en 1895 avec une tentative de soulèvement à Canton, dut s'exiler pendant seize ans au Japon et ne put revenir qu'en 1911 pour assurer l'intérim comme président de la République de Chine venant d'être proclamée. Il tenta en 1913 une seconde révolution mais ne put se créer une base solide de pouvoir qu'avec les communistes dans les années 1920. Il mourut avant d'avoir pu réaliser ses idées. Un mémorial et un monument sont élevés à Canton à sa mémoire.

Leal Senado ❻
Macao

Les Portugais se fixèrent au XVIᵉ siècle sur le littoral méridional de la Chine, fondèrent Macao et se construisirent le Leal Senado au cœur de la ville. Il était depuis 1583 siège du régiment municipal et sert aujourd'hui d'hôtel de ville de la presqu'île redevenue chinoise depuis 1999. Autant les Chinois furent heureux que finisse l'époque coloniale, autant est-ce volontiers qu'ils ont repris ses perles architecturales, parmi lesquelles ce palais est une des plus brillantes. Cela ne vaut pas seulement pour la façade, mais aussi pour la cour intérieure et le jardin où l'on pénètre par l'entrée principale. L'aménagement des salles, notamment la remarquable bibliothèque, fait partie d'un somptueux héritage portugais.

Chine /
Corée du Sud *Asie*

Bank of China ❶
Hongkong

Le monde du capitalisme n'est pas vraiment un monde de justice, c'est pourquoi les communistes le refusent, ou l'ont, plus exactement, pendant longtemps refusé. Car depuis le petit empereur marxiste Deng Xiaoping (1904–1997), et notamment depuis la prise des rênes à Hongkong par la République populaire de Chine en 1997, les choses ont changé. Les grands de Pékin se sont mués en communistes capitalistes. Le gratte-ciel de la Banque de Chine à Hongkong en est un témoin manifeste. Et le bâtiment plat qu'est le temple de la Cour suprême devant l'éblouissant géant de verre et d'acier ne masque pas le fait que la logique du marché a désormais pris le pouvoir dans l'empire devenu le centre rouge du monde, avec tous les avantages que représente le capitalisme, mais aussi toutes les injustices du système.

Palais de justice ❷
Hongkong

La place est juste à Hongkong, ancienne colonie de la Couronne britannique, et aujourd'hui port chinois. C'est pour cette raison les architectes modernes bâtissent en hauteur et éliminent tous les bâtiments anciens dont la ville peut se passer. Mais s'il est un vestige du temps des Anglais dont eux-mêmes ne peuvent se passer, c'est bien le palais de justice, achevé en 1910 et utilisé jusqu'en 1985 par le tribunal suprême. Il porte la signature de l'architecte sir Aston Webb, qui bâtit également à Londres le musée Victoria et Albert. Il voulait créer un édifice démontrant avec force et grandeur la prétention à la domination sur Hongkong. Il n'en reste plus rien, car à côté des gratte-ciel qui l'entourent, et malgré ses vigoureuses colonnes, le bâtiment impérial fait plutôt l'effet d'un grand bungalow.

Palais Kyongbok ❸
Séoul

Corée (Choson en coréen) veut dire « Pays du matin calme », et c'est ce nom que se donna la dynastie au pouvoir depuis 1394 et qui y resta, avec sa culture, en dépit des vicissitudes de son existence et des guerres qu'elle connut. Sa richesse transparaît dans des palais comme celui-ci, qui semble presque prendre son envol. Le palais ci-contre n'est plus le palais d'origine, ce dernier ayant été détruit en 1592 dans une invasion des Japonais. Mais on s'efforça, lors de sa reconstruction à la fin du XIXe siècle, de le reconstruire avec grande précision, si bien qu'après deux nouvelles destructions au cours d'abord de la Deuxième Guerre mondiale, puis de la guerre de Corée (1950–1953), nous le voyons ici de nouveau resplendir dans sa beauté médiévale.

Palais Chandokkung ❹
Séoul

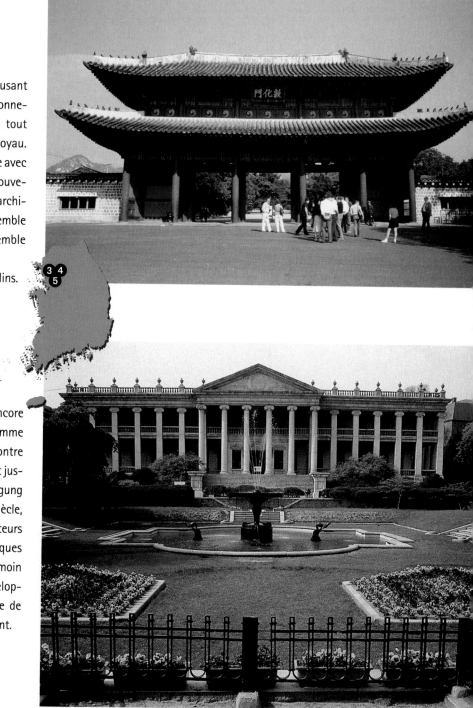

Cinq domiciles royaux furent créés à Séoul, sous la dynastie qui domina Choson pendant cinq cents ans (1392–1912). L'un des plus vénérables est ce palais, bâti en 1405, bien qu'il ne soit, contrairement au palais Kyongbok, « qu' » une résidence secondaire. Mais le chef-d'œuvre architectural qu'il représente, épousant parfaitement son environnement naturel, en fait tout particulièrement un joyau. L'impressionnante porte avec son toit dénotant le mouvement typique de cette architecture, enlève à l'ensemble toute lourdeur et semble inviter à visiter l'intérieur et les vastes jardins.

Palais Toksugung ❺
Séoul

Les Européens comprirent peu à peu au Moyen Âge que des populations pouvaient vivre derrière les montagnes, mais beaucoup d'entre eux ne voulurent pas se rendre à l'évidence que ces populations étaient loin d'être arriérées, qu'elles étaient même étonnamment avancées. Les rapports, même, de Marco Polo (1254–1324), qui suivirent les premières nouvelles sûres qu'il rapporta de l'Extrême-Orient, furent soupçonnés d'être fabulés. Mais ce que l'on peut voir encore aujourd'hui en Corée comme vieux bâtiments démontre que son admiration était justifiée. Le château Toksugung à Séoul, provient du XVe siècle, et bien que les restaurateurs y aient apporté quelques enjolivements, il reste témoin du stade avancé de développement de l'architecture de l'époque d'Extrême-Orient.

Japon
Asie

Château d'Okayama ❶

Voilà que le château d'Okayama, à mi-chemin entre Hiroshima et Kobe, sur la côte méridionale de l'île Honshu, se montre sous un visage cette fois sérieux. Ses murs noirs revêtus de bois lui ont valu le surnom d'*Ujo* (le château des corneilles), ce qui n'est pas tout à fait juste car les grillages en bois aux fenêtres sont aussi blancs que certains pignons. La tour de quatre étages du palais se trouve comme d'habitude sur des fondations en pierre, s'amincit vers le haut et présente l'habituelle décoration sculptée au sommet des frontons. Tout en haut, ce sont des sculptures de poisson, ce qui n'étonne pas dans un port. L'édifice du XVIᵉ siècle se trouve dans le parc de Korakuen.

Japon
Asie

Fort
Hirosaki

Il semble au premier abord exclu que l'on ait pu choisir un lieu aussi idyllique par crainte des agresseurs. Le château de la ville d'Hirosaki, située à l'extrême nord de l'île de Honshu, plane littéralement sur le pont rouge et les nénuphars des douves. Cette impression provient du massif socle de pierre couleur terre qui le surélève, la région étant relativement plate, et dont les contours ne paraissent pas nettement à travers les piles de pont. On dirait que la tour blanche du château n'adhère pas au sol, surtout que les toits en étages aériens ont quelque chose d'un objet en sustentation. Comme la plupart des forteresses du pays, celle-ci fut construite au cours du siècle des guerres civiles. Elle fut achevée en 1576.

Château de Matsumoto ❷

Matsumoto, ville industrielle, se trouve au cœur de Honshu (anciennement Hondo), dans la préfecture de Nagano, dans un paysage montagneux. Elle n'offre pas beaucoup de curiosités, en dehors de ce château du début du XVIe siècle qui attire de nombreux visiteurs. Il se présente à nous, ci-contre, sur sa face de l'intérieur des terres. Derrière l'édifice qui comprend plusieurs tourelles et une haute tour centrale, s'étendent des douves élargies de manière à former un étang. La vue est belle du haut des étages supérieurs. Les fondations en pierre montent du plan d'eau, se dressent en oblique et s'aplatissent nettement côté jardin. La forteresse était jadis résidence des shogun qui détinrent pendant des siècles le pouvoir militaire et civil au Japon.

Palais impérial ❸
Tokyo

Il ne resta plus grand-chose dans la capitale japonaise après les bombardements des États-Unis pendant la Deuxième Guerre mondiale. Les édifices en bois furent particulièrement touchés, et même le palais impérial ne resta pas intact dans toute son extension. On réussit néanmoins à le reconstituer, si bien que les visiteurs de Tokyo peuvent venir admirer les nombreux édifices à l'intérieur d'une enceinte de seize kilomètres de long. Mais tout n'est pas accessible pour ne pas gêner les suprêmes occupants qui n'utilisent la résidence que depuis 1868, puisqu'elle était avant à Kyoto. Ils ne se montrent au balcon que le 3 janvier et le 23 décembre, le jour de l'anniversaire du *tenno*.

Palais d'Hikone ❹

Sans la neige sur les toits ailés du château de la ville d'Hikone, au centre du Japon, on se croirait au printemps. Plus d'un millier de vieux cerisiers parsèment le jardin du palais, achevé en 1622, et dans l'empire du Soleil-Levant, leur floraison est toujours célébrée par des fêtes populaires et ennoblie par la récitation de *haïkus*, poèmes de dix-sept syllabes réparties en trois vers (5, 7, 5), comme le suivant : « Vois le tapis de neige / Des fleurs de cerisier qui titubent / Dans le son clair du vent matinal ! » Ici, nous avons affaire à de la vraie neige, qui n'est pas moins décorative, faisant apparaître le palais presque fabuleux dans un manteau de sucre glace et donnant à ses lignes des contrastes dynamiques. Aussi jolie qu'est la vue sur le palais, aussi vaste est celle qui s'étend sur le lac de Biwa du haut du fronton.

Vieux Palais impérial ❺
Kyoto

Le cœur du Japon battit ici pendant plus de mille ans, avant qu'il fût transplanté en 1869 à Tokyo. Kyoto n'est plus, aujourd'hui, que le chef-lieu d'une préfecture, mais est resté le centre des traditions de toute une culture. Tout se regroupe ici autour du vieux palais impérial, qui fut, encore une fois, renouvelé en 1855, peu avant le déménagement du *tenno*. Nous ne voyons ci-contre qu'un des grands bâtiments de l'ensemble qui se compose de nombreux palais, temples et villas.

Font également partie de cet ensemble, au sens large du terme, les reliquaires bouddhistes et shintoïstes de la ville, les premiers au nombre de seize cent cinquante, les seconds au nombre de quatre cent cinquante, ainsi que les jardins qui le parent imérialement. Lieu où les Japonais s'assurent, au sein d'un monde globalisé, leur identité culturelle, Kyoto exerce une grande force d'attraction sur les gens.

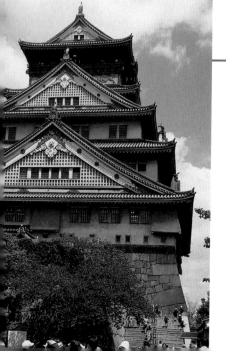

Château d'Osaka ❻

On ne remarque pas les coups du sort qu'essuya la région avant et après la construction de l'édifice. Jadis se trouva à cet emplacement un monastère qui avait joué un rôle important dans les guerres civiles du XVIᵉ siècle, ce pourquoi le vainqueur le fit remplacer en 1583 par une somptueuse forteresse. Entièrement détruite par un incendie en 1615, elle fut reconstruite jusqu'en 1629, puis brûla de nouveau en 1665 après un coup de foudre. Certaines parties furent peu à peu reconstruites aussitôt après, mais la tour que nous voyons ici ne fut, elle, refaite qu'en 1931, peu avant la Deuxième Guerre mondiale. Curieusement, la série noire avait pris fin. Osaka fut bombardée à cause de ses importantes industries, et le château fut aussi touché, mais, la tour, fierté des habitants d'Osaka, resta intacte.

Japon

Asie

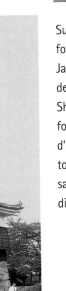

Château de Matsue ❶

Sur le cou-de-pied de la « botte » que forme Honshu, la plus grande ville du Japon, en face de Pusan, en Corée, la ville de Matsue, chef-lieu de la préfecture de Shimane, offre à ses visiteurs un château fort bâti en 1611 qui les accueille aujourd'hui dans un espace propret, paisible et toutes portes ouvertes. Mais à l'époque de sa construction, il dut être un bastion très difficile à prendre. Comme beaucoup de ces forteresses dans l'empire aux multiples îles, la tour est dressée sur un socle de pierre, mais elle-même est en bois et ne se présente pas comme une forteresse européenne. Le clan des Matsudarai, qui en étaient propriétaires aux XVIIIᵉ et XIXᵉ siècles, recherchait le faste et l'élégance, ce à quoi contribue la structure en étages articulée par les toits.

Château d'Hakutai ❷
Inuyama

Au nord-ouest de la préfecture d'Aichi, se trouve, au cœur d'un parc national, la petite ville d'Inuyama, en plein essor grâce au tourisme. Nature et culture y contribuent à parts égales, car la situation de la ville sur la rive méridionale de la rivière Kiso invite à entreprendre des excursions en montagne et dans la plaine de Nobi. Le château, au centre de la ville, n'invite en revanche qu'à des visites partielles. Les solides fondations et la structure architecturale s'allégeant vers le haut confirment qu'il s'agissait bien du château fort d'un général du XVIᵉ siècle. Servant aujourd'hui à des fins plus civiles et avec son air amène, le château d'Hakutai est le seul château privé déclaré monument national.

Château du héron blanc (Shirasagi-jo) ❸
Himeji

Les encyclopédies décrivent la forteresse d'Himeji comme la plus grande et la plus imposante. Mais on l'appelle aussi, surtout à cause de la couleur de sa tour (*Tenshukaku*), ci-contre, le « château du héron blanc » (*Shirasagi-jo*). Il date du XIVᵉ siècle, avec naturellement des élargissements ultérieurs. Le haut socle jusqu'aux premiers remparts n'est interrompu qu'en de rares endroits par de petites portes massives (Mon), à travers lesquelles les intrus parvenaient dans un labyrinthe de cours intérieures et de chemins de ronde, partout menacés d'en haut par des meurtrières (Sama). Les toits obliques protégeant chaque étage sont en briques vernissées contre les flèches de feu, les armes les plus dangereuses pour une construction en bois.

Palais d'Hiroshima ❹

Elle avait résisté à plus d'une tempête et à plus d'un assaut, mais le 6 août 1945 la forteresse de la ville d'Hiroshima se consuma définitivement dans la foudre nucléaire. Elle avait tenu quatre cents ans sur son solide tertre que l'on prit soin de reconstituer à partir de 1958, d'après de vieux croquis. Plus rien de ce gracieux palais sur le delta de l'Ota ne rappelle la catastrophe atomique, car même l'intérieur fut réaménagé en 1989 selon le goût de diverses familles de l'aristocratie. S'y est ajouté un musée sur les thèmes principaux de la « culture des samouraïs » et l'histoire de la ville. On peut y voir aussi de vieilles armes et des documents sur les principales étapes de l'évolution d'Hiroshima.

Château de Marugama ❺
Shikoku

Le XIXe siècle fut au Japon très fertile en châteaux forts. Un prince de la région dressa en 1597 à Marugama, au nord-est de l'île de Shikoku (préfecture Kagawe), une forteresse à mi-chemin entre le fort et le palais : massif et dissuasif à l'extérieur, soigné et élégant à l'intérieur. Les murs sont taillés dans des morceaux de roc de taille moyenne et plus gros et s'élèvent en gradins le long d'un talus. Les fines toitures dynamiques retirent aux entrées leur rudesse et ornent également le bâtiment principal et sa tour dressant son fronton blanc se terminant en pointe au-dessus des cimes du parc naturel de Kageyama. Les inévitables cerisiers d'Extrême-Orient enrichissent cet ensemble promu monument national.

Palais de la cité ❻
Matsuyama

Les bâtisseurs de châteaux et de forteresses se sont inspirés de l'architecture en hauteur des bâtisseurs de temples. Cela transparaît dans ce palais de Matsuyama, au nord-ouest de l'île de Shikoku, dressé sur de hautes fondations de pierres, qui s'amincit et s'élance d'étage en étage. C'était la demeure d'un samouraï du début du XVIIe siècle, qui y avait un bail à ferme. Elle a, outre un bâtiment central, deux ailes. Celle de gauche, assez haute, miroite à travers les cerisiers en fleur.

L'aspiration vers le ciel que démontre l'architecture sacrée correspond dans l'architecture profane au besoin de se protéger par une vue dégagée, car les samouraïs étaient en premier lieu des guerriers.

Château de Kochi ❶
Shikoku

Le dimanche, la visite au château de Kochi, du chef-lieu de préfecture, en vaut la peine, car la route qui y conduit est bordée de toutes sortes de stands. Les habitants de Kochi proposent des objets qu'ils ont bricolés ou des produits des jardins et l'on est vite embarqué dans une conversation, ou renseigné sur le château au bout de l'allée, dont la porte d'entrée, *Otemon*, est encore comme au temps de sa construction en 1603. Le palais lui-même n'a pas non plus beaucoup changé, bien que les empereurs de l'ère Meiji aient imprimé leur style impérial dès leur arrivée en 1869 et surtout restauré quelques forteresses. Cette tour, qui se dresse en s'amincissant vers le haut, est d'une grande majesté.

Fort Margherita ❷
Kuching

Cela parut d'abord être une idée saugrenue de bâtir un château fort au XIXᵉ siècle, plus exactement en 1878/1879. Mais en définitive, le château de Kuching, au nord de l'île de Bornéo, qui porte le nom d'une princesse Margherita, s'avéra utile. Non pas militairement mais pour se protéger des attaques de pirates qui erraient, et errent toujours, dans le coin. Il est en outre si bien situé, surplombant la rivière de Sarawak au milieu d'un jardin en fleurs, et si merveilleux avec ses bâtiments secondaires et ses pavillons, ses maisonnettes et ses passerelles, que les touristes de l'île sont ravis. Il y a une autre raison à cela : la forteresse fut investie par la police qui en a fit un musée qu'il vaut la peine de visiter.

Palais du sultan Abdul Samad ❸
Kuala Lumpur

La capitale de la Malaisie est relativement jeune par rapport à la ville de Malacca, par exemple, plus au sud. L'emblème de la ville, le palais d'Abdul Samad, le sultan qui régnait du temps de la construction, est imprimé par l'art colonial et islamique, avec même quelques traits presque mauresques. Les Britanniques voulurent ainsi présenter leurs hommages à leur reine Victoria et en même apporter aux habitants de leur colonie un peu de leur esthétique. C'est pourquoi la haute tour à horloge de cinquante mètres de haut rappelle *Big Ben*, tandis que les tours à coupole flanquées de part et d'autre ont plutôt un air de mosquée. Illuminé, le bâtiment, où siège aujourd'hui la Cour suprême et dont une partie est utilisée comme musée du textile, donne l'impression d'un palais féerique à l'orientale. Les noctambules

Palais du sultan ❹
Malacca

Au sud-ouest de la péninsule de Malacca (mille cinq cents kilomètres de long), se trouve le port de Malacca d'où partit la propagation de l'islam dans le Sud-Est asiatique. C'est pourquoi les sultans y résidaient, et pas mal ! Le palais original fut hélas détruit dans les périodes de guerre, mais les chroniques historiques comportaient assez de descriptions exactes pour que l'on puisse en confectionner une réplique. Même si elle ne correspond pas jusque dans le moindre détail au palais d'origine, elle est néanmoins assez parlante pour que l'on se sente transporté à l'époque où les châtelains se promenaient accompagnés d'une foule de châtelaines dans les jardins paradisiaques.

Musée national ❺
Singapour

L'art se discute-t-il ? Si oui, alors ici chacun donnera son avis et exprimera ses propres émotions. Les curieux personnages assis devant ce bâtiment plutôt petit-bourgeois du XIXᵉ siècle, lorsque les Européens croyaient encore apporter la culture aux peuples de l'Extrême-Orient, symbolisent la diversité des points de vue et de l'expérience. Le Musée national du petit État démontre avec son exposition que les cultures s'enrichissent mutuellement et s'aident à trouver la juste estimation de leur propre culture par rapport à l'autre. Le sobre bâtiment victorien laisse libre cours à l'imagination.

Victoria Memorial Hall ❻
Singapour

Les peuples furent bien sûr heureux de s'être enfin débarrassés de la domination coloniale, mais n'allèrent pas jusqu'à raser complètement et sans distinction leurs monuments. Ils inspirent une certaine nostalgie, surtout dans la ville de Singapour où les Britanniques ont imprimé leur cachet. La reine Victoria, qui fut longtemps (règne 1837–1901) et discrètement à la tête de l'Empire, y a énormément contribué. À sa mort, la municipalité baptisa l'edifice, qui à l'époque était la mairie, *Mémorial de Victoria*, et il s'appelle encore ainsi. Aujourd'hui, « la grande ville la plus propre au monde », dit un jour le chancelier allemand Helmut Schmidt, entretient avec beaucoup d'amour le bâtiment utilisé comme salle de concert et son beffroi.

Palais des sultans ❶
Bandar Seri Begawan

Les gisements de gaz naturel et de pétrole ont fait du chef du petit État de Brunei, au nord de la plus grande île de l'Insulinde, Bornéo, l'homme le plus riche du monde. Il devance même tous les empereurs de l'informatique et les rois des grandes surfaces. Lorsque le pays du sultan fut rendu à son autonomie le 1er janvier 1984 par la Grande-Bretagne, le gigantesque palais de mille huit cents pièces, en arrière-plan sur la photo, fut terminé à temps pour les cérémonies. L'on créa un ensemble qui coûta quatre cent cinquante millions de dollars. Dans le parking souterrain qui comprend huit cents places, la collection privée de cent vingt limousines de luxe, appartenant toutes au sultan, se perd un peu. Heureusement que les hôtes ne manquent pas, car l'argent est un aimant.

Palais de Malacanang ❷
Manille

La signification du nom n'est pas très claire. Malacanang peut vouloir dire « place du chef de tribu » et « lieu du mal », car des démons auraient habité dans des marais de bambous sur les bords de la rivière Pasig. Les deux sens ont leur justification historique. Après que l'armée espagnole eut acheté en 1802 la villa qui se trouvait là à l'origine et en eut fait cette vaste demeure paisible au bord du fleuve, résidèrent dans le palais de Malacanang autant les gouverneurs espagnols qu'à partir de 1898 les gouverneurs des États-Unis et, après 1935, les présidents des Philippines, parmi lesquels se trouvèrent de terribles despotes, tel Ferdinand Marcos, mais aussi des espoirs, telle Corazón Aquino. Mais quel que soit le chef de cette île, vu la pauvreté, il n'aura jamais la tâche facile.

Palais royal ❸
lac Toba

Au nord de Sumatra, au pays Batak, on vit dans des demeures primitives, selon des coutumes non moins vénérables. Chrétien ou musulman, cela ne change rien à la structure hiérarchique de la société. Le chef de tribu ou le roi commande et habite de belles résidences. Ce palais royal se trouve à tout juste une centaine de kilomètres de Medan, la capitale de l'île, sur le lac Toba dans les montagnes, où les Bataks cultivent le riz, élèvent des buffles et pêchent. La simplicité de l'architecture, même de maisons aussi importantes, correspond à la modestie du style de vie de leurs habitants. Le climat subtropical permet des maisons aussi aérées et d'une élégance qui paraît comme en suspens.

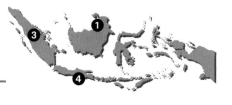

Palais des sultans ❹
Yogyakarta

La grande période des sultans est depuis longtemps révolue, mais ses grandes entreprises architecturales témoignent encore de sa grandeur. Yogyakarta, au sud de Java, montre fièrement le palais (Kraton) que se fit construire en 1756 le sultan. Il est clair et ouvert, comme la plupart des bâtiments, car le ciel, toujours clément, permet dans ces latitudes de vivre autant dehors que dedans. Ainsi le jardin envahirait-il la maison si des serviteurs en prenant soin ne l'en empêchaient pas. Les ornements dorés sur les colonnes sont inspirés de ceux de la nature et le plafond resplendit du même éclat que le firmament. L'architecture légère dissimule la maxime : « Vivre, c'est respirer ».

Indonésie
Asie

Palais colonial ❶
Jakarta

Il est difficile d'imaginer que l'infini royaume insulaire de l'Indonésie fût une colonie de l'État nain européen des Pays-Bas, en plus à Jakarta, où vivent presque autant de personnes que dans l'ensemble des Pays-Bas. Mais les monuments sont là pour témoigner de leur domination sous forme d'édifices néoclassiques, aux puissantes colonnes qui semblent porter pour l'éternité le désir de régner sur l'île. Ce fut une courte éternité, et pas très glorieuse. Mais si les Indonésiens mettent autant de soin à entretenir les œuvres de leurs maîtres d'antan, c'est qu'ils ont le sens de la beauté architectonique. C'est leur manière de fêter leur indépendance.

Château de Taman Sari ❷
Yogyakarta

Les vestiges de cet ancien château fort rappellent un peu Tenochtitlán et l'on se demande, devant ce monument, comment deux civilisations aussi différentes que l'Indonésie et les Aztèques peuvent avoir autant de points communs. Les artistes du monde entier semblent s'inspirer de la nature pour surpasser la richesse de ses formes. C'est ainsi que les écailles et le feuillage se transforment en ornements, les reptiles et les oiseaux en dragons et démons volants, utilisés pour orner temples et palais. L'imagination des bâtisseurs, notamment de celui de ce château du XVIIIe siècle, Sri Sultan Hamengkubuwono, n'a pas de limites.

Palais d'Ubud ❸

Le client d'une agence de voyages qui s'est décidé pour un voyage à Bali, plus précisément à Ubud, peut ressentir une fois dans sa vie ce que veut dire être roi. Il est en effet attendu au centre de la ville dans un palais des princes avec temple, transformé en hôtel. L'entrée, surveillée par des statues qui conjurent les mauvais esprits, est en soi déjà majestueuse. La porte, décorée d'ornements végétaux et animaux, attire le voyageur curieux de continuer vers les frontons fantastiques qu'il aperçoit derrière, et qui font partie des bâtiments où sont logés les hôtes. La végétation abondante promet en outre de beaux jardins et des chemins de randonnée paisibles dans une nature qui s'accorde encore avec la culture.

Jardins du château ❹
Tirtagangga

Bali fait connaître, à qui ne le savait pas encore, le comparatif et même le superlatif du mot « paradis ». L'île en soi suscite déjà la nostalgie et l'enthousiasme, mais qui pénètre dans les jardins de Tirtagangga, près de Karangasem, en a le souffle coupé. L'eau, l'air doux, les vrilles en fleurs, les palmiers en éventail, l'art inspiré de l'abondante nature et un ciel toujours clément donnent un avant-goût des jardins d'Éden. Un seul danger menace Adam : toutes les jolies Ève, sans lesquelles le paradis ne mérite son nom.

L'Afrique

Splendeur éclatante dans une lumière aveuglante

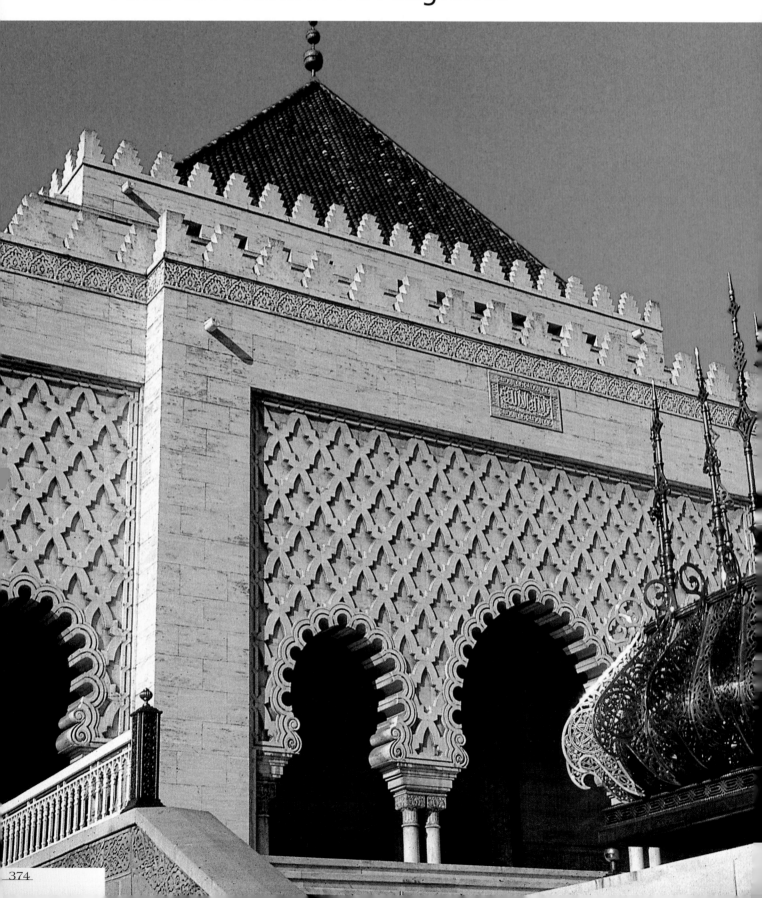

Le terme de « continent noir » a inutilement assombri l'Afrique dans l'imagination des Européens, alors qu'au contraire cet énorme continent est plongé dans la lumière aveuglante du soleil que ses édifices supportent merveilleusement bien. Certains, comme le Fort Namutoni en Namibie, furent apportés par les colonisateurs, dans le but de démontrer leur puissance, dont il ne reste cependant que la splendeur architecturale. Une splendeur que les grands de l'Afrique actuelle ne regrettent pas, fiers qu'ils sont, à juste titre, que de tels édifices aient pu voir le jour grâce au courage de leurs ancêtres et à la sueur de leur front. Un bond au-delà Sahara vers le nord du continent nous emmène dans une tout autre culture, africaine elle aussi, mais beaucoup plus hybride, tout imprégnée qu'elle est de la présence de différentes civilisations. Les Arabes marquèrent depuis le VIIᵉ siècle le pays, dont les Numides, les Romains et les Vandales s'étaient déjà partagé la souveraineté auparavant, et ont gardé, jusqu'à nos jours, un langage des formes inspiré de leur religion islamique. Le prophète interdit la représentation humaine dans l'art, mais pas les ornements en hommage à des personnalités vénérées, comme le roi Muhammad V qui fit sortir le Maroc de la tutelle coloniale et le mena, en 1956, à l'indépendance. Son mausolée est un excellent exemple d'architecture nord-africaine réunissant tradition et modernité.

Afrique

Açores (Azores)
(Port.)

Archipélago da Madeira
(Madeira Isl.)
(Port.)
● Funchal

Islas Canarias
(Canary Isl.)
(Esp.)
Santa Cruz ● Garachico ● Arrecife
La Laguna ● Tenerife ● Teguise
La Gomera

Tanger
(Tangier)
El Djazaïr (Algier)   Annaba   ● Ksar Lemsa
                             (Bône)   Carthage
Wahran (Oran)   Dougga ●● Tunis
● Rabat   ●● Sousse
● Fès   Kairouan ● Monastir
● Volubilis   TUNISIYA Sfax
AL-MAGREB (MOROCCO)   (TUNISIE)   Tripoli ●
Marrakech ●
Vallée du Dades ● Tinerhir   Banghâzi ●
Agadir ●   ● Agdz   ● Béchar
                                                                ELLÁS
                                                                (GREECE)

Mediterranean Sea

Alexandr

El-'Aaiún
(La'youn)   AL-MI
                    Timimoun ●   (EGYPT
Western
Sahara   AL JAZÂIR (ALGÉRIE)
                                     Marzûq ●   AL-MIS
                                                                 (EGYPT
                    LĪBIYĀ
Nouakchott ●
                                  Tamanrasset ●
MŪRĪTĀNIYĀ
(MAURITANIE)   M A L I   N I G E R

            Sénégal   T C H A D   A S -
Dakar ● SÉNÉGAL   Al-Ub
GAMBIA   Niamey ●   (El Ob
Banjul   *Niger*   BURKINA
(Bathurst)   Ouagadougou ● FASO   Kano ● Maiduguri ●   N'Djamena ●
Bissau ● GUINÉE-   Bamako ●   Zaria ●
        BISS.   Bobo-Dioulasso ● BÉNIN
Conakry ● GUINÉE   TOGO NIGERIA
Freetown ●   CÔTE   GHANA   Abuja ●
SIERRA LEONE   D' IVOIRE Lomé Oshogbo ●
              Yamoussoukro ● Porto Ibadan ● Enugu ●
Monrovia ●   Novo Lagos ● Benin City   CAMEROON RÉPUBLIQUE
LIBERIA   Abidjan ● Elmina ●   Port Harcourt (CAMEROUN) CENTRAFRICAINE
            Sékondi-   Douala ● Bangui ● Kisangani
            Takoradi   Malabo ● ● Yaoundé   (Stanleyville)
                                EQUAT.   Mbandaka   RÉP.
                                GUINEA   São Tomé ●   (Coquilhatville) DÉMOCRATIQUE
                                      Libreville ● CONGO   DU
                    S. TOMÉ   GABON   CONGO
                    E PRÍNCIPE   Brazzaville ●
                                    Pointe-Noire ● ● Kinshasa   RWAN
                                    Cabinda   (Léopoldville) Kananga BUF
                                    (Angola) Matadi ● Kikwit ● (Luluabourg) Buju
                                                      Mbuji-Mayi
                                                      (Bakwanga)
                                    Luanda ●   Lac
                                                                Tangany
A T L A N T I C
                                                            Likasi
                                                            (Jadotville)
Saint Helena   Lubu
(Brit.) ◦   Benguela ●   (Élisab
                                                               Kitwe ●
                                      A N G O L A   ZAMBIA
O C E A N   Lusaka ●
                                                      Zambesi
                                    Namutoni ●
                                                           (Sal
                                                           ZIMBA
                                                           Bulaw

                              N A M I B I A
                    Swakopmund ●
                    Walvis Bay ● ● Windhoek   BOTSWANA
                                              Gaborone ●
                          ● Duwisib
                                                       Pretoria ●
                          Lüderitz ●
                                              Johannesburg ●
                                          Kimberley ●
                                                      Maseru ●
                                          Bloemfontein ● LESOTHO

                              SOUTH AFRICA
                                                   East Lon
                                                   (Oos-Lon
0   500   1000   1500   ● Cape Town
                                          Port Elizabeth
km

Palacio episcopal ❶
La Laguna

Le diocèse de Tenerife fut fondé en 1818 et l'ancienne capitale des Canaries devint résidence épiscopale. Cela mena à un boom d'architecture sacrée et il fallut choisir une résidence digne de l'évêque. Ce palais, dans la *Calle San Agustín*, date du XVIIe siècle. Sa façade, déjà, le trahit. Le bâtiment fut retapé et décoré en fonction de son nouveau maître. Le beau patio, avec sa végétation que favorise le climat, a sans doute largement contribué au bien-être des hauts maîtres du clergé.

Îles Canaries (Espagne)

Afrique

Palacio de Nava y Grimón ❶
La Laguna

La plus fine des architectures coloniales du baroque espagnol reluit sur la *Plaza de Adelantado* à La Laguna qui, du temps de la construction du palais, se trouvait sur une lagune plus tard asséchée. La somptueuse demeure appartenait à la famille Nava Grimón de Villanueva del Prado, dont quelques membres s'étaient distingués comme officiers royaux. Alonso Nava Grimón y Benites de Lugo, né à La Laguna en 1756, joua un rôle culturel. Dans sa demeure, le palais ci-contre, se rencontraient d'éminents écrivains, et le maître des lieux était un important mécène. Il fonda le jardin botanique de La Orotava et fut chargé par le roi de créer l'université de San Fernando de La Laguna.

Palacio Insular ❷
Santa Cruz

La province de Tenerife, englobant l'île du même nom, La Palma, El Hierro et La Gomera, est gouvernée de Santa Cruz depuis le palais ci-contre. Il est, avec sa haute tour d'horloge, l'emblème de la métropole et de la région, bien que bâti seulement dans les années 1930 en style néoclassique. Il va de soi que le gouvernement s'est attribué la façade donnant sur le littoral, laissant au Musée archéologique l'arrière du bâtiment, étant entendu que dans un musée le regard est davantage tourné vers l'intérieur, sur les objets exposés. Les fonctionnaires de l'exécutif sont dédommagés de leur dur labeur par la vue dont ils jouissent sur la mer.

Castillo San Miguel ❸
Garachico

Le soleil se lève tard sur la petite ville, cependant pittoresque, au nord-est de Tenerife, blottie dans l'ombre matinale de hautes falaises à pic sur la mer. C'est une colonie assez récente, l'ancienne ayant péri en 1706 dans les coulées de lave après l'éruption d'un volcan. Ce château du xvie siècle est demeuré le témoin de la qualité des matériaux de construction du plus important port d'exportation de l'île que fut jadis Garachico. Ses murs fortifiés couronnés de créneaux contrastent avec la riche végétation qui trouve de quoi s'épanouir sur ce sol rocheux. Palmiers et buissons recouvrent presque la porte ci-contre, mais laissent encore voir ses armoiries.

Castillo San José 4
Arrecife

Le vieux fort San Gabriel ne suffisait plus à protéger des pirates le port d'Arrecife sur l'île de Lanzarote. C'est pourquoi, faisant d'une pierre deux coups, Charles III ordonna la construction de Castillo San José au nord du port, qui fournit en même temps du travail à la population indigente. Aujourd'hui l'île est prospère, grâce aux touristes, qui ne viennent pas seulement pour le plaisir des bains de soleil, mais aussi pour voir de tels témoignages d'une histoire difficile, et les œuvres d'art qui y sont exposées. Les remparts furent reconnus par la scène artistique internationale comme parfait contraste avec leurs œuvres qui profitent, bien sûr, de la lumière éclatante des Canaries.

Castillo San Gabriel 5
Arrecife

Les îles Fortunées, ancien nom de l'archipel des Canaries sous les Romains, furent peu inquiétées jusqu'à l'âge des grandes découvertes, où la folie des conquêtes des peuples navigateurs apporta aux Guanches les « bienfaits » du militarisme européen. Les Espagnols conquirent ce paradis sur l'Atlantique à la fin du XVe siècle et en firent un relais entre l'Europe et le Nouveau Monde. Afin de préserver leurs découvertes, ils fortifièrent le littoral en de nombreux endroits, comme Arrecife sur l'île de Lanzarote, où le Castillo San Gabriel fit très vite front vers l'est. L'édifice, rénové en 1590 et maintes fois ultérieurement, a toujours cet air dissuasif qui le fait contraster avec le blanc de la ville derrière lui. Il contient un Musée archéologique.

Palacio de Spinola 6
Teguise

Le blanc domine dans toutes les régions où le soleil tape comme à Lanzarote, île volcanique des Canaries, et les palais, comme celui de Teguise, du nom du marchand génois Vicente Spinola, brillent d'une clarté singulière au cœur de jardins luxuriants sous l'azur du ciel. L'homme riche se fit bâtir cette propriété au XVIIe siècle dans l'ancienne capitale, transférée à l'intérieur des terres, à une douzaine de kilomètres d'Arrecife, à cause de l'incessant danger de piraterie. Nous en voyons l'élégante porte ouvrant sur le palais d'une distinction faite de sobriété avec ses portes et ses volets sculptés. À l'intérieur sont exposées des toiles de l'époque de Spinola et des antiquités. Des conférences et des concerts y sont organisés.

Palais São Lourenço ❶
Funchal

Un édifice de l'État avec un vieux noyau et une façade jeune (ci-dessus). Ce fut à l'origine, au XVᵉ siècle, une forteresse, encore bien conservée derrière la façade, et surtout bien entretenue. Des travaux d'embellissement, dont l'élégante tour accessible par une jolie passerelle des balcons entourant le premier étage du palais, furent entrepris aux XVIIIᵉ et XIXᵉ siècles pour ses hauts occupants. Le gouverneur général y résida de 1581 à 1640, puis, jusqu'en 1834, le capitaine général de Madère. Il est utilisé aujourd'hui par le commandant de l'armée.

Palais Quinta do Monte ❷
Funchal

Les architectes de Madère ont la tâche facile, la nature luxuriante abondant dans leur sens du faste, mais sur le décor resplendissant qu'elle offre, certains monstres en pierre sont plutôt répugnants. Dans le cas de Quinta do Monte, ce fabuleux édifice aux tuiles ornées de motifs, l'architecte a réussi l'incomparable exploit de réunir culture et nature en une parfaite harmonie. L'édifice surplombe Funchal, la capitale de l'île, du haut de montagnes qu'entour paysage de jardins arti parcs naturels. On y arr culaire ou en taxi.

❶❷

Maroc

Afrique

Palais royal ❶
Fès

Les résidences des souverains du Maroc changèrent souvent et certains monarques ne se privèrent pas du privilège de se faire construire des palais pour leur cour, leur harem et eux-mêmes, dans plusieurs métropoles. C'est ainsi que Fès, au nord du pays, fut dotée au XVIIIe siècle d'un palais royal (*Dar al-Makhzen*). Le visiteur y accède par une grande place devant la magnifique façade d'une claire enceinte percée d'élégantes portes et resplendissant sous la lumière étincelante du soleil. Une tour en dépassant témoigne de la prétention à la domination des maîtres du lieu, et les petites coupoles dorées, de leur richesse et de leur foi.

Palais royal ❷
Rabat

La sécurité a priorité dans la planification des plus hautes demeures, car les gouvernés ne sont pas toujours du même avis que les gouvernants. C'est pourquoi les palais ont toujours des murs épais et une structure défensive. Celui de Rabat, capitale du Maroc, ne fait pas exception. Ses fortifications ont un air dissuasif, seulement adouci par de jolies portes, qu'on eut cependant la précaution de bâtir aussi massivement pour qu'elles résistent aux attaques. Les divers éléments proviennent d'époques différentes, l'entrée majestueuse ci-contre du XVIIe siècle, quand résidait au palais un sultan. L'intérieur est davantage empreint de l'époque coloniale française.

Palais al-Badi ❸
Marrakech

Al-Badi signifie « l'incomparable » et les vestiges que nous voyons ici montrent que ce n'est pas exagéré. Ce n'est pas par hasard que le palais fait partie des plus belles curiosités du pays qu'il faut absolument voir à Marrakech. Il fut bâti au XVIe siècle à la gloire du Saadien Ahmed al-Mansur, dont la dynastie s'éteignit avec lui. Les nouveaux maîtres tinrent à construire leurs propres palais et pillèrent littéralement al-Badi. Tout ce qui était en or disparut, le marbre fut transporté et de nombreux édifices transformés en carrière. La grandeur du site demeura et n'attire pas que les curieux. Les cigognes y font aussi leurs nids.

Casbah de Tinerhir ❹

Pourquoi bâtir en couleur quand la nature livre toute la splendeur voulue ? Et puis une casbah comme celle de Tinerhir, au pied méridional du Haut Atlas, dont on aperçoit en arrière-plan les sommets neigeux, doit remplir sa fonction qui n'est pas de gagner un concours de beauté. La citadelle protégea pendant des siècles les habitants des brigands nomades ou de l'arbitraire royal. Rien n'était plus précieux aux tribus de cette région que leur liberté, qu'ils défendirent envers et contre l'État accapareur, avec succès, comme le montre cette citadelle presque intacte. Elle perdit son importance militaire, mais le pittoresque des murs s'échelonnant en terrasses au milieu d'une palmeraie fait voguer l'édifice fonctionnel sur une mer de verdure.

Casbah d'Ait Ali ❺
vallée du Dades

Le Haut Atlas est une véritable muraille entre le Maroc maritime, tourné vers l'Europe et très peuplé, et le Maroc saharien. Et comme si cette barrière naturelle n'était pas suffisante, une chaîne de citadelles s'étire au pied du massif montagneux et dans ses vallées, le long d'une véritable route des casbahs. Celle-ci montre que les bâtisseurs ont tiré leurs enseignements de la puissance de la nature, en traduisant architecturalement ses murs et ses failles. En construisant ces citadelles, les habitants de la région cherchaient, il y a quatre cents ans, à allier la nécessité de se défendre à l'habitabilité. Ils n'y parvinrent que modérément, sauf que les murs épais offrent une bonne climatisation.

Casbah d'Agdz ❻

Les souverains du Maroc durent toujours prendre en compte la présence des populations berbères dans le Haut Atlas, difficilement maîtrisables. La conquête d'une casbah impliquait toujours de lourdes pertes. Celle d'Agdz, au pied du djebel Kissane s'élevant jusqu'à mille cinq cent trente mètres, illustre bien les difficultés que durent rencontrer même des assiégeants bien équipés. L'édifice, aménagé de galeries conduisant à une multitude de cours intérieures, menant à leur tour à de nouveaux remparts et d'où une contre-attaque insoupçonnée pouvait toujours surprendre, est âgé de cinq cents ans. Du haut des grosses tours carrées, les défenseurs voyaient de loin arriver l'ennemi.

Maroc / Algérie / Tunisie
Afrique

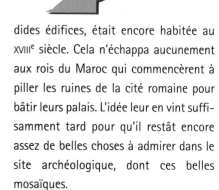

Volubilis ❶

De nombreuses ruines témoignent de la longue domination des Romains en Afrique du Nord. Volubilis fut une agglomération importante, l'une des plus florissantes métropoles de la province de Mauritanie, dont faisait alors partie le Maroc actuel. Ancienne cité berbère bâtie vers 300 avant J.-C., son apogée se situe au IIIᵉ siècle après J.-C. Elle ne s'éteignit que lentement après le déclin de l'Empire romain, car la cité, parée jadis de splen-

dides édifices, était encore habitée au XVIIIᵉ siècle. Cela n'échappa aucunement aux rois du Maroc qui commencèrent à piller les ruines de la cité romaine pour bâtir leurs palais. L'idée leur en vint suffisamment tard pour qu'il restât encore assez de belles choses à admirer dans le site archéologique, dont ces belles mosaïques.

Ksar de Timimoun ❷

Au pied méridional du Haut Atlas commence le Sahara, un *no man's land* hostile, dans l'idée des Européens. La végétation y était encore abondante, cependant, il y a des milliers d'années, et des populations y vécurent jadis, ainsi qu'à des époques plus proches. Le désert vit encore, d'ailleurs, même si la photo de ce château en ruine et des pierres au premier plan semble dire le contraire. Timimoun, oasis du Sahara

algérien, au nord d'Adrar, fut toujours objet de dispute. C'est pourquoi les populations bâtirent ce ksar il y a des siècles, pour se protéger des attaques. Il fut abandonné et tomba en ruine dès lors qu'il ne servait plus à rien. Mais à proximité vit une localité très animée, en dépit de la chaleur et du désert.

Ruines de Carthage ❸

Caton l'Ancien (234-149 avant J.-C.) demanda continûment la destruction de la Carthage punique (sur le littoral, au nord-est de Tunis), qui avait mené Rome au bord d'une défaite écrasante. Avec la victoire décisive de Scipion l'Africain à Zama (202 avant J.-C.), le danger était écarté, mais Caton poursuivait son idée et vécut la destruction complète de la métropole punique. Il ne

vit toutefois plus la reconstruction sur les ruines d'une nouvelle ville par Rome, qui y aménagea même un important forum. Les Arabes détruisirent beaucoup plus tard les édifices dressés par les Romains, mais laissèrent des ruines impressionnantes, dont celles de la basilique ci-contre.

Villa Dar el-Bey ❹
Tunis

La domination de l'Empire ottoman sur l'actuelle Tunisie commença à la fin du XVIᵉ siècle. Tunis, qui succéda à l'ancienne capitale Kairouan, au sud-ouest des ruines de l'antique Carthage, devint résidence du bey de Tunis, qui gouvernait la province au nom du sultan. Il le fit longtemps dans les palais arabes que les Turcs avaient trouvés à leur arrivée, mais le bey qui gouvernait vers 1800 voulut une résidence en propre, représentative de son pouvoir grandissant, et se fit construire la villa Dar el-Bey, pourvue d'une entrée très élégante, de minces colonnes, de riches ornements et de cours pavées. L'édifice abrite aujourd'hui des administrations et seul celui qui vient y faire des démarches a le droit d'y entrer. Avec un peu de bagout, le touriste peut néanmoins y jeter un coup d'œil.

Palais d'Orient ❺
Tunis

Certains contes des Mille et Une Nuits ne déploient leur fascination qu'à la lumière du jour. Certaines perspectives et effets de lumière du palais d'Orient de Tunis ont certes du charme aussi la nuit, mais la splendeur des couleurs est incomparable à la lumière du soleil. Des carrelages multicolores comme ils ne reluisent que dans les descriptions de Schéhérazade. Des mosaïques faites avec autant d'art que la poésie arabe. Le palais du XVᵉ siècle, ou plutôt les ruines de l'espace où il se trouvait apportent une note romantique dans la clarté méditerranéenne. On ne sait rien de l'utilisation qui fut faite du palais, mais il n'est pas besoin de beaucoup d'imagination pour se représenter la vie de luxe dans les appartements. Le minaret de la mosquée en bois d'olivier (à gauche sur la photo), ajouté il y a un siècle, n'y levait pas encore son doigt réprobateur.

Capitole de Dougga ❻

L'amateur de ruines aperçoit, ravi, en arrivant à Wadi Khalled, au plus profond de l'intérieur des terres, à environ cent vingt kilomètres au sud-ouest de Tunis, les vestiges pittoresques d'une cité romaine. Les Tunisiens appellent ce village Dougga, ce qui signifie « rocher à pic », et il est vrai qu'il faut monter pour y arriver. On y trouve des ruines très bien conservées, entre autres celles du capitole (ci-contre), ainsi nommé parce que c'est la copie conforme de celui de Rome et qu'il fut également voué aux dieux Jupiter, Junon et Minerve. Il ne reste en revanche presque plus rien du bâtiment de devant, sinon une mosaïque qui fut découverte et qui témoigne de l'habileté des artisans d'art romains et de la richesse des citoyens.

Tunisie / Libye
Afrique

Forteresse du ksar Lemsa ❶

Les Romains dominèrent ici avant que les Arabes conquièrent l'Afrique du Nord. Après une interruption par les Vandales, l'Empire byzantin reconquit le territoire de l'actuelle Tunisie et le fortifia à nouveau. Le fort du ksar Lemsa est une de ces reconstructions byzantines du Ve siècle, merveilleusement bien conservée. Cela peut paraître curieux vu l'état des murs et les éboulis de roches, mais il est vrai que d'autres forteresses du temps de la domination ultérieure des Arabes sont en bien plus mauvais état, ont disparu ou furent transportées pour servir de matériau de construction. Le nom vient de la ville de Lissa, située à environ quatre-vingts kilomètres au sud-ouest de Tunis, que surveillait le bastion du haut de sa colline.

Grande Mosquée ❷
Kairouan

L'architecture islamique primitive était encore très éloignée du faste qui la caractérisa plus tard. Les édifices religieux devaient néanmoins montrer la grandeur d'Allah, sans qu'on s'y méprenne. La Grande Mosquée de Kairouan des VIIe et VIIIe siècles dans l'enceinte de la vieille ville de Kairouan, au sud de Tunis, à l'intérieur des terres, donne une nouvelle orientation, avec une architecture s'élevant moins en hauteur, mais beaucoup plus large. Une grande cour bordée de portiques aux innombrables colonnes accueille le visiteur qui, même sans avoir la foi, s'y recueillera, oubliant les soucis quotidiens.

Ribat de Sousse ❸

Le ribat (couvent fortifié) de Sousse, port de Tunisie sur le golfe d'Hammamet, bien conservé et entretenu, incarne une foi combative. Le couvent, muni d'une tour de garde de trente mètres de haut, date du VIIIe siècle, du temps où la domination de l'islam n'était pas encore consolidée en Afrique du Nord. Les ribats ne servaient pas seulement à protéger les soldats-moines, qui pouvaient alors retourner à leur vie séculière, mais aussi la population lors des attaques des flottes chrétiennes ou des pirates. Les murs anguleux et les cours, toutes imbriquées les unes dans les autres, étaient défendables séparément, des herses en protégeant partiellement l'accès. Un agresseur qui avait pris un bastion se trouvait devant le suivant, et exposé aux contre-attaques venant des plans supérieurs.

Fort de Monastir ❹

La tour centrale du port de Monastir, sur la pointe méridionale du golfe de Hammamet, ressemble de loin à une cheminée d'usine. Mais de près il est évident que l'on a devant soi un château du début du Moyen Âge, comme en dressèrent de nombreux les conquérants arabes d'Afrique du Nord aux VIIIe et IXe siècles pour assurer leur domination. La vie à l'intérieur de cette étroite et sombre enceinte

dut être tout autre que confortable, mais au moins, les occupants étaient sûrs de ne pas souffrir de la chaleur subtropicale. La vue du haut de la tour, qui ravit le visiteur moderne, n'avait autrefois qu'une signification militaire.

Casbah de Sfax ❺

À l'emplacement des centres prospères des Carthaginois d'avant notre ère, le médiéval paraît presque jeune. L'enceinte de la vieille ville de Sfax, dressée au IXe siècle par les Arabes qui avaient pénétré depuis longtemps en Espagne, est en effet très bien conservée. Comme les Romains et les Vandales qui dominèrent ici avant eux, ils connaissaient les avantages de la situation du port

sur le littoral de la Petite Syrte, et donc le protégeaient. Il n'existe pas de murs plus hauts dans une forteresse comparable. Ils n'auront pas été sans donner du fil à retordre aux pirates, ou autres adversaires. Et s'ils en avaient passé les remparts, deux casbahs bien fortifiées les attendaient intra muros.

Palais royal ❻
Tripoli

Fondée il y a trois mille ans, la capitale libyenne devint la ville la plus importante de la Tripolitaine sous les Romains, mais c'est l'islam qui lui donna sa silhouette ottomane. La Libye fut en effet conquise au XVe siècle par les Ottomans, qui exercèrent une domination sans rigueur au nom du sultan que représentait un bey très indépendant. Le palais du bey, qui dut céder le pouvoir à un gouverneur italien en 1911, fut repris après la défaite de l'Italie dans la Deuxième

Guerre mondiale par Idris Ier de Libye. Depuis son détrônement par Kadhafi en 1969, l'édifice, maintes fois restauré, est utilisé comme bibliothèque et cadre de manifestations culturelles.

Palais Muntazah ❶
Alexandrie

L'Égypte fut le berceau d'une des plus vieilles et prospères civilisations de la terre. L'âge se voit sur certains monuments. À Alexandrie, que fonda Alexandre le Grand il y a deux mille trois cents ans, tout est donc beaucoup plus jeune. Mais quand même pas si récent que cela. Ce palais porte un siècle sur ses belles épaules, et il est aussi beau parce que Alexandrie devint résidence du vice-roi égyptien qui gouvernait d'ici le pays occupé par les Britanniques depuis 1882. La province étant très riche, il conserva une certaine autonomie qu'il démontra aussitôt par une construction. Il se fit aider en 1892 par l'architecte italien Verrucci, qui créa cette fabuleuse résidence avec une tour d'aspect légèrement vénitien.

Fort Kait Bay ❷
Alexandrie

Les Égyptiens choisirent comme site, pour un fort assez plat mais solide, une presqu'île formant le bras occidental du port est d'Alexandrie. Ils utilisèrent pour le construire les vestiges d'un des plus grands édifices de l'Égypte ancienne, considéré comme l'une des Sept Merveilles du monde : la tour de Pharos. Le phare s'était écroulé au XIVᵉ siècle pendant un tremblement de terre et fut une carrière bienvenue pour la construction du fort, en apparence imprenable. Mais il tomba dès 1517 lors d'une attaque des Turcs qui l'utilisèrent et l'entretinrent pendant leur longue domination (jusqu'en 1920). Il fut ensuite régulièrement rénové et l'on peut aujourd'hui le visiter. Un panorama unique sur la ville et le port s'ouvre du haut des créneaux.

Complexe funéraire de Djoser ❸
environs du Caire

À seulement quelques kilomètres au sud de la mégalopole actuelle du Caire, dans les faubourgs, se trouva la plus grande cité de l'Égypte ancienne. Celle-ci créa pour ses hauts personnages de la cour et de l'administration, à l'extrémité occidentale du grand désert de Saqqarah, une nécropole dont le noyau est formé par le complexe funéraire du pharaon Djoser (vers 2800 av. J.-C.), miniature de Memphis dans une sorte d'enceinte entrecoupée de bastions saillants, bâti sur des plans d'Imhotep, le génial architecte du pharaon. Le complexe funéraire renferme la célèbre pyramide à degrés, un temple pour le défunt, ainsi que des mastabas pour la haute société. La ville des vivants est construite en brique, celle des défunts en pierre, pour l'éternité. Memphis a survécu aux aléas de l'Histoire.

Palais du président ❹
Dakar

Le chef de l'État est là, car le gardien du palais présidentiel de l'État ouest-africain est vêtu de rouge. Quand le président est absent, il porte un uniforme bleu. Coutume introduite par Léopold Sédar Senghor, premier président du pays indépendant depuis 1960. La révision constitutionnelle qu'il fait approuver par référendum renforce le caractère présidentiel du régime et fait que la maison blanche du pays d'Afrique noire abrite désormais le troisième maître des lieux. Le président lui-même, homme très respecté dans son pays, qui s'est également distingué comme poète et créateur du mouvement de la négritude, résida pendant vingt ans dans cet édifice colonial français du XIXᵉ siècle.

Palais du peuple ❶
Conakry

Le verre n'est pas une matière se prêtant à la construction de palais dans les pays tropicaux. C'est pourquoi le siège du parlement de Conakry, capitale de la Guinée, fut pourvu d'un grillage en béton. Pour le reste, il peut concourir avec des horreurs communistes comme le palais de la République de Berlin-Est. Les architectes respectifs des deux édifices, bâtis dans les années 1970, durent penser que la fonction était importante, l'esthétique secondaire.

Mais, de nos jours, de nombreux bâtiments modernes prouvent que le slogan *form follows function* ne doit pas forcément être une gifle pour l'esthétique. Or, le palais, ou plutôt le cube populaire dressé avec le soutien de la Chine, à la demande du président Sékou Touré (1922–1984), en est une pour cette belle ville verte et fleurie.

Fort ❷
Gondar

Au nord du lac de Tana et au nord-ouest de Addis-Abeba, se trouve Gondar, l'ancienne capitale de l'Éthiopie, où les empereurs résidèrent jusqu'au XIXᵉ siècle. Quelques bâtiments témoignent encore de cette période, bien qu'elle fût dévastée pendant la Deuxième Guerre mondiale dans l'affrontement entre les conquérants italiens et les libérateurs britanniques. La forteresse est un vestige remarquable de cette grande époque. Son allure défensive montre que dans ce pays, jadis appelé l'Abyssinie, les troubles étaient fréquents, et que l'art devait se soumettre aux dures exigences militaires. Il est manifeste que les architectes de forteresses se sont inspirés de l'architecture arabe et européenne.

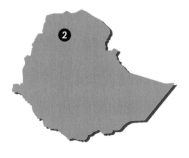

Palais impérial ❸
Massaoua

L'architecture est ce qu'il y a de plus marquant pour démontrer ses prétentions à la domination. C'est pourquoi l'empereur éthiopien fit bâtir, dans le port d'Érythrée, sur la mer Rouge, un palais qui symbolise aujourd'hui, dans toute sa splendeur, la fin de la domination éthiopienne. Il fait bien piètre figure, détruit, troué de balles, bombardé par l'artillerie et l'armée de l'air éthiopiennes. Mais l'Éthiopie ne réussit plus à briser la résistance des Érythréens. Ils sont indépendants. La coupole brisée du palais, qui coûta jadis cher au pauvre pays, reste dans cet état pour montrer que la puissance éclate comme une bulle de savon quand son heure a sonné.

Tour du Sultan de Zanzibar ❹
Mogadiscio

Sur les côtes très peu peuplées de l'Afrique orientale, on pouvait, avec l'esprit d'entreprise et une flotte importante, arriver à bâtir quelque chose. Les Portugais furent les premiers qui, après avoir doublé le cap de Bonne Espérance, contrôlèrent les pays et le commerce. Puis vinrent les Arabes, avec l'imam de Mascate, qui formèrent un empire de leur péninsule à Zanzibar. Mais la famille nombreuse du souverain mena au fractionnement, et, en 1856, le fils illégitime qui avait été placé comme gouverneur de Zanzibar quitta l'union et prit le contrôle de l'île et d'autres territoires jusqu'en Somalie. C'est pourquoi la tour du Sultan de Zanzibar se dresse aujourd'hui dans la ville de Mogadiscio, usée par la guerre, en signe d'une domination à laquelle les Britanniques mirent fin en 1890.

Fort Elmina ❶

Le début de la construction semble contesté, mais une chose est sûre, c'est que les Portugais ont aménagé la forteresse du littoral à la fin du XVᵉ siècle. Ils avaient atteint le sud de l'Afrique occidentale en cherchant une voie maritime vers l'Inde autour de l'Afrique et avaient besoin d'une base de commerce. Ce fut, comme pour la plupart des fondations coloniales européennes, un commerce unilatéral qui devint inhumain, quand les Blancs découvrirent que l'on pouvait tirer profit de la vente des serviteurs, ou esclaves, noirs. Fort Sao Jorge da Mina, l'une des plus importantes places de transbordement de cette « marchandise », fut donc particulièrement convoité. Il y eut plusieurs attaques des Hollandais, qui conquirent la forteresse en 1637. On la voit aujourd'hui telle qu'elle fut ensuite restaurée.

Palais des hôtes ❷
Yamoussoukro

Au bout de vingt ans de règne, depuis l'indépendance du pays en 1960, le dictateur Houphouët-Boigny (1905-1993) en eut assez, d'Abidjan, où il faisait bien trop chaud et où l'air était vicié, et ordonna de faire de sa ville natale, Yamoussoukro, à l'intérieur des terres et au climat plus agréable, la capitale du pays. Bien que fauché, il aligna un palais après l'autre. Celui qui était prévu pour les visites officielles, ci-contre, démontre le gaspillage sans scrupules, bien qu'il soit relativement modeste comparé à l'édifice absurde au milieu d'une pelouse tellement sèche qu'elle n'est jamais verte : le président fit faire une réplique de la basilique de Saint-Pierre de Rome, seulement un peu plus grande. Le monument d'un potentat mégalomane qui resta plus de vingt ans au pouvoir.

Forteresse du port de Mombasa ❸

Les Portugais bâtirent au XVIᵉ siècle le fort Jésus sur la côte orientale de l'Afrique pour assurer leurs voies commerciales vers l'Inde, au XVIIᵉ les Arabes le leur reprirent, au XVIIIᵉ les Portugais n'eurent même pas besoin de se battre pour le reprendre, et au XIXᵉ il tomba aux mains des Anglais. La forteresse du port de Mombasa a un passé mouvementé, malgré ses murs de quinze mètres de haut et de 2 mètres et demi d'épaisseur. Les derniers conquérants, les Britanniques, trouvèrent cette qualité de pierre idéale pour en faire une prison. Plus d'un rebelle dut voir l'édifice de l'intérieur et nul ne regretta que le fort fût déclaré monument national à l'indépendance du pays en 1963.

Palais royal ❹
Kampala

L'un des quatre États Hima formant l'État d'Ouganda est Buganda, gouverné jusqu'en 1896 par un roi (Kabaka) qui exerça un pouvoir absolu, puis sous surveillance britannique. Lorsque les colonisateurs se retirèrent en 1962, ce fut aussi la fin de la monarchie, période que rappelle encore le palais du dernier roi du Buganda, Freddie, à Kampala. Le palais dut déclencher, avec son élégance coloniale baroque revêtue de blanc, un accès de nostalgie de la part des nouveaux maîtres républicains, car la monarchie fut, symboliquement, mais néanmoins réintroduite en 1993, pour marquer que les régions devraient être plus autonomes.

Palais du sultan ❶
Zanzibar

Le commerce de l'ivoire et des esclaves noirs contribuèrent pour une grande part à l'enrichissement littéralement fabuleux des souverains arabes de l'île de Zanzibar, qui appartient aujourd'hui à l'État de Tanzanie. Quelques dizaines d'années vers le tournant du XVIIᵉ et du XVIIIᵉ siècle leur suffirent. Au terme de la domination des sultans à la prise de l'île par les Britanniques en 1890, les membres de la dynastie d'Oman, privés de leur pouvoir, mais pas de leurs possessions, purent continuer à vivre des intérêts, voire des intérêts capitalisés des richesses amassées. Ils déployèrent un faste architectural à l'avenant. Le palais du sultan, au bord de la mer, appelé par le peuple « maison des merveilles », est depuis 1964 un musée qui présente un grand nombre de merveilles.

Fort Kilwa Kisiwani ❷

Kilwa Kisiwani, lieu de transbordement de l'or, de l'ivoire, du fer et des fruits dès le XIᵉ siècle, se trouve à environ trois cents kilomètres au sud de Dar es-Salaam à l'embouchure du Matandu dans l'océan Indien. Les Portugais s'emparèrent au XVIᵉ siècle du port et des forteresses construites par les Arabes sur les îles qui en forment l'entrée. C'étaient des bastions simples mais massifs et efficaces qui garantirent encore longtemps la sécurité du lieu dont l'importance s'amenuisa à l'arrivée des Européens. La ville fleurit une dernière fois au XVIIIᵉ lorsque les colonisateurs chrétiens y conclurent une grande partie des marchés de « l'or noir » des esclaves.

Ensemble archéologique de Zimbabwe ❸
environs de Masvingo

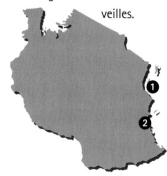

Les civilisations primitives d'Afrique du Sud furent beaucoup plus développées que ne le crurent longtemps les Blancs. Lorsque la nouvelle se répandit en 1871 d'une ville ensevelie aux murs cyclopéens dans la savane arborée de Rhodésie, on se perdit en conjectures à la recherche des bâtisseurs et des habitants de ces « maisons de pierre » (traduction du mot *Zimbabwe*). Aucune explication concluante ne fut trouvée jusqu'ici, malgré les recherches archéologiques. Seule la date de construction peut être située avec une quasi-certitude entre le XIIIᵉ et le XVᵉ siècle. De même que l'on est sûr que ce furent des membres des civilisations bantoues qui superposèrent les millions de pierres de taille nécessaires ne serait-ce qu'à l'élévation de l'enclos (*Great Enclosure*) représenté ci-contre.

Fortalezza de Nossa Senhora de Couceicão ❹
Maputo

Le ton chaud des briques trompe autant que le nom de la forteresse qui, traduit, signifie « Château de Notre-Dame l'Immaculée Conception », car l'accueil réservé à qui s'en approchait sans y être autorisé n'avait rien d'accueillant et on était, intra muros, résolu au combat par tous les moyens. Le fort de Maputo, bâti au milieu du XIXᵉ siècle à la place d'un ensemble plus vieux dont il reste encore le noyau, dominait la ville et la côte où croisaient au large les envieux, comme les Arabes ou les puissances colonisatrices européennes contestant aux Portugais leur domination. Elle ne s'éteignit qu'à la rébellion des autochtones depuis 1964, malgré le fort abritant aujourd'hui un musée militaire.

Palais des gouverneurs ❺
Maputo

Lorsque le fier édifice célébra son cinquantième anniversaire (voir les dates sur le toit), nul ne soupçonnait quelle tragique fin connaîtrait les maîtres célébrés. Les Portugais, qui dominaient depuis 1505 le Sud-Est africain jusqu'au sud de l'embouchure du Limpopo, fondèrent Lourenço Marques, capitale du Mozambique depuis 1975 sous le nom de Maputo, et y dressèrent pour leur gouverneur en 1903 un palais dans le plus beau style colonial classique. En 1951, ils étaient tellement sûrs de leur pouvoir qu'ils intégrèrent la colonie à la mère patrie comme province d'outre-mer. La fragile paix ne dura qu'une dizaine d'années, quand soudain se déchaîna un combat de libération qui déboucha en 1975 dans l'indépendance accompagnée d'une sanglante guerre civile.

La Vieille forteresse ❻
Windhoek

Les premiers colons peuplèrent vers 1840 la capitale actuelle, mais ce n'est qu'en 1890, à l'arrivée de l'officier allemand Curt von Francois avec trente-deux hommes, que commença l'essor de la petite ville de Windhoek autour de la forteresse dont la construction fut aussitôt entreprise et bientôt achevée. Elle constitue une partie de l'ultérieur château de Schwerin et était, en tant que quartier général des troupes coloniales, centre du pouvoir de la colonie allemande. En 1932, on y installa un internat, depuis 1962 y sont exposées les collections d'un musée. L'édifice blanc séduit par sa fonctionnalité militaire et son élégante simplicité assortie aux uniformes blancs des officiers impériaux de l'époque coloniale.

Namibie / Afrique du Sud
Afrique

Fort Namutoni ❶

L'Etosha Pan, dépression salée du nord de la Namibie, n'est qu'une infime partie du parc naturel de vingt-deux mille kilomètres carrés qu'elle comprend, et la plus grande réserve giboyeuse de la terre. Les colonisateurs allemands dressèrent peu après la prise de l'Afrique australe en 1890, à l'extrémité orientale d'Etosha, au pays des Ambos, à peine peuplé, un poste de police impressionnant. La forteresse, qui n'aurait eu aucune espèce d'importance militaire en Europe, était ici efficace et assurait la protection des troupes coloniales stationnées à Namutoni. Aujourd'hui, le château n'a plus qu'une fonction esthétique. Il est très apprécié des touristes du désert qui y trouvent le repos après des traversées épuisantes.

Palais de l'encre ❷
Windhoek

On constate une très légère ressemblance avec Sanssouci : large escalier extérieur, bâtiment plat et long, beau jardin. Mais c'est tout. Les Namibiens associent d'autres souvenirs au bâtiment où les Allemands emménagèrent en 1913. Il était le siège de l'administration coloniale allemande pour le Sud-Ouest africain, et le sobriquet que donna le peuple au palais dit bien ce qui y coulait à flots : la sève des bureaucrates. À mesure que les troupes coloniales réprimaient les insurrections dans le sang, au nom de l'empereur et de l'Empire, l'encre des bureaucrates coulait sur le papier, consignant, un à un, noir sur blanc, les autorisations, les refus, les avis favorables, les attestations officielles. Petite Prusse sous le soleil austral. Un rêve aussi bref qu'absurde.

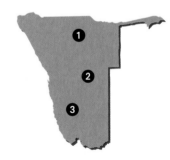

Château de Duwisib ❸

Qui sait l'allemand s'y retrouve bien en Namibie, car les noms sont souvent dans cette langue. On trouve, à trois cents kilomètres au sud de Windhoek, *Mariental*, puis à l'ouest le *Schwarzrandplateau*. À soixante-dix kilomètres au sud, on arrive devant une forteresse rouge, si belle qu'elle mérite le nom de château. Un baron l'avait fait construire en 1904, à l'époque des guerres d'extermination des Hottentots et des Hereros, croyant y être à l'abri. Le château appartient depuis 1980 à l'État qui le fit restaurer et l'ouvrit au public.

City Hall ❹
Pretoria

Pretoria, du nom du chef des Boers Andries Pretorius (1798–1853), n'eut son statut de ville qu'en 1931, bien qu'elle eût été résidence gouvernementale depuis 1910. Et la ville reçut, pour célébrer cette promotion, une salle municipale, ou, dans la langue officielle, un *City Hall*. Son beffroi, avec son joli carillon, est devenu l'emblème de l'accueillante métropole. L'intérieur contient le plus grand orgue de l'hémisphère Sud, et les jardins qui entourent l'édifice sont un paradis. Le bassin, devant la façade, est plein de poissons rouges.

Palais du parlement ❶
Pretoria

Le parlement de l'Afrique du Sud s'est installé à quelques kilomètres du cœur de la ville. L'hiver, il siège dans un palais de trois ailes dont la partie centrale, hémisphérique et légèrement en retrait, est flanquée aux extrémités de deux coupoles. L'édifice classique étiré en longueur (*Union Buildings*), déjà en soi architecturalement imposant, est encore plus valorisé par la verdure qui l'entoure et lui donne un caractère de palais dans le style de Versailles. Sauf que la compétence anglaise en matière d'aménagement des parcs y joua un rôle au moins aussi important que l'inspiration française. Au milieu d'une pelouse, se dresse le monument de Louis Botha, général de l'armée boer et Premier ministre de l'Union sud-africaine (1910–1919).

Palais de justice ❷
Pretoria

Le prestige de l'imposant Paul Kruger, dit « Ohm », chef des Boers, n'a pas baissé bien que la guerre des Boers (1899–1902) fût gagnée par les Britanniques. Son monument pare le *Church Square* de Pretoria et ennoblit du même coup le palais de justice qui se trouve derrière, et pourrait paraître, sans lui, d'un néo baroque un peu trop trapu. Or, dans cette composition, il gagne, avec ses imposantes coupoles et sa grosse tour, un peu de la stature de l'homme qui dirigea à partir de 1883 le Transvaal en tant que président pendant vingt ans. L'empereur allemand Guillaume II, qui lui avait prématurément promis le soutien de l'Allemagne dans une célèbre dépêche, l'abandonna à son sort, ce qui contribua à sa gloire. Ohm ressentirait une certaine satisfaction à se voir dans la postérité devant un palais de justice.

Palais du parlement ❸
Le Cap

Une seule grande agglomération ne suffit pas à un pays aussi grand que l'Afrique du Sud. La ville la plus connue du pays ne devait pas tomber dans l'ombre du siège du gouvernement, Pretoria. C'est pourquoi Le Cap abrite en été, dans un palais néo baroque achevé en 1886 et néo classique en façade, avec son portique (à droite sur la photo), les parlementaires qui viennent tenir leurs séances et se sentent apparemment bien dans la capitale législative au pied de la montagne de la Table. L'agréable climat maritime, la proximité inspiratrice du cap de Bonne-Espérance et la verdure incitèrent le président de la République à transférer sa résidence juste à côté du parlement dans un bâtiment du nom de « Tuynhuys ».

Palais royal ❹
Antananarivo

La grande île de l'océan Indien n'est pas riche en monuments d'époques antérieures, car elle ne devint un royaume qu'au XIXᵉ siècle. Les rois ne déployèrent le faste architectural et n'élargirent leur très modeste palais d'Antananarivo, l'actuelle capitale, que plus tard. Ils le placèrent sur ladite Colline sainte, si bien que le *Rova*, ou palais royal, donne aujourd'hui encore son empreinte à la silhouette de la ville. Un incendie en ravagea hélas une grande partie en 1995, si bien qu'il ne reste plus que les bâtiments tardifs en pierre, dont la façade du « Palais de la reine » (ci-des-sus au milieu), datant de 1839, et les bâtiments sacrés (à gauche), partiellement restaurés, et qui trahissent déjà l'influence européenne.

Palais de Ambohimanga ❺

Heureusement que les rois ne vivent pas dans des casernes parmi des milliers de locataires, car Andrianampoinimerina aurait eu du mal à écrire son nom sur la sonnette. Mais à Ambohimanga (« Colline bleue », à vingt kilomètres au nord de la capitale, il avait largement la place pour son nom, sa cour et sa reine. Le palais (*Rova*) du XVIIIᵉ siècle (agrandi plus tard) est très vaste et comprend presque uniquement des bâtiments de bois. Seul le pavillon de plaisance de la reine Ranava-lona (vers 1840) est un peu plus confor-table. Le confort n'était d'ailleurs pas absolument indispensable car le bâtisseur, généralement parti à la conquête de Madagascar pour sa dynastie des Méri-nas, était rarement là, et la vue que l'on a du plus haut point de l'enceinte dédom-mage du manque de confort.

Amérique du
Amérique

Univers de rêve hier et aujourd'hui

Nord et centrale

Les jours passent, et lorsqu'il s'en est écoulé autant que compte de marches la pyramide maya du Kukulkan à Chichén Itzá, les années s'accumulent en siècles formant l'histoire du continent américain. L'excitation fiévreuse, surtout au Nord du double continent, fait parfois oublier ses racines préhistoriques et mythiques, que les conquérants blancs ont coupées, sans néanmoins pouvoir complètement effacer les traces de ceux qui dominèrent avant eux les forêts tropicales du Honduras et les prairies du Mississippi. Les merveilles de la nature leur enseignèrent une religion dont témoignent les temples de l'ancienne Amérique. La religion fut, et est, de première importance pour les conquérants blancs, bien que l'on soit parfois incité à penser que Mammon a remplacé le Manitou, au moins aux États-Unis, qui se considèrent comme Gods own country. Le commerce n'avale pas rarement la culture, mais on est toujours étonné de constater avec quelle joie enfantine de vénérables hommes d'affaires se font construire des univers de rêve pouvant être sortis des studios d'Hollywood, ou d'un conte de fées, comme l'est vraiment Cinderella Castle (Château de la Belle au bois dormant) en Floride. Il porte l'empreinte du roi de la féerie, Walt Disney, qui, sans se gêner, puisa dans tous les styles.

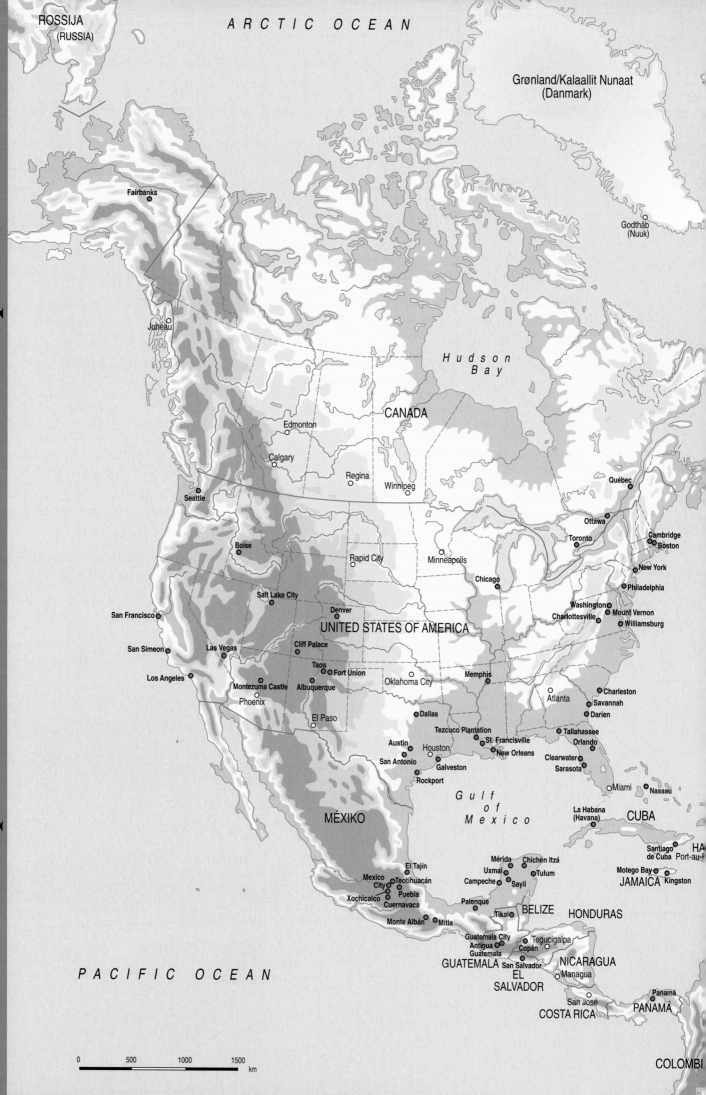

Amérique du Nord et Amérique centrale

ROSSIJA
(RUSSIA)

ARCTIC OCEAN

Grønland/Kalaallit Nunaat
(Danmark)

Godtháb
(Nuuk)

Fairbanks

Juneau

Hudson
Bay

CANADA

Edmonton

Calgary

Regina

Winnipeg

Québec

Seattle

Ottawa

Toronto

Cambridge
Boston

Boise

Rapid City

Minneapolis

New York

Chicago

Philadelphia

Salt Lake City

Denver

Washington
Mount Vernon

San Francisco

UNITED STATES OF AMERICA

Charlottesville
Williamsburg

San Simeon

Las Vegas

Cliff Palace

Los Angeles

Taos
Fort Union

Memphis

Charleston

Montezuma Castle
Phoenix

Albuquerque

Oklahoma City

Atlanta

Savannah

Darien

El Paso

Dallas

Tezcuco Plantation

Tallahassee

Orlando

Austin

Houston

St. Francisville

San Antonio

New Orleans

Clearwater

Galveston

Sarasota

Rockport

MÉXIKO

Gulf
of
Mexico

Miami

Nassau

La Habana
(Havana)

CUBA

Santiago
de Cuba

HA
Port-au-F

El Tajín

Mérida

Chichén Itzá

Motego Bay

Mexico
City

Teotihuacán

Uxmal

Tulum

Kingston

Puebla

Campeche

Sayil

JAMAICA

Xochicalco

Cuernavaca

Palenque

Monte Albán

Mitla

Tikal

BELIZE

HONDURAS

Guatemala City

Tegucigalpa

Antigua

Copán

Guatemala

NICARAGUA

GUATEMALA

San Salvador

EL
SALVADOR

Managua

PACIFIC OCEAN

Panamá

San José

PANAMÁ

COSTA RICA

COLOMBI

0   500   1000   1500
km

Palais de l'université ❶
Fairbanks

Bâtir sur le cercle polaire exige beaucoup de la part des planificateurs et des architectes. Les bâtisseurs de l'université de l'Alaska à Fairbanks (UAF) relevèrent le défi du gel et des tempêtes par des constructions massives équipées d'une isolation thermique ultramoderne, sans néanmoins renoncer complètement à la légèreté. Ils enrichirent le campus d'objets d'art aérés, et la façade est articulée de nervures et de cages d'ascenseurs en guise de tours. Une atmosphère hivernale y règne même l'été, car le blanc domine sur cette aire de quatre-vingt-dix mille mètres carrés.

Bâtiment du parlement ❷
Ottawa

Certaines villes des États jeunes, comme le Canada, sont plus grandes que la capitale, sans tenir ce rôle. Avant de devenir siège du gouvernement de la colonie britannique, Ottawa s'appelait Bytown et était un camp de travail jouissant d'une très mauvaise réputation. Elle changea de nom dans les années 1850 sur ordre de la reine Victoria et fut choisie comme capitale. La construction du parlement commença en 1859 en néo-gothique et sur le modèle des *Houses of Parliament* de la mère patrie, d'où la haute tour qui évoque *Big Ben*, mais est beaucoup plus pointue.

Château Frontenac ❶
Québec

Le roi de la féerie s'était noyé déjà depuis six ans dans le Starnberger See, en Bavière, quand fut terminé le château de Frontenac. Il serait sinon resté béat d'admiration devant ce chef-d'œuvre. Le côté fortifié lui aurait sans doute moins plu, mais par là même augmenté encore son étonnement devant les pignons, les encorbellements, les tours et les chiens-assis, parfaitement à son goût. Les Québécois aiment leur château pour son charme romantique, mais aussi parce qu'il plaît aux hôtes du monde entier venant y passer la nuit. Il faut avoir une bourse bien garnie, car c'est un hôtel de luxe.

Château Laurier ❷
Ottawa

Un château de la Loire démonté et implanté sur le Saint-Laurent ? On le dirait vraiment. Les ingénieurs américains sont capables de tout ! Une réplique sur place était au XIXᵉ siècle moins onéreuse, et permettait plus de luxe. Le château Laurier, au cœur de la capitale, où les principaux centres d'intérêt se rejoignent à pied, est aujourd'hui un hôtel de grand luxe, accueillant essentiellement les hommes politiques. Ils se sentent en sécurité et à l'aise derrière les murs épais aux toits recouverts de vert-de-gris.

Vieil hôtel de ville ❸
Toronto

Le style wilhelminien pesait lourdement sur l'Allemagne, quand les Anglo-Saxons déployaient la pompe victorienne. Les architectes firent bien les choses avec l'hôtel de ville (*Town Hall*) de Toronto. Tandis que l'Allemagne impériale étalait un faste prussien plutôt tempéré, l'Empire britannique s'affirmait en se parant de solennité. Quelques colonnes par-ci, quelques pignons par-là, quelques tourelles et un beffroi, et l'affaire était réglée. Le bâtiment, terminé en 1883, servait aussi de marché. Les marchands devaient savoir à quoi s'en tenir.

Nouvel hôtel de ville ❹
Toronto

La capitale de la province de l'Ontario explosait presque, de même que les services administratifs de l'agglomération de plusieurs millions d'habitants. Le conseil municipal décida par conséquent dans les années 1950 de construire un centre administratif à *Nathan Philips Square*. Commencé en 1958, il fut terminé en sept ans sur les plans de l'architecte finlandais Viljo Revel. Il se compose de deux buildings concaves en quart de cercle de respectivement vingt-sept et vingt étages, qui, telle une monture, maintiennent le cœur de l'hôtel de ville semblable à une coupole renversée. L'arche en façade, *The Archer*, est une sculpture d'Henry Moore.

États-Unis

Amérique du Nord et centrale

Old State House ❶

Boston

Les États fédéraux de la côte orientale sont petits mais raffinés, à l'image de *Old State House* de Boston, la capitale du Massachusetts. Terminé en 1713, c'est le seul édifice conservé de cette agglomération qui joua un rôle capital dans le déclenchement de la guerre de l'Indépendance. Du balcon du palais qui, à côté du géant, a l'air d'un bungalow, fut donné lecture en 1776 de la Déclaration d'indépendance qui marqua le début de la fin de la domination britannique en Amérique du Nord, et les premiers pas de la puissance mondiale numéro un en herbe.

États-Unis
Amérique du Nord et centrale

Smith Tower ❶
Seattle

En 1914, l'année de l'achèvement de cette tour, dans l'État de Washington, c'était le bâtiment le plus haut à l'ouest du Mississippi. Son voisinage le dépasse désormais en hauteur mais pas en esthétique. De même que la vue du belvédère du palais de quarante-deux étages est restée imprenable.

L'horizon culmine à l'ouest, de l'autre côté du fjord, au sommet des monts Olympic, (2424 mètres), et, au sud-est au sommet neigeux le plus haut de la chaîne des Cascades, le mont Rainier (4392 mètres.)

Wrigley Building ❷
Chicago

On eût préféré le construire en gomme, mais il n'aurait pas résisté aux vents parfois violents du lac du Michigan et l'administration du konzern de chewing-gum n'eût pas eu de siège. Or, c'est à cet effet que le propriétaire de l'entreprise commanda l'édifice, remis clés en main en 1924, auprès de l'architecte Louis Henry Sullivan (1856–1924). L'édifice, légèrement Art nouveau, semble petit à côté des constructions lisses du voisinage. Il a un air Chippendale, pour parler en termes de meubles, tellement il paraît antique. La rigueur de l'articulation verticale sied à la jolie façade.

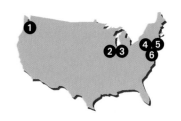

State of Illinois Center ❸
Chicago

On en apprend à tous les âges ! L'architecte allemand Ludwig Mies van der Rohe (1886–1969), émigré aux États-Unis en 1938, le démontra à l'âge de quatre-vingts ans passés. Ayant gagné le concours pour la construction d'un centre administratif, commercial et de congrès, à Chicago, dans l'Illinois, il y apposa sa griffe mais dut remettre la fin des travaux au jeune Helmut Jahn, d'un demi-siècle plus jeune. Le gigantesque demi-fût de verre, de béton et d'acier contient une multitude de bureaux, de commerces, de salles de conférence et de services administratifs. Les arcades du rez-de-chaussée allègent le colosse.

New State House ❹
Boston

Quatre-vingt-dix ans après sa construction, l'ancienne State House ne suffisait déjà plus à représenter une colonie. Le petit État distingué des jeunes États-Unis voulut se présenter avec un nouvel édifice, un peu plus pompeux que l'autre, même si la grosse coupole du palais achevé en 1798, ne fut dans un premier temps qu'en bois, revêtue d'or que plus tard. Le haut portique juché sur une rangée d'arcades, la large façade et le cadre de verdure et de parcs fleuris sont éloquents. Ce n'est plus le langage du style colonial, mais déjà celui du classicisme américain.

Old South Meeting House ❺
Boston

Une « party », mondialement connue sous le nom de *Boston Tea Party*, fut organisée, ici, en 1773, par cinq mille citoyens de Boston s'opposant aux taxes imposées par la puissance coloniale anglaise sur le thé. Les manifestants, dont le poète Phillis Wheatley et l'homme politique Benjamin Franklin, se rassemblèrent dans le plus grand édifice de la ville, le *Old South Mee-ting*, construit en 1729. La révolte, qui se propagea à toute la Nouvelle-Angleterre, fut finalement à l'origine de la naissance des États-Unis. Le visiteur peut suivre le cours de la révolte dans un spectacle multimédia (« *Voices of Protest* »).

Maison de naissance de Benjamin Franklin ❻
Boston

Lorsque le philosophe, physicien et homme d'État américain vit le jour en 1706 dans cette maison coloniale, la bannière étoilée ne flottait pas encore dessus. C'est au plus grand fils de Boston que les États-Unis doivent de la voir désormais devant la façade rafraîchie de sa maison natale. Chargé par les colons de remettre leurs doléances au gouvernement de Londres, il se convainquit, au cours de cette charge, de la nécessité impérative pour son pays de suivre son propre chemin. Franklin, qui, entre-temps, jouissait d'une certaine notoriété en tant que chercheur et journaliste, rédigea et signa la Déclaration d'indépendance de 1776 et fut un des artisans du traité de paix signé avec les Anglais en 1783, qui scella la fondation des États-Unis.

États-Unis
Amérique du Nord et centrale

Bibliothèque de Harvard University ❶
Cambridge

La plus vieille, et une des plus importantes universités des États-Unis, se trouve dans la banlieue de Boston, à Cambridge (Massachusetts). La bonne vieille *alma mater*, fondée en 1636 par John Harvard, a l'avantage inestimable de posséder l'une des plus belles bibliothèques du pays et l'une des mieux fournies du monde (3,2 millions de titres). Construite en 1915 dans le style néoclassique, elle porte le nom de l'un de ses étudiants, Harry Elkins Widener, très riche bibliophile, qui périt en 1912 à l'âge de vingt-sept ans au cours du naufrage du *Titanic*. Il quitta, dit-on, la barque de sauvetage parce qu'il avait oublié un livre précieux dans sa cabine.

Musée Guggenheim ❷
New York

Frank Lloyd Wright (1867–1959) vint présenter son premier projet en 1943, déployant comme des bobines de films empilées les unes sur les autres, de la plus petite à la plus grande, les plates-formes d'exposition du musée nommé d'après le bâtisseur Solomon Guggenheim (1861–1949). Le riche industriel, qui avait au cours de sa vie amassé d'énormes collections d'art, souhaitait leur donner un cadre architectonique adéquat et public. Son œil exercé reconnut aussitôt l'architecture futuriste du modèle cubique de Wright. À côté des « caisses » à bureaux et administrations de New York, l'édifice « tout en rondeurs » donne une certaine vitalité à la ville.

Rockefeller Center ❸
New York

Ce gratte-ciel n'est qu'un des quinze édifices du même genre constituant le centre Rockefeller. L'espace qui devait réunir tous les secteurs de la vie quotidienne, du travail aux loisirs et à l'habitat, en passant par les achats quotidiens, fut financé par un seul homme, John Davison Rockefeller (1839–1937), dont la richesse est proverbiale. La légende de l'industriel fut à son comble quand on sut qu'il fallut cent vingt-cinq millions de dollars pour le construire, dans les années 1930, l'époque la plus pauvre que traversèrent les États-Unis. La sculpture du géant Atlas soutenant la voûte du ciel sur ses épaules est de Lee Lawrie.

Carnegie Hall ❹

New York

Conçue en 1887, elle vint au monde en 1891. Le projet de la plus grande salle de concert de New York, du nom de son géniteur, le grand industriel originaire d'Écosse, Andrew Carnegie (1835–1919), naquit au cours du voyage de noces de celui-ci en Écosse. Sur le paquebot, il fit la connaissance d'un chef d'orchestre new-yorkais, qui lui dépeignit la misère culturelle de la ville avec tellement d'éloquence que Carnegie décida de venir en aide à la culture, au moins musicalement. La première pierre de ce bâtiment qui devint un mythe fut posée en 1890. Toutes les célébrités du monde de la musique jouèrent ici. Mais Carnegie Hall a également joué un rôle politique et dans le domaine des sciences.

Empire State Building ❺

New York

Si vous souffrez d'insomnie, comme Tom Hanks à Seattle, regardez ce bâtiment. Les souffrances de cet homme prirent fin sur la plate-forme du cent deuxième étage dans les bras de Meg Ryan. Seule la fabrique de rêves qu'est Hollywood sait, en dehors de cet Empire State Building, au cœur de New York, transporter des passions à des hauteurs aussi vertigineuses.

Depuis 1970, le gratte-ciel, achevé en 1831, n'est plus le plus haut du monde, mais reste dans le peloton de tête au point de vue de l'élégance, dans la première division des géants de ce monde, et au cinéma.

Chrysler Building ❻

New York

Si le nom du plus grand industriel américain n'a plus la même renommée, le gratte-ciel de Chrysler n'y est pour rien, car lui brille depuis toujours de tout l'éclat de son faîte art déco, même s'il ne fut jamais le plus haut, ni du temps de sa construction, ni encore moins aujourd'hui. Mais peu importe, car les nouveaux venus sont généralement des édifices fonctionnels et ennuyeux, qui n'ont pas le rayonnement de la période fastueuse de New York, du temps où King-Kong y faisait ses escapades et tripotait de ses grosses pattes les gratte-ciel et les jeunes filles. La globalisation ne saisit pas les nuances. Le paysage de gratte-ciel new-yorkais ne l'a pas stoppée.

États-Unis
Amérique du Nord et centrale

Bourse ❶
New York

Le *Broker* (agent de change) pénètre de Broad Street dans la Bourse des valeurs new-yorkaise, à savoir ce qui est communément contenu dans le terme de *Wall-street*. Ce nom de rue symbolise l'argent et le pouvoir dans le monde des actions. Le cœur du capitalisme semble battre ici, bien qu'il soit de plus en plus évident qu'il n'en a pas, ou que s'il en a un il est de pierre. La silhouette de George Washington, qui ne quitte pas des yeux le portique du temple de l'argent, en apparence si respectable, semble voir ses activités d'un œil critique.

Palais de l'Indépendance ❷
Philadelphie

Lorsque les représentants du peuple de la colonie britannique de Pennsylvanie posa en 1732 la première pierre de son nouveau parlement, la paix régnait encore entre elle et la mère patrie. Mais le style très particulier du bâtiment annonçait déjà la révolte de 1773, durant laquelle les colonies refusèrent de payer les taxes sur le thé et se réunirent, l'année suivante, à Philadelphia pour le premier congrès continental, qui adopta en 1776 la Déclaration d'indépendance. D'où le nom de palais de l'Indépendance. On y posta plus tard une statue du premier président des États-Unis, George Washington.

Maison Blanche ❸
Washington

Les États-Unis, et un peu aussi le monde, sont gouvernés d'ici. La Maison Blanche est le siège du président des États-Unis dont la toute-puissance est, bien sûr, enclose dans la démocratie. Nul ne songeait encore à ce nom, lorsque la maison fut bâtie. Mais lorsque, en guerre contre leur colonie traîtresse, en 1814, des soldats anglais mirent le feu au palais qu'avait fait construire Washington, le tout premier président, il devint le symbole des États-Unis. La propriétaire d'alors, Dolly Madison, fit repeindre en blanc les murs noircis par l'incendie. Elle ne devint résidence des présidents des États-Unis que sous les successeurs de Washington.

Lincoln Memorial ❹
Washington

Four score and seven years ago (il y a quatre-vingt-sept ans). C'est avec ces mots que le président Lincoln commença son discours conjuratoire de Gettysburg en 1863, pour l'unité de la nation, née (en 1776) dans « la liberté et l'égalité », et empêtrée dans une terrible guerre. Ces paroles résonnèrent comme des coups de marteau et sont, comme beaucoup d'autres paroles du leader politique vénéré, gravées dans son mémorial, inauguré en 1922, et contenant une statue plus grande que nature du protagoniste de l'émancipation des esclaves. Les visiteurs prennent ici conscience du principe de la démocratie énoncé par Lincoln, et qui est avant tout « le gouvernement du peuple, par le peuple, et pour le peuple ».

National Gallery of Art ❺
Washington

L'aile ouest de la Galerie nationale, inaugurée en 1941, s'harmonisait avec l'architecture antique des édifices les plus marquants de la capitale des États-Unis. On ne fêta probablement pas l'événement outre mesure, car le monde était mis à feu et à sang et les États-Unis inéluctablement entraînés dans la guerre mondiale. C'est pourquoi ce beau petit édifice tout simple est plutôt un monument aux années de paix des deux premiers mandats, ceux de Franklin Delano Roosevelt, le seul qui résida si longtemps à la Maison Blanche. Un monument respectable et exposant surtout à l'intérieur des œuvres respectables.

National Gallery of Art
Nouveau bâtiment ❻
Washington

La nouvelle Galerie nationale est souvent appelée « le Louvre des États-Unis », pour le nombre considérable de toiles remarquables qu'elle expose. Elle s'agrandit si vite depuis l'inauguration en 1941 de l'aile occidentale, que la place manqua rapidement dans l'édifice, qui pourtant n'était pas petit. L'architecte américain d'origine chinoise Ieoh Ming Pei, reçut l'or-dre en 1970 de construire une aile orientale assez grande pour suffire longtemps. Il trouva une solution géométrique qui crée assez de surfaces d'exposition, parce que éclairées d'en haut. La vaste place devant le bâtiment donne un avant-goût de l'ampleur de l'intérieur.

États-Unis
Amérique du Nord et centrale

Capitole ❶
Washington

On avait une histoire courte et un espoir seulement vague de grand avenir. Le congrès des jeunes États-Unis décida en 1793 la construction d'un édifice contenant les deux chambres du parlement dans la capitale, pour compenser le manque et conjurer la réussite. Les emprunts à l'Antiquité classique semblèrent être les moyens appropriés, pour ce faire, et on construisit le capitole (terminé en 1824, la coupole en 1850), un pendant moderne du temple romain, mais un peu plus grand et plus fastueux. Le symbolisme n'est cependant pas exagéré, car la divinité qui y règne est entre-temps vénérée par toutes les nations civilisées : la démocratie.

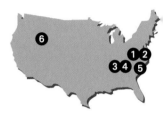

Palais de Mount Vernon ❷
environs de Washington

Washington doit à Washington, le vainqueur de la guerre d'Indépendance (1775 –1782), et premier président du nouvel État, d'être devenue la capitale des États-Unis. George Washington était originaire de la région bordant le Potomac, où il devint en 1759 propriétaire de cette villa sur le Mount Vernon, à seulement une cinquantaine de kilomètres de la future métropole, et hérita de cinq fermes aux alentours. C'est ici qu'il termina une vie couronnée de succès, et il est enterré avec sa femme au pied de la colline, dans un sarcophage de marbre. Le domaine fut déclaré lieu commémoratif national.

Villa Monticello ❸
Charlottesville

Le troisième président des États-Unis n'aurait sans doute pas été enchanté à l'idée du scandale provoqué à la Maison Blanche par le quarante-deuxième avec une stagiaire, la plus célèbre stagiaire du monde. Mais sans doute se serait-il tu, car sa propre liaison avec une esclave ne fut pas plus glorieuse. Les deux hommes d'État doivent à leurs performances politiques d'avoir porté fièrement le nom qu'ils partagent, William Jefferson Clinton, dans le prénom, le propriétaire de cette villa, comme patronyme, bien que le mandat de Thomas Jefferson (1801 à 1909) fût plus difficile dans la jeune république. Sa villa de Charlottesville (Virginie), que l'expert en architecture fit construire sur le modèle classique avec portique et coupole à degrés, est un lieu de pèlerinage des patriotes américains.

Université de Virginie ❹
Charlottesville

À la fin de son mandat, en 1809, Thomas Jefferson ne se reposa pas sur ses lauriers mais fut un inlassable conseiller politique et planificateur. Il posa en 1819 à Charlottesville, où il habitait, la première pierre du plus beau de ses monuments : le campus de l'université de l'État de Virginie. Il conçut lui-même le complexe en forme de U des dix « Écoles » dans le style des temples de l'Antiquité et put même, à sa grande joie, voir achevée l'*alma mater* l'année de sa mort en 1826. Jefferson mourut le 4 juillet, fête nationale des États-Unis, le jour où il avait proclamé la Déclaration d'indépendance rédigée par ses soins, cinquante ans auparavant.

Capitole ❺
Williamsburg

Les premiers édifices de la future capitale des États-Unis ne furent bâtis qu'en 1791. Or, les États-Unis existaient déjà depuis 1776 (Déclaration d'indépendance) ou au plus tard depuis 1783 (victoire dans la guerre d'Indépendance). La constitution démocratique prescrivait une représentation du peuple, qui devait siéger quelque part. Elle le fit les premières années au capitole de Williamsburg (Virginie), un édifice de 1705, reconstruit en 1747 après un incendie. Ce bâtiment fut lui-même de nouveau la proie des flammes en 1832 et reconstruit, pour sauver ce lieu historique. Le complexe en forme de h est un lieu très fréquenté par les touristes.

Capitole ❻
Boise

Le parlement de Washington influença aussi l'architecture politique dans les métropoles des États fédérés. Même Idaho, dans le rude nord-ouest du pays, dressa dès 1886 un capitole qui soutient la comparaison avec l'original, dans sa capitale, Boise, où il paraît un peu déplacé, vu la grandeur de la commune. Boise n'a même pas un cinquième du nombre d'habitants de Washington et l'État tout entier compte à peine plus d'un million d'habitants. Sans doute voulait-on à l'époque faire une démonstration de pouvoir envers les Indiens.

États-Unis
Amérique du Nord et centrale

City Hall ❶
San Francisco

À l'ouest de la *Civic Center Plaza* se trouve un grand monument glorifiant la volonté de survie de San Francisco, dévastée par les tremblements de terre et le feu en 1906. Dans le cadre de la reconstruction, naquit le nouvel hôtel de ville (*City Hall*), commencé en 1912 et pourvu d'une imposante façade à colonnes et d'une coupole censée être une pointe lancée à Washington, car elle dépasse de cinq mètres celle du siège du Congrès des États-Unis. En même temps, le palais et ses parures d'or sur le portail et au-dessus semblent dire : « Nous ne nous laisserons pas décourager. »

Fort d'Alcatraz ❷
San Francisco

Détenu derrière ces murs, on n'en sortait pas à la force du poignet. La prison de l'île rocheuse d'Alcatraz, dans la baie de San Francisco, était triplement assurée contre les évasions, par la nature, par les remparts et par les gardiens. Le bâtiment était en service depuis trente ans (1934–1963) à peine, que sa réputation devint légendaire pour la dureté sans égale avec laquelle les plus dangereux gangsters des États-Unis y étaient traités, pour ses célèbres détenus, dont Al « Scarface » (Visage cicatrisé) Capone, et Hollywood finit de la rendre célèbre. La muraille brutale, construite comme forteresse en 1855, exerça un attrait magique sur les réalisateurs, et aussi sur les touristes qui visitent en foule les cellules.

Hearst Castle ❸
San Simeon

Le visiteur de la Californie se frotte les yeux, un peu surpris, à mi-chemin entre Los Angeles et San Francisco. Est-ce une église, un monastère, un château ou Disneyland ? se demande-t-il. À San Simeon, sur le Pacifique, le chef d'un empire de presse, Randolph Hearst (1863–1951) réalisa son rêve, que des railleurs désignent plutôt de cauchemar, tandis que les visiteurs qui ont un peu d'imagination admirent l'audace du mélange des styles. Le bâtisseur a pris dans le classique, le baroque et le néogothique ce qui lui plaisait respectivement en eux. De même qu'il s'inspira du roi de la féerie et créateur de Mickey quand il agrandit son castel, ou son ranch, comme il aimait l'appeler, et l'affubla d'objets d'art de tous genres.

City Hall ❹
Los Angeles

Le Civic Center (centre administratif) de Los Angeles, la ville ensoleillée sur le Pacifique, qui s'accrut avec un certain dynamisme, domine l'hôtel de ville (*City Hall*) avec sa tour d'immeuble que coiffe au-dessus du vingt-quatrième étage un belvédère, duquel on a une magnifique vue sur la ville et les environs. Au nord le regard va jusqu'au *Mount Wilson* (1742 mètres), avec son observatoire mondialement connu, à l'est se dresse le *San Antonio Peak*, presque deux fois plus haut, et au sud apparaît à l'horizon, par temps clair, c'est-à-dire sans smog, la silhouette de l'île de Santa Catarina.

Caesars Palace ❺
Las Vegas

Quand les Américains jouent à l'Antiquité, tous les chemins mènent à Hollywood, non seulement au cinéma, mais aussi partiellement en réalité. Le palais de César, dont la rénovation coûta plusieurs centaines de millions de dollars au paradis des joueurs, accueille ses hôtes sur une imitation de forum romain avec colonnes corinthiennes, un temple et une statue de César. Elle ressemble sacrément à Auguste, ce qui n'est pas grave dans la mesure où tous les empereurs romains après le dictateur assassiné se nommèrent César. Le plus amusant est le contraste que l'ensemble forme avec l'hôtel moderne auquel rien ne manque de la technique dernier cri, la plus chère, bien sûr. Un Eldorado pour les gens au portefeuille bien garni.

State Capitol ❻
Salt Lake City

L'architecte du siège du parlement (capitole) d'Utah utilisa en 1916 du marbre de Géorgie et du granit de carrières de son pays pour créer ce palais sur une colline dominant la capitale. Le Capitole de Washington servit de toute évidence ici aussi de modèle, comme à de nombreux bâtiments néo-classiques à coupoles et à colonnes. La rotonde centrale à l'intérieur fait cinquante mètres de haut. Elle est décorée de fresques sur l'histoire de l'État, découvert en 1776 par les Européens, peuplé de mormons en 1847, cédé par le Mexique aux États-Unis l'année suivante, et qui adhère à l'Union en 1896 comme quarante-cinquième État fédéré.

États-Unis
Amérique du Nord et centrale

County Building ❶
Salt Lake City

Que doit être belle la région administrée dans un tel édifice ! Les palais néogothiques sont plutôt l'exception aux États-Unis et nous ne pouvons que présumer dans quelle mesure le cas particulier de Salt Lake City joua un rôle comme centre des mormons. En tout cas, les conseillers municipaux se virent léguer en 1892 une perle parmi les édifices de ce style élancé, avec sa façade d'une grande légèreté. Situé dans un très joli parc, il n'abrite pas seulement l'administration, mais aussi le tribunal, et ne fut rénové qu'en 1989.

Cliff Palace ❷
Mesa verde

On eût sans doute fait des recherches si l'on avait pris à la lettre les récits mythiques des Navajos de la culture *Anasazi* (« qui furent là avant nous »). Le terme indien s'avéra plus juste qu'il n'avait été supposé. Des fermiers découvrirent à la fin du XIXᵉ siècle des *Cliff Dwellings*, des espèces de cités fortifiées dans les falaises, de vrais chefs-d'œuvre de la fortification. On découvrit que jusqu'au XIIIᵉ siècle, une culture indienne hautement développée avait fleuri en de nombreux endroits du sud-ouest des États-Unis, comme dans le Colorado, près de Mesa Verde. Les cités furent probablement abandonnées à cause de la sécheresse persistante.

State Capitol ❸
Denver

La capitale du Colorado se trouve à plus de mille six cents mètres d'altitude, et pourtant assez bas, au pied des montagnes Rocheuses qui s'élèvent à l'ouest de Denver. Du belvédère de la coupole du parlement (le capitole) s'ouvre un panorama fort beau sur les montagnes en dents de scie où l'un des premiers habitants de Denver, qui avait découvert en 1859 des pépites d'or, déclencha la ruée vers l'or. Denver se développa en quelques semaines en une ville de plus de dix mille habitants. Grâce aux exploitations minières, la richesse et la croissance de la ville (aujourd'hui environ cinq cent mille habitants) furent continues, d'où le luxe que l'on put s'y payer en 1908 avec cette imitation en or du Capitole de Washington.

City Hall ❹
Denver

L'hôtel de ville en face du State Capitol, de dix ans le cadet de ce dernier, semble en être le frère jumeau, bien qu'il soit surmonté d'une tour au lieu d'une coupole, et n'atteigne pas les dimensions du siège du parlement. En 1919, après la guerre, ne régnait pas l'opulence. Les deux édifices encadrent le cœur de la ville, le *Civic Center*, avec ses bureaux administratifs, ses musées, son monument à la guerre civile et son obélisque au centre. En hiver, il est illuminé, à l'approche de Noël, en été, les badauds flânent dans son parc fleuri.

Montezuma Castle ❺

Une forteresse indienne du Moyen Âge est perchée camouflée au creux de rochers, comme collée à eux, dominant, la plaine du *Beaver Creek* dans la *Verde Valley* d'Arizona. Les colons blancs qui la découvrirent au XIXᵉ siècle ne s'expliquèrent l'audacieuse construction qu'en la reliant à la civilisation des Aztèques et de son dernier roi, Montezuma. Mais le « château » avait été abandonné au moins cent ans avant que naisse, vers 1465, le pauvre roi. Les habitants avaient probablement quitté la région à cause de la sécheresse et des mauvaises récoltes pendant des années.

Fort Union ❻
Nouveau-Mexique

L'histoire américaine appartient à la race blanche et c'est en bonne conscience que les monuments de la conquête du continent et de l'expulsion, voire de l'extermination, des Indiens sont consacrés comme lieux commémoratifs nationaux. C'est le cas des ruines de Fort Union, à environ cent quarante kilomètres au nord-ouest de Santa Fe au Nouveau-Mexique. De vieux chariots des convois vers l'Ouest se trouvent devant les ruines et à côté, un musée moderne célèbre les combats contre les Indiens « belliqueux » (*warlike*) qui se défendirent des flots de colons en les attaquant par surprise et en organisant même des massacres. Le fort servit pendant quarante ans, depuis 1851, de retranchement fortifié duquel fut menée une guerre préventive contre les tribus réfractaires.

États-Unis
Amérique du Nord et centrale

Église fortifiée de San Felipe Neri ❶
Albuquerque

Plusieurs centaines d'Espagnols s'installèrent au début du XVIIIᵉ siècle au cœur du Nouveau-Mexique et construisirent en 1706, au centre de leur colonie, qui se développa et devint Albuquerque, une église qui, outre sa fonction de lieu sacré, servait aussi de forteresse, car c'était une époque dangereuse. Les Indiens, notamment les Comanches, n'acceptèrent pas l'incursion sans se défendre. L'église d'origine fut victime, à la fois des Indiens et des conditions météorologiques. En 1793 fut édifiée celle que nous voyons aujourd'hui, beaucoup plus fine, un exemple réussi de baroque colonial espagnol.

Village indien (Pueblo) ❷
Taos

La tribu d'Indiens qui se défendit ici, à une centaine de kilomètres de Santa Fe, au pied du *Sangre de Cristo*, de l'envahissement par les étrangers, ne put pas vraiment s'affirmer, mais conserva des vestiges de son identité. Après trois siècles de vie en paix, les Taos, furent christianisés de force, vers 1610, par les Espagnols, et « civilisés » deux siècles plus tard par les Américains, avec plus ou moins de succès. D'anciennes coutumes sont demeurées et les habitations traditionnelles dans des édifices en torchis sur plusieurs étages enchevêtrés sont encore utilisées. Elles sont désormais sous protection.

Old Red Courthouse ❸
Dallas

De nombreux plaignants contre des sales types comme J. R. du feuilleton *Dallas*, virent cet incroyable bâtiment de l'intérieur. Le colossal tribunal central, bâti en 1892 à la place de plusieurs bâtiments ravagés par le feu ayant servi de tribunaux à la métropole pétrolière du Texas, n'était pas seulement un palais de justice, mais aussi un bâtiment à usage politique et administratif. Encadré aujourd'hui par les gratte-ciel des konzerns, l'édifice, loin d'être « intimidé », s'affirme, au contraire, par sa présence, faisant presque penser à une forteresse romane. Sa couleur rouge, rappelle l'assassinat du jeune président des États-Unis, John F. Kennedy, le 22 novembre 1963, dans cette ville.

Villa Graceland ❹

Memphis

Home is where the heart is. C'est le titre d'une chanson d'Elvis Presley. Et son cœur était à Memphis, au fin fond du sud-ouest du Tennessee, sur le Mississippi. Quand la villa Graceland fut construite en 1939, le futur roi du rock'n roll, issu d'une pauvre famille de métayers, avait quatre ans et vivait non loin de là. Le chanteur aux déhanchements légendaires et à la voix rauque n'acheta cette villa de dix-huit pièces au portique légèrement exagéré que lorsque son étoile commença à briller, dans les années 1950, pour la somme ridicule de cent mille dollars. Elle est aujourd'hui encore un lieu de pèlerinage pour les fans inconsolables de l'idole, prématurément disparue en 1977.

Villa Marguerita ❺

Charleston

Il est à peine croyable qu'une guerre civile pût prendre une issue aussi fatale (en 1861) dans une ville aussi idyllique, qui prêta son nom à une danse aussi vivante. Quand la villa Marguerita fut construite en 1892/1893 sur la côte de la Caroline du Sud dans la très jolie ville de Charleston, les plaies commençaient à cicatriser, pour ce qui est en tout cas des blessures architecturales. Ce petit manoir accéléra la guérison. Ses emprunts à la néo-Renaissance et sa note méditerranéenne s'accordent avec le jardin luxuriant, et l'hôtel que devint la villa en 1909 dut avoir un certain succès. Aujourd'hui c'est de nouveau un hôtel particulier.

Fort Alamo ❻

environs de San Antonio

La mélodie chantée par les deux cents défenseurs du fort Alamo qui périrent le 6 mars à l'issue de treize jours de siège menés en 1836 par les Mexicains nettement supérieurs en nombre, ne s'oublie pas aux États-Unis. Les fans de John Wayne connaissent bien ce chant. Le réalisateur et interprète d'Alamo (1959) sut mieux que quiconque incarner dans son film l'esprit qui régna à Alamo. C'est pour le film que le village d'Alamo fut reconstruit sur les plans du village d'origine à une centaine de kilomètres à l'ouest de San Antonio, au Texas. Le décor est devenu une des principales attractions touristiques de la région.

États-Unis
Amérique du Nord et centrale

Poste ❶
San Antonio

Le bruit des armes venait à peine de s'être estompé et la pierre du fort Alamo de refroidir, que les pionniers américains victorieux commencèrent à construire la ville de San Antonio. La guerre contre le Mexique les avait affaiblis et il leur fallait un solide noyau à rattacher à l'Union. Le Texas fut intégré en 1845 aux États-Unis comme vingt-huitième État, et dès l'année suivante fut commencé le « palais » classique de la poste de San Antonio, qui servait aussi de palais de justice. Avec sa structure sobre et cubique et ses arêtes vives à caractère défensif, il fait l'effet d'un réflexe aux événements militaires.

Fulton Home ❷
Rockport

On croit rêver en découvrant un édifice de cette élégance et de facture plutôt anglaise, au fin fond du Texas. Il est pourtant bien réel, parce qu'un ingénieur d'origine écossaise du nom de Fulton, qui avait épousé la fille d'une très riche famille texane, voulut lui donner une demeure digne. Il y réussit si parfaitement dans les années 1870 que les visiteurs de Rockport, un port au nord-est de Corpus Christi, se rendent d'abord voir ce castel avant d'aller découvrir les merveilles de la nature de la région.

Palais épiscopal ❸
Galveston

Une maison qui coûta deux cent cinquante mille dollars en 1890 doit être exceptionnelle. En effet, sa situation sur une île formant une langue de terre dans le golfe du Mexique au sud-est d'Houston au Texas, favorise la végétation et relève davantage encore ce joyau dans sa monture de verdure luxuriante. L'Église catholique acheta en 1920 le palais construit par un ancien officier voulant y vivre sa retraite. Il fut jusqu'en 1950 la résidence d'un évêque. Il attire aujourd'hui notamment les touristes.

State Capitol ❹

Austin

Les Texans mirent un temps record de trois ans à bâtir en 1885 le siège de leur parlement dans la capitale, Austin, et battirent du même coup un autre record en construisant le plus grand des capitoles des États-Unis, bien plus grand que celui de Washington. Le Texas est si reculé, que les habitants de l'État du sud des États-Unis éprouvent le besoin de démontrer leur conscience démocratique dans la ville du nom de l'homme qui délivra le Texas du Mexique : Stephen Fuller Austin (1793–1836). Les patriotes affluent dans ce lieu de pèlerinage, dont les toiles exposées dans l'énorme rotonde sous la coupole glorifient l'histoire du pays.

Nottoway Plantation ❺

environs de La Nouvelle-Orléans

À peine le palais des Randolphs, riches planteurs de canne à sucre de Nottoway, fut-il achevé, en 1859, que la guerre civile éclata. Une canonnière des États du Nord pénétra dans le Mississippi et dirigea ses pièces d'artillerie sur le merveilleux palais à colonnes, au moment où la maîtresse des lieux paraissait sur le balcon. Le capitaine la reconnut à travers sa longue-vue et annula aussitôt l'ordre de tirer qu'il venait de donner. Il avait été, une fois, très bien accueilli dans cette maison et voulait la protéger, ainsi que ses habitants. Nottoway Plantation est un des rares domaines conservés en Louisiane, et peut être visité.

Courthouse ❻

St. Francisville

À une demi-heure de voiture au nord de Baton Rouge en Louisiane se trouve une petite ville « historique ». St. Francisville possède quelques bâtiments et vestiges de bâtiments qui justifient cette classification. Mais le palais de justice, construit sur l'emplacement d'une ancienne construction détruite dans la guerre civile par les canons des confédérés (les États du Sud), est relativement jeune. Le nouveau bâtiment, dressé de 1903 à 1905, est moins attrayant pour son âge que pour l'élégance du style néoclassique américain. Il rappelle les vrais châteaux classiques de Thomas Jefferson en Virginie.

États-Unis
Amérique du Nord et centrale

Tezcuco Plantation ❶

La plupart des palais de planteurs disparurent au cours de la guerre civile, sauf un des rares qui échappèrent au sort des autres, entre Baton Rouge et La Nouvelle-Orléans en Louisiane, et qui fut conservé. Il se dresse dans un très beau jardin, un parc, même, dont l'extrémité se fond dans la verdure des bords du Mississippi. L'édifice historisant, avec sa loggia sur laquelle on pénètre par un escalier, fut bâti en 1855 et résista à toutes les guerres, sans doute parce que même les durs combattants des États du Nord victorieux n'eurent pas le cœur de l'abattre. Il eut un ange gardien.

Rosedown Plantation ❷
St. Francisville

Un portique, quelques arcades, un balcon à colonnes et terminé ! C'est un style simple et d'un grand raffinement qui fut choisi par un riche propriétaire de plantations, Rosedown, pour dresser son petit château des États du Sud, au cœur d'un jardin à la française, aménagé par sa femme. Mais la verdure, en Louisiane, ne se laisse pas aussi bien soumettre aux formes géométriques qu'en France, malgré tous les soins prodigués. Le jardin, légèrement sauvage, contraste avec la pureté des lignes « cultivées » de l'édifice. Il ne fut heureusement pas emporté par le vent des guerres, et serait la scène idéale pour Rhett Butler et Scarlett O'Hara.

Mercer / Wilder House ❸
Savannah

Pouvoir et argent unissent souvent leurs forces, ce qui ne rend pas toujours heureux. Le général des États du Sud, Hugh Mercer épousa la fille d'un roi du coton et utilisa la dot pour un château néo-Renaissance, dont la construction dut être interrompue par le début de la guerre civile en 1861. Les confédérés perdirent la guerre, et donc Mercer aussi. Le bâtisseur ne put emménager dans sa ruine et la vendit à un certain John Wilder, lequel termina le palais sur les plans originaux. Le rouge flamboie dans la verdure de Savannah en Géorgie sur l'Atlantique.

Fort Pulaski ❹
Savannah

Quel drôle de nom pour une forteresse américaine, et précisément pour cela qui s'inscrit bien dans l'histoire américaine. Le fort, dressé vers 1830, fut nommé d'après un volontaire polonais qui lutta contre l'Angleterre aux côtés des colonies dans la guerre d'indépendance (1775–1783), comme le firent beaucoup d'Européens de nombreux pays. L'édifice fut une première épreuve pour une célébrité ultérieure. Le lieutenant Robert L. Lee, futur général des États du Sud, dirigea, pendant un an, les travaux, son supérieur ayant attrapé la malaria, chose fréquente dans la région de marécages de *Cockspur Island* devant Savannah. Mais pendant la guerre civile, ni les murs épais ni les canons ne purent protéger les défenseurs, qui durent se rendre en 1862 aux troupes des États du Nord. Un cours d'histoire très vivant pour le visiteur.

Ancien palais de justice ❺
Savannah

La justice a besoin d'un cadre agréable. Il en était déjà ainsi dans l'Antiquité et cela continue d'être valable pour le Nouveau Monde. À Savannah, port sur l'Atlantique, en Géorgie, les pères de la ville commandèrent dès le XVIIIᵉ siècle ce palais de *Bull Street*, plus engageant par sa clarté extérieure que ne durent l'être les cas traités à l'intérieur. L'austère beffroi avec ses ornements de cuivre vert, les tourelles d'angle et la base en granit, symbolise plutôt la rigueur de la loi. Aujourd'hui, la justice n'y est plus rendue, la ville y administre ses sujets.

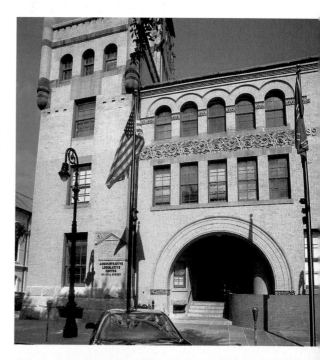

Fort King George ❻
environs de Darien

Les cabanes et les palissades du fort en bois de *McIntosh County*, dans le sud-ouest de la Géorgie, en ont vu passer des évènements depuis leur construction en 1721 pour protéger la treizième colonie anglaise du Nouveau Monde ! Divers intérêts, espagnols, français et britanniques, entrèrent ici en collision. Le bruit des armes troubla souvent le paysage. L'édifice brûla maintes fois, mais fut toujours rénové et dernièrement restauré. Ces monuments précieux, dans un pays qui n'a qu'une courte histoire, sont honorés par de nombreuses visites.

États-Unis / Mexique
Amérique du Nord et centrale

Palais de justice ❶
Tallahassee

La longue bataille politico-juridique qui eut lieu derrière ces portes entre Bush et Al Gore en décembre 2000 eut pour issue la victoire de Bush grâce aux grands électeurs de l'État de Floride, avec seulement deux cent cinquante-sept voix de plus que son adversaire, va peut-être mener à une réforme du système électoral américain. La Cour suprême octroya, en effet, la victoire à G. W. Bush, bien que les républicains n'aient pas obtenu la majorité du vote populaire au niveau national. Si la réforme a lieu, ce sera une victoire, cette fois, pour la démocratie aux États-Unis.

Old State Capitol ❷
Tallahassee

Les États-Unis avaient déjà acheté la Floride à l'Espagne en 1819, mais le paradis méridional ne devint État fédéral qu'en 1845. On eut donc le temps de construire la capitale Tallahassee, et prioritairement, bien sûr, le siège du parlement, le capitole. Comme partout, il fut construit sur le modèle de celui de Washington, large édifice devancé d'un portique, et plusieurs fois agrandi, depuis son achèvement en 1845. Les derniers grands changements datent de 1902. C'est aujourd'hui un musée de l'histoire de la Floride. On voit dépasser derrière le parlement actuel, plus haut, certes, mais en aucun cas plus beau.

Cinderella Castle ❸
Orlando

Le château de la Belle au bois dormant, créé par les managers de Walt Disney, gouverne un royaume magique lilliputien de onze kilomètres carrés au bord d'un lac dans le célèbre parc des Loisirs au sud-est d'Orlando en Floride. Après le succès de Disneyland à Los Angeles, la Floride, toujours ensoleillée, parut être l'endroit idéal pour une réplique à plus grande échelle. Le château dans lequel Cendrillon épouse finalement le fils du roi, après avoir été opprimée par sa marâtre et ses sœurs, semble être une réplique, aux dimensions américaines, de Neuschwanstein en Allemagne.

Hotel Palace ❹
Clearwater

Il semble que les Américains, d'ordinaire si sobres, traînent derrière eux toutes sortes d'idées romantiques. La beauté est européenne, et en lui ajoutant un peu de son propre goût, on arrive à des complexes comme cet hôtel *Don CeSar* au bord de la plage de Clearwater sur le golfe du Mexique en Floride centrale. Le kitsch rose tranche sur le vert de l'abondante nature. Les goûts ne se discutent pas, nous nous contenterons donc de dire que la chambre simple coûte trois cents dollars, sans compter les suppléments et la taxe thermale.

Musée Ringling ❺
Sarasota

La célèbre famille du cirque Ringling avait investi son argent au début du XXᵉ siècle dans de précieuses collections de peinture et de sculpture, et fit construire, pour leur donner le cadre qui leur revient, sur le littoral du sud-ouest de la Floride à Sarasota, un palais inspiré de la Renaissance italienne mais avec aussi visiblement des traits orientaux, lesquels lui confèrent cet air séduisant d'un conte des Mille et Une Nuits. Tandis que les sculptures reluisent en partie dans des jardins enchantés, les toiles le font à l'intérieur du château. Les peintures baroques, notamment de Rubens, dominent.

Pyramide des niches ❻
El Tajín

Profane et sacré se mêlent aussi dans les vieilles civilisations américaines, comme dans tous les systèmes théocratiques. La pyramide des niches, dans les ruines d'El Tajín, à une vingtaine de kilomètres de la métropole industrielle de Poza Rica, sur le golfe du Mexique, en est un exemple. Les Totonaques, qui vivaient ici vers 1100, dressèrent ces pyramides. Les murs du centre cérémoniel que nous voyons sur la photo ont vingt-cinq mètres de hauteur. Les tailleurs de pierre sertirent de stuc les trois cent soixante-cinq niches, qui ont peut-être un rapport avec le calendrier.

Palacio de Bellas Artes ❶
Mexico

Un curieux pathos peut ressortir de l'effort des nations de se célébrer en architecture. Le dictateur mexicain Porfirio Díaz aurait aimé inaugurer une galerie d'art en 1911 à l'occasion du centenaire de l'indépendance du Mexique. Mais une

révolution éclata, précisément cette année-là, et l'affaire fut classée. Díaz mourut en 1915. L'édifice, en revanche, n'était mort qu'en apparence. Il ressuscita longtemps après, et fut achevé en 1934. Les nombreux urbanistes mêlés au projet au cours de toutes ces années sont responsables du mélange de styles qui fait se dresser les cheveux sur la tête des

connaisseurs et amateurs d'art. On s'est habitué, avec le temps, à ce mélange de néobaroque, de néoclassicisme et d'art déco.

Place des Trois-Cultures ❷
Mexico

Les conquérants espagnols ne laissèrent pas grand-chose de Tenochtitlán, l'ancienne capitale des Aztèques, et ce qui ne fut pas rasé fut recouvert. L'on prit conscience seulement au XXᵉ siècle de l'héritage laissé par la grande culture précolombienne, et l'on commença soit à faire des fouilles systématiques, soit à en découvrir des vestiges par hasard. Ainsi inaugura-t-on en 1964 la place des Trois-Cultures, que traverse un sentier de béton permettant la visite de ces lieux, à l'intersection des fondations massives en pierre des bâtiments az-tèques, des églises coloniales baroques et des buildings modernes. Il est permis de douter du « progrès » que représentent ces trois cultures côte à côte.

Centre cérémoniel ❸
Xochicalco

Les Aztèques trouvèrent ce centre cérémoniel lorsqu'ils pénétrèrent dans la région au sud de l'actuelle Cuernavaca. Des éléments de style inspirés de cultures précédentes, des Mayas et des Toltèques, le trahissent. La vue d'ensemble ne permet pas ici de voir ce qui en détail révèle une haute technique de construction et un art très développé du travail de la pierre. En revanche, le visiteur reconnaît la structure du centre cérémoniel, vers lequel monte un large escalier, mais qu'il était possible, grâce aux murs épais, de très vite transformer en poste de défense, à l'approche de l'ennemi.

Pyramides ❹
Teotihuacán

Voici donc le lieu où furent créés les dieux ! C'est en tout cas ce que signifie le mot aztèque *Teotihuacán*, désignant cette imposante cité en ruine et ses pyramides, au nord-est de Mexico. Les Aztèques trouvèrent la cité, qui avait autrefois compté plus de cent mille habitants, abandonnée depuis des siècles, et nous ne savons pas qui l'a construite. Les habitations ont disparu, seules les pyramides en pierre sont restées, dont les plus petites semblent avoir été décapitées. Les plates-formes supérieures furent peut-être utilisées pour des rituels de sacrifice en plein air, ou alors elles étaient surmontées de temples, au moins la pyramide du Soleil, de soixante-trois mètres de haut (à gauche) au bord de la *Calzada de los muertos* (route des morts).

Mexique
Amérique du Nord et centrale

Bibliothèque universitaire ❶
Mexico

Les livres ne supportent pas le soleil, et donc Juan O'Gorman (1905–1982), architecte de la bibliothèque de la capitale, renonça en grande partie aux fenêtres, lorsqu'il se mit à l'œuvre en 1951. Des murs sans fenêtres avaient aussi l'avantage d'offrir un vaste champ d'action pour son muralisme. Il décora les quatre murs de l'édifice rectangulaire de mosaïques de pierre sur les thèmes du moderne (Ouest), du futur (Est), de l'ancienne Amérique (Nord) et de la cosmologie (Sud). La photo représente le mur sud avec une vision du monde copernicienne antique et moderne.

Polyforum Siqueiros ❷
Mexico

Le muralisme mexicain était tellement apprécié au milieu du XXᵉ siècle qu'un mécène demanda au peintre David Alfaro Siqueiros (1896–1974) de lui faire une ébauche de peinture murale pour son hôtel de Cuernavaca, sur le thème « de la liberté, de la paix et de la justice ». Les plans prirent des dimensions telles, que l'on transposa le projet dans la capitale. Un édifice avec une grande surface murale fut créé uniquement pour cette fresque. Grâce à une construction de béton en éventail, l'artiste put créer dans les années 1960 un fantastique polyforum culturel rond appelé *La Marche de l'humanité* en Amérique latine.

Casa del Afeñique ❸
Puebla

Puebla, fondée au XVIᵉ siècle, peu après la conquête de l'Empire des Aztèques, comme base à mi-chemin entre la capitale et la côte, fut très vite une ville florissante. Rien ne le prouve mieux que la Casa del Afeñique, bâtie vers 1790, style rococo mexicain. La maison, décorée de carrelages et d'azulejos, de stuc et d'ornements, ne prouve pas seulement la richesse du bâtisseur Juan Ignacio Morelos, mais aussi l'attachement profond qu'il avait pour sa femme à qui il promit de créer, pour sa beauté, le plus beau cadre qui soit. Le palais, aussi appelé « gâteau aux amandes », abrite le Musée régional de la province de Puebla.

Palacio municipal ❹
Puebla

Un palais de granit sur la Place des Armes, cela promet une sombre visite. La surprise est d'autant plus grande de trouver un palais baroque, malgré sa façade imposante avec ses tours d'angle carrées. Il est orné d'arcades, de balcons aux balustrades en pierre, de corniches qui l'articulent, de colonnes, de tourelles et d'un pignon central, sans perdre son autorité d'hôtel de ville du XVIIe siècle. Le palais municipal est une preuve de l'essor rapide que connut la ville stratégiquement importante dès le début de la domination espagnole au Mexique.

Fort ❺
Cuernavaca

Les Espagnols étaient pressés de consolider leur domination après avoir réduit à néant l'Empire aztèque en 1521. Vainqueur, Hernán Cortés fit dresser au sud de la capitale, à Cuernavaca, une forteresse dont pas même la loggia en façade n'eût pu atténuer le caractère menaçant. Une peinture murale à l'intérieur célèbre la conquête de la province comme « *Libération de Morelos* ». Il faut probablement entendre la fin de la domination païenne des Aztèques. La domination espagnole chrétienne fut, elle, beaucoup plus terrible que celle de Montezuma et de ses guerriers. Rien ne pourrait mieux le démontrer que ce fort.

Palais du gouverneur ❻
Mérida

Les architectes du Yucatán avaient et ont du mal à attirer l'attention sur leurs édifices. Les ruines proches des cités mayas leur ravissent la vedette. Le gouverneur de la province, qui résidait à Mérida en 1883, fit donc abattre son ancienne résidence et construire à la place cet édifice néoclassique, achevé en 1892. Le résultat n'est pas mal, mais les monuments de l'ancienne Amérique demeurent, ne serait-ce pour l'aura de mystère et de respectabilité qui les entoure, la principale attraction. On se résigna alors à faire venir quelques exemples miniatures à l'intérieur du palais. Au premier étage, le Musée archéologique expose des trésors mayas.

Mexique
Amérique du Nord et centrale

Ancien hôtel de ville ❶
Mérida

Les ondoiements vert sombre du parc de la place principale de Mérida (*Plaza Mayor de la Independencia*) sur le golfe du Mexique se fondent sans transition dans la façade vert clair et les arcades de l'ancien hôtel de ville. Le ciel bleu caraïbe illumine le tout. Les architectes du XVIII⁰ siècle s'y entendaient dans les ensembles harmonieux. Lignes et couleurs s'intègrent parfaitement dans le cadre naturel de la végétation subtropicale. Le bâtiment fut bien sûr régulièrement rénové, nettoyé, comme on nettoie de l'argenterie, et les conseillers l'ont fait avec amour, à la grande joie des habitants et des hôtes.

Palais maya ❷
Sayil

Au sud de Mérina s'accumulent, sur la presqu'île du Yukatán, les vestiges mayas. À environ une centaine de kilomètres de la capitale de l'État du Yukatán, la cité en ruine de Sayil surprend avec son palais de trois étages, dont l'étage du milieu, soutenu par une rangée de colonnes allège le bâtiment qui aurait sans cela l'air très trapu.

Les reliefs de l'édifice de quatre-vingt-cinq mètres, qui représentent les masques du dieu de la pluie *Tlaloc* et divers animaux, y contribuent également. On a une belle vue d'ensemble du toit de la maison qui monte en terrasses, et se rejoint par un large escalier.

Palais maya ❸
environs de Campeche

Près de la capitale de l'État du même nom sur la côte orientale de la presqu'île du Yucatán, on rencontre partout des vestiges de la culture maya. L'édifice ci-contre à deux pignons illustre bien l'union des fonctions sacrées, transparaissant dans les ornements intérieurs, et des fonctions profanes de fortification. Le palais en terrasses était une bonne protection grâce aux possibilités de défense offensive qu'il offrait derrière ses murs puissants. Des vues aériennes ont, en outre, révélé un système élaboré d'approvisionnement et d'alimentation en eau. Mais face aux armes à feu européennes, cela ne s'avéra plus suffisant.

Pyramide du Kukulkan ❹
Chichén Itzá

De très anciennes traces de colonisation datent d'avant notre ère mais ce n'est qu'à la fin du Vᵉ siècle avant J.-C. que se développa Chichén Itzá, à une bonne centaine de kilomètres à l'est de Mérida sur la presqu'île du Yucatán. Ce fut d'abord une petite ville, puis deux ou trois siècles plus tard, une ville florissante. Chichén Itzá signifie « fontaine sacrée ». On y trouva des vestiges de centaines d'édifices, dont seulement quelques-uns furent découverts et restaurés. La pyramide du Kukulkan est la plus impressionnante. On l'appelle aussi El Castillo à cause de son caractère de forteresse. Le bâtiment symbolise l'enseignement maya des neuf cieux et il comporte autant de marches que l'année comporte de jours.

Fort maya ❺
Tulum

À cent quatre-vingts kilomètres de Mérida en traversant la presqu'île en diagonale vers l'est, on arrive à un fort carré perché sur des falaises surplombant la mer des Caraïbes. Des guerriers mayas s'y étaient installés vers 1200 et construisirent une massive enceinte du côté de l'intérieur des terres. Ils y demeurèrent jusqu'en 1550, puis se rendirent devant la supériorité des intrus européens. Des reliefs représentant une divinité abattue ornent les murs du bâtiment, comme si les artistes avaient pressenti cette destinée. Des colonnes rondes renvoient à une influence toltèque.

Palais maya ❻
Uxmal

Lorsque les Espagnols débarquèrent en 1511, des descendants mayas, qui refusèrent en 1527 et 1531 de se soumettre aux conquistadores victorieux, vivaient encore ici. Les défenseurs d'Uxmal, à quatre-vingts kilomètres au sud de Mérida, ne se rendirent aux Européens que vingt-cinq ans après la chute de l'Empire aztèque et furent entièrement anéantis. Leurs édifices, dont ce palais de gouverneur, de huit mètres de haut et cent mètres de large sur un promontoire style Puuc, témoignent d'une culture florissante vers l'an 1000 après J.-C. Un premier étage articulé d'ouvertures est posé sur une base solide, le tout étant couronné d'une frise ornementée.

Mexique / Guatemala
Amérique du Nord et centrale

Cité maya ❶
Palenque

La forêt tropicale recouvrit ce palais et d'autres édifices de Palenque dans l'État mexicain de Chiapas au goulet de la plaine de Tabasco sur le golfe du Mexique. Colonisée vers 400 après J.-C., s'épanouit ici pendant environ cinq cents ans une cité maya, dont les habitants disparurent pour des raisons qui nous sont inconnues, abandonnant leurs édifices à la jungle. Des archéologues découvrirent la cité en ruine au XIXᵉ siècle et la dégagèrent partiellement. L'on ne parvient toujours pas aujourd'hui à expliquer la fonction du centre cérémoniel surmonté d'une tour de trois étages.

Ruines ❷
Monte Albán

Les Zapotèques choisirent vers 300 après J.-C. une colline arasée à deux mille mètres au-dessus du niveau de la mer, dans la vallée d'Oaxaca, pour dresser un centre cérémoniel et fonder une capitale. Plus tard, les Mixtèques reprirent le centre urbain abandonné peu à peu après 900. La cité et le temple de Monte Albán furent détruits vers 1458 par les Aztèques avant que n'arrivent les Espagnols. Les ruines furent oubliées et redécouvertes récemment par les archéologues et les historiens. Nous voyons ici des bâtiments de la Plaza Grande avec les grands escaliers caractérisant cette architecture.

Palais des Zapotèques ❸
Mitla

On arrive, à cinq cents kilomètres au sud-est de Mexico, à Oaxaca, la capitale de l'État fédéral du même nom, et en continuant dans la même direction on trouve, à Mitla, à quarante kilomètres de là, des ruines précolombiennes interprétées de diverses manières. Certains supposent qu'il s'agit d'une nécropole, d'autres y voient les vestiges d'un centre culturel zapotèque du Xᵉ siècle, repris plus tard et agrandi par les Mixtèques. Ce qui frappe est le manque total d'ornements figuratifs et la prédominance des ornements purement géométriques.

Cité maya ❹
Tikal

Des Mayas colonisèrent l'extrême nord-ouest de l'actuel Guatemala avant notre ère et développèrent Tikal en une grande métropole. L'ancienne ville maya s'étendait sur seize kilomètres carrés et l'agglomération abritait, à la fin du VIIIᵉ siècle, cinquante mille personnes. Quatre mille bâtiments en ruine furent conservés, dont de gigantesques temples pyramides autour de la *Gran Plaza*, place de neuf mille trois cents mètres carrés qui était de toute évidence centre de pouvoir et de communication. Les habitants abandonnèrent la ville vers 900 pour des raisons inconnues. Elle fut envahie par la forêt tropicale et seulement redécouverte peu à peu au XXᵉ siècle.

Palacio nacional ❺
Guatemala

Le Guatemala connaît régulièrement des secousses tectoniques, mais il est aussi fortement ébranlé politiquement. Le général Jorge Ubico pourvut en 1931 à une phase de stabilité, si bien que le régime put entreprendre en 1936 la construction d'un palais gouvernemental (*Palacio nacional*) à Guatemala, la capitale, pour ses tâches représentatives. On fit participer les plus grands artistes du pays qui, unissant leurs efforts, créèrent en 1943, un an avant la démission d'Ubico, un édifice comportant les éléments les plus divers empruntés aux châteaux de la Renaissance, du baroque et du classicisme. Un peu curieux, mais pas sans attraits.

Ancienne université ❻
Antigua

Guatemala eut une université dès 1676. Elle fut transférée à Antigua en 1763 et installée dans des bâtiments du baroque colonial qui restèrent plus ou moins intacts lors d'un tremblement de terre dix ans après, mais durent être onéreusement restaurés. Un lycée reprit le complexe en 1832, car l'université avait déménagé dans la capitale. Les étudiants ne retrouvèrent sans doute plus jamais, pour leurs études, un cadre aussi plaisant que cette cour intérieure de l'ancienne université d'Antigua avec ses arcades mauresques. Le bâtiment renferme aujourd'hui un Musée de l'art colonial.

Palais présidentiel ❶
San Salvador

La capitale du Salvador se trouve dans la « vallée des hamacs » (*Valle de las Hamacas*), où s'étaient installés les Espagnols au XVIᵉ siècle. Mais leurs édifices coloniaux ne résistèrent pas aux nombreux tremblements de terre de la région. Vu le développement de la ville, de nouveaux édifices durent être construits et dimensionnés, dont le palais du président, dressé au XIXᵉ siècle dans le style néoclassique des édifices publics européens, plus en largeur qu'en hauteur, pour parer aux humeurs tectoniques.

Cité maya ❷
Copán

À l'ouest du Honduras, à proximité de la frontière du Guatemala, se trouvent les vestiges de la plus grande cité maya, après Tikal. Du palais ci-contre ne restent plus que le socle et des pierres porteuses, mais il est facile d'imaginer le puissant édifice dans son intégrité. Copán fut à son apogée entre 600 et 800 de notre ère, ce que nous pouvons dire avec exactitude parce que les quelque six mille sculptures et stèles trouvées dans l'ancienne cité portent des inscriptions. Elles ne furent pas toutes déchiffrées, mais les mystères du calendrier furent levés.

Fort Fincastle ❸
Nassau

Ce qui a l'air d'une part de gâteau est l'imitation d'un bateau sur l'île de New Providence. Du haut d'un château d'eau, qui n'est pas sur la photo, comportant soixante-six marches, on a une vue plongeante sur la ville, la plage et l'arrière-pays. La vue dégagée était autrefois nécessaire à cause des rivaux espagnols et français qui eussent tout fait pour prendre l'île aux Anglais, chassés en 1718 par les pirates qui construisirent au cours du XVIIIᵉ siècle le fort Fincastle pour leur sécurité. L'État n'en a plus besoin aujourd'hui pour sa sécurité, mais l'entretient quand même par attachement à son histoire et pour l'amour des touristes.

Ancien palais présidentiel ❹
Panamá

L'ancien palais présidentiel baroque colonial, érigé en 1673, dans la capitale de l'État de Panamá, eut dans les premiers temps d'autres fonctions. Il ne fut palais du président qu'au XXᵉ siècle, et encore, que provisoirement. Après sa rénovation en 1921, y résida le chef de l'État du pays jadis sous la dépendance des États-Unis. La résidence devint vite trop petite, et un nouveau centre du pouvoir y fut bâti. Un musée et un centre culturel se sont substitués au siège du président.

Fort El Morro ❺
La Havane

Les autochtones ne se nourrirent jamais de l'espoir d'être libérés de la domination espagnole et les conquérants ne laissèrent jamais planer le doute sur leur intention de ne pas céder le pays. Deux semaines après avoir atteint le Nouveau Monde, Christophe Colomb débarqua en 1492 à Cuba, qui jusqu'en 1511 fut entièrement aux mains des Espagnols. L'île était assurée par des forteresses comme El Morro dans le port de La Havane. Vu du large, le fort déploie toute sa force, qui n'a cependant pas empêché que les États-Unis ne refoulent les Espagnols en 1898 et que les Cubains ne reprennent le contrôle de l'île.

Teatro García Lorca ❻
La Havane

Le dramaturge espagnol Federico García Lorca (1899–1936) ne vécut que trente-sept ans, mais influença fortement le théâtre. Ses pièces, dont la poésie transparaît déjà dans des titres comme *L'Amour de don Perlimplín* (1933), font partie des répertoires classiques de tous les théâtres du monde entier, notamment des théâtres de langue espagnole. Cuba entretient une relation particulière avec le poète qui combattit avec le front populaire contre les fascistes de Franco, qui le tuèrent. Il est une figure de culte des socialistes et il semble normal que le théâtre néobaroque de La Havane ait pris son nom.

Cuba / Jamaïque
Amérique du Nord et centrale

Capitole ❶
La Havane

La domination des premiers colons sur Cuba prit fin en 1898 avec la victoire des États-Unis dans la guerre hispano-américaine. En 1902, les Américains accordèrent à l'île son indépendance, en gardant toutefois un droit d'intervention. Ils ne lâchèrent prise qu'en 1934, et le siège du parlement, le capitole, bâti de 1926 à 1929 sur le modèle de celui de Washington, témoigne encore de l'emprise des États-Unis sur l'île. On aurait attendu des communistes de Fidel Castro qu'ils détruisent l'édifice, mais peut-être le laissèrent-ils parce qu'il dépasse de un mètre le Capitole de Washington. Aujourd'hui il est le siège de l'Académie des sciences.

Palais présidentiel ❷
La Havane

L'ennemi était installé ici lorsque Fidel Castro et ses adeptes entreprirent d'éliminer le régime corrompu du dictateur Fulgencio Batista. Le maître presque tout-puissant de l'île du sucre depuis les années 1930 était devenu l'homme le plus haï de toute l'Amérique latine, et la jubilation fut grande lorsque le chef barbu de la guérilla menée contre lui le chassa en 1959 de ce palais. L'édifice du baroque colonial expose désormais les pièces révolutionnaires du renversement. À gauche du palais, une tour de garde en ruine rappelle les remparts de La Havane et, à droite, un char évoque la vaine tentative de Cubains en exil de renverser à leur tour Castro avec l'aide des États-Unis en 1961, en débarquant dans la baie des Cochons.

Opéra ❸
La Havane

Il est curieux qu'en musique le baroque fasse un effet si froid, presque mathématique, tandis qu'il tend en architecture à une profusion d'ornements. L'édifice que nous voyons ici est dans le style du baroque tardif, presque néobaroque, qui avait un penchant particulier pour le pathétique, auquel s'ajoutent les intentions coloniales d'en imposer, ce qui explique la richesse des ornements sculpturaux, remarquable dans la vieille ville de La Havane. La musique baroque est sans doute rarement jouée dans ce théâtre, car les Espagnols, et donc les Latino-Américains l'aimaient et l'aiment encore.

San Pedro de la Roca ❹
Santiago

Le nom redondant sied au disciple préféré du Sauveur (Santiago) qui comptait sur Saint Pierre (San Pedro) comme sur un roc (Roca) et les Espagnols ne voulurent de toute évidence rien négliger qui contribuât à la sainteté de leur domination définitivement acquise en 1511 sur l'île des Antilles. Ils nommèrent donc la première capitale, fondée en 1514 dans une baie aux pieds de la sierra Maestra, Santiago, et la forteresse qui la protégeait San Pedro. Ils insistèrent sur sa solidité de granit en ajoutant à son nom qu'elle était bâtie sur le roc. Ils auraient peut-être aujourd'hui préféré souligner la beauté du paysage auquel les vieux canons donnent un air de nostalgie.

Rose Hall ❺
Montego Bay

Les femmes n'eurent officiellement pas grand-chose à dire au cours de l'Histoire. Certaines d'entre elles, comme l'impératrice romaine Messaline, compensèrent ce désavantage en développant une énergie criminelle. La châtelaine de Rose Hall, dans la baie de Montego, sur la côte nord de la Jamaïque, suivit apparemment son exemple. En tout cas, celle que l'on appelait simplement la « Femme blanche », se débarrassa de trois maris. L'histoire condamna la meurtrière à hanter pour toujours les lieux, ce qu'elle fait aujourd'hui encore, mais à l'heure des revenants, elle n'effraie personne, car le Musée des objets d'ameublement de l'époque de 1750, que la maison contient, est fermé.

Devon House ❻
Kingston

Le style du petit palais de la capitale de la Jamaïque, du nom du paysage du sud-ouest de l'Angleterre, est le style anglais typique du XVIIIᵉ siècle, en tout cas les éléments de façade, les balcons et les loggias. Mais, contrairement aux latitudes anglaises, dans ce climat subtropical tout peut être un peu plus aéré et pourvu de plus de légèreté. Le climat chaud et humide oblige à repeindre plus souvent, de même que le tremblement de terre de 1907 rend nécessaire une restauration complète. Une légère brise souffle continuellement, faisant flotter le drapeau de la Jamaïque devant la maison, aujourd'hui Musée d'art contemporain du pays.

Amérique du S

Tournée vers le ciel

Les anciennes civilisations américaines ont disparu. Seules les ruines témoignent encore de l'art des architectes et de la puissance des bâtisseurs. Le Nouveau Monde semble, à en juger par les édifices de représentation des Antilles aux pampas, avoir avalé l'Ancien. Et pourtant, le grand passé précolombien ressort de tous les pores des forteresses européennes et des palais tournés vers le ciel. Les imposantes demeures devaient intimider les sujets et marquaient la victoire des nouveaux maîtres. Mais cette pose triomphante semble précisément dissimuler quelque chose, un sentiment de culpabilité, de l'incertitude face à la grandeur du défi que chaque conquête représente, à plus forte raison une conquête aussi gigantesque. On le ressent devant l'Alcazár de Colón à Saint-Domingue, l'un des premiers palais espagnols, comme devant la haute maison de la représentation du peuple argentin à Buenos-Aires. Les insignes de la marques européenne, colonnes, aigles, murs, ont au cours des siècles beaucoup absorbé de l'atmosphère exotique du vaste pays. Ils respirent l'air frais des Cordillères, l'embrun des deux océans, le murmure des forêts tropicales. Le cadre déteint sur la toile, et donc sur l'identité des peuples. Plus personne ne pourrait se passer des conquêtes issues de cette marche commune que firent la grandiose nature et la culture occidentale. Mais le regard se porte depuis longtemps plus loin encore en arrière. Les monuments des civilisations des Incas et de leurs prédécesseurs font désormais partie de l'héritage indestructible de cette riche moitié de continent.

Amérique du Sud

Alcázar de Colón ❶
Saint-Domingue

Le frère de Christophe Colomb, Barthélemy, fonda dès 1496 la capitale actuelle de la République dont le vieux noyau possède encore des édifices de cette époque.

L'un des plus vieux est l'Alcázar de Colón, terminé en 1510, un complexe à trois ailes, que parent deux étages d'arcades, tandis que les bâtiments latéraux ont plutôt un air de forteresse. Le fondateur de la ville ne put voir le palais achevé. Diego Colomb, en revanche, le fils du découvreur de l'Amérique, le choisit comme résidence. Elle resta jusqu'en 1577 propriété de la famille. Puis le palais se désagrégea et ce n'est que dans les années 1970 que l'État et la municipalité se rendirent compte de sa valeur, et entreprirent une restauration réussie.

Forteresse d'Ozama ❷
Saint-Domingue

Là où la rivière Ozama se jette dans la mer des Caraïbes, au sud-ouest de la capitale de la République dominicaine, il fallait une forteresse pour protéger la colonie espagnole. Commencée dès le XVIᵉ siècle, sa *Torre des Homenaje*, tour des honneurs, contrôlait terres et mer. Le visiteur de Saint-Domingue jouit aujourd'hui surtout de la vue pour se faire une idée de la ville et des curiosités qu'il a encore à découvrir. Il est recommandé, afin de mieux s'orienter, de commencer et de terminer ici la visite, pour essayer de reconnaître en fin de parcours tout ce qui a été vu.

Forteresse de San Felipe ❶
Puerto Plata

Sur la côte nord de la République dominicaine se trouve l'important port de Puerto Plata. Il était déjà trés actif à l'époque espagnole. C'est pourquoi les colonisateurs y bâtirent une puissante forteresse en 1564-1577 comme place de transbordement au pied de la Cordillère septentrionale. Une sorte de tour se dresse au milieu du complexe, et deux tourelles de garde parent les murs du fort tournés vers la mer. San Felipe fut régulièrement utilisée comme prison, la dernière fois par le dictateur Trujillo (de 1930 à 1961), qui y enferma ses innombrables adversaires politiques, véritables et présumés. Le musée qu'abrite la forteresse montre des armes du XIXe siècle et autres ustensiles guerriers.

Palacio de Borgellá ❷
Saint-Domingue

Deux États sur une même île, cela peut mener, comme nous enseigne l'exemple de Chypre, à de considérables problèmes. Et ce fut aussi régulièrement le cas sur l'île d'Hispaniola, dont la partie est déclara son indépendance en 1821 et fut envahie par Haïti l'année suivante. Une grande souffrance régna sous la domination de Haïti, qui dura presque vingt-cinq ans, mais elle apporta au moins une chose positive : ce palais de Saint-Domingue dans la partie orientale de *Parque Colón*, presque en face de la basilique Menor. Les élégantes arcades à la française enrichirent la capitale d'une perle architectonique supplémentaire. Le car cachant le rez-de-chaussée sur la photo n'empêche pas d'apprécier dûment l'édifice.

Castillo de San Cristóbal ❸

Les Espagnols commencèrent en 1634 à fortifier la côte nord atlantique de Porto Rico dans la ville actuelle de San Juan. Cinq petits forts étaient dressés cent cinquante ans plus tard sur une surface de dix hectares, surplombant la mer du haut de cinquante mètres. Tous reliés par des tunnels et des fossés, ils formaient ensemble le château de San Cristóbal. Ils étaient échelonnés de manière que chacun d'eux pût être défendu séparément, au cas où l'un, ou plusieurs, d'entre eux fussent tombés aux mains de l'ennemi. Le vieux château, avec son canon devant la façade, fait l'effet de jaillir d'un autre monde, sur le décor de la grande métropole moderne, bien qu'il soit sans cesse rénové et restauré.

Fort San Jerónimo ❹
San Juan

Les bâtisseurs espagnols de forteresses ont fait avancer dans l'eau de la baie de Condado le fort San Jerónimo, situé en face de la ville moderne de San Juan. Terminé en 1788, il eut aussitôt l'occasion de faire ses preuves, lorsqu'une flotte britannique surgit en 1797 devant la ville, sans néanmoins parvenir à prendre ses bastions. Le fort s'avéra également efficace contre les pirates et autres ennemis. Seule la prise de l'île en 1898 par les États-Unis ne put être refoulée. Aujourd'hui, on n'est plus intéressé que par la vue pittoresque sur le fort, qu'enrichissent les bureaux et les immeubles en face de lui. Le fort contient un très joli musée militaire.

Castillo de San Felipe del Morro ❺
San Juan

Le plus vieux des forts situés sur la pointe de la langue de terre de la vieillie ville de San Juan est El Morro, tel en est le nom abrégé. Il vit le jour en plusieurs dizaines d'années au XVIᵉ siècle, fut de nouveau fortifié en 1783 tel qu'il nous apparaît aujourd'hui. Le château arrosé par la mer contribua largement à la stabilité de la domination espagnole sur l'île, que Madrid ne dut céder aux États-Unis qu'après avoir perdu la guerre de 1898. Porto Rico est toujours sous leur commandement, comme le trahit le drapeau sur le fort d'El Morro, considéré par les insulaires comme leur monument national. Ils y fêtent chaque année en février et en mars la fête du printemps, avec de fantastiques créations de dragons.

Citadelle ❶
Cap-Haïtien

Beaucoup de gens connaissent et apprécient la voix rauque avec laquelle Harry Belafonte chante son air nostalgique *Haïti chérie*, se plaignant : *How much I missed the gallant citadel. Gallant* ne veut pas dire galant, mais vaillant. Et dans ce sens, le chanteur a raison, c'est une vaillante citadelle. Le regard fier abaissé sur la citadelle est en même temps un regard sur l'indépendance, obtenue en 1804, de l'État des Noirs au nord-ouest de l'île des Caraïbes Hispaniola, où Henri Christophe régnait depuis 1806 comme président et, depuis 1811, comme roi Henri Ier. Il fit construire la forteresse au sud de Cap-Haïtien, qui n'est plus aujourd'hui qu'une ruine et la dernière demeure (à gauche) du monarque qui avait décidé seul de son règne.

Château de Sans Souci ❷
Cap-Haïtien

Henri Ier, roi de l'État des Noirs par ses propres grâces depuis 1811 au nord-ouest de l'île des Caraïbes Hispaniola, n'avait, comme tous les parvenus, qu'une idée en tête : construire. Ces hommes ont toujours peur. Il se fit construire non seulement la citadelle, au sud de Cap-Haïtien, mais aussi, juste à côté, son château Sans Souci, telle une forteresse. L'escalier extérieur à double révolution, accueillant en apparence, ne trompe pas. Les remparts et les échelonnements dominent. Cela ne sert en définitive à rien quand ses courtisans conspirèrent en 1820 dans le palais contre lui. La situation était sans espoir et le despote choisit le suicide.

St. Nicolas Abbay ❸

Tout au plus le style relativement austère trahit que cet édifice au nord-est de La Barbade est l'un des plus vieux bâtiments coloniaux de l'île. Construit juste après le début de la domination britannique (1627-1966), il dénote peu le baroque jadis florissant en Europe, que fournit plutôt la végétation tropicale qui pousse, la recouvrant presque, et fleurit tout autour de la villa magnifiquement rénovée. Dans ces latitudes, la végétation peut être très envahissante et vite transformer un château en château de la Belle au bois dormant. Entretenir un édifice est ici également une tâche de jardinier.

Palais du parlement ❹
Bridgetown

Plus de trois siècles de domination britannique : cela marque une collectivité essentiellement noire. Barbade, la plus orientale du groupe d'îles des Petites Antilles, était, jusqu'à la libération des esclaves en 1834, l'une des principales places de transbordement de « l'or noir ». La puissance coloniale ne reconnut les droits de l'homme des asservis que beaucoup plus tard et n'accorda l'autonomie que peu à peu. L'autonomie exige une représentation du peuple, et celle-ci, à son tour, a besoin d'un lieu où siéger. On construisit aux insulaires, en 1874, un édifice néogothique qui contraste curieusement avec l'environnement tropical, auquel les stores en couleur donnent l'aspect d'un jouet.

Sam Lord's Castle ❺

La villa, sur la côte sud-ouest de Barbade, semble regarder l'Atlantique avec une certaine curiosité, voire avec avidité. Ce n'est pas, comme le nom pourrait le faire croire, un château d'aristocrate. Le bâtisseur s'appelait Samuel Hall Lord (1778-1844) et était de son état un pirate averti. De ce fait assez aisé, il s'installa confortablement dans la piraterie terrestre. Il faisait suspendre la nuit des lumières à la cime des palmiers de son domaine, que beaucoup de capitaines prenaient pour celles du port de Bridgetown. Ils allaient échouer sur le *Cobblers Riff*, une proie facile pour Mr Lord et ses complices. Le moins que l'on puisse dire, c'est qu'il investit bien son capital.

Fort King George ❻
Scarborough

Les colonisateurs britanniques dressèrent de 1777 à 1780, tout en haut de Scarborough, au sud-est de l'île des Caraïbes, Tobago, qui a la forme d'un cigare, un fort, symbolisé par le canon au premier plan, et nommé d'après le roi de l'époque, George III. Le bel édifice que nous voyons en faisait partie, mais fut modernisé et transformé en phare, la situation élevée étant idéale pour cela. Il est aujourd'hui, en dépit de la navigation par satellite, un signe bienvenu des capitaines internationaux. Le fort a bien sûr perdu sa fonction de jadis et sert de Musée historique de Tobago.

Fort San Felipe de Barajas ❶
Cartagena

Le port colombien de Cartagena protège la presqu'île de Bocagrande du déferlement des vagues. Mais elle devait se protéger seule des ennemis, et il y en a, depuis que l'on trouva des métaux précieux en Colombie. Les dominateurs espagnols commencèrent dès le XVIᵉ siècle à construire des fortifications de structure très compliquée dans le port. Après que des agresseurs anglais eurent quand même pu mettre la ville à feu en 1586, ils renforcèrent leurs bastions. Le résultat en fut une forteresse imprenable cette fois, dont le bâtiment principal est le fort San Felipe de Barajas. Français et Anglais se cassèrent maintes fois les dents dessus. La nuit, les bastions ont un air pittoresque dans la lumière des projecteurs.

Castillo San Ignacio ❷
Mucuchíes

Les randonnées de Mérida jusqu'aux chaînes de montagne surplombées par les sommets de cinq mille mètres du Pico Bolívar sont très appréciées. Mais un hôtel aussi royal et un restaurant aussi chic que San Ignacio, légèrement en contrebas de San Rafael Mucuchíes, le village vénézuélien le plus haut, paraît curieux. Il est en pierre, comme il est d'usage dans le pays, mais trahit une signature italienne. Le directeur est d'ailleurs italien. Les créneaux dentelés et l'austérité extérieure à la façon des forteresses Renaissance apportent un souffle toscan dans la cordillère de Mérida. L'intérieur est rustique et quand même élégant.

Fort de Solano ❸
Puerto Cabello

On arrive, au bout de cent cinquante kilomètres de Caracas en direction de l'ouest, à Valencia. Puis en prenant à droite vers la côte des Caraïbes, et en continuant encore cinquante kilomètres, surgit soudain Puerto Cabello. Le port joua très tôt un rôle important dans le commerce avec l'Espagne, la mère patrie. C'est pourquoi le gouverneur Don José Solano donna ordre en 1766 de bâtir un petit fort. Il protégeait le port des attaques venant du large, mais contrôlait aussi les routes vers l'intérieur des terres et servait de garnison. Sans parures, mais fonctionnel, il resta toujours assez bien conservé et est apprécié du tourisme comme belvédère.

Palais du parlement ❹
Caracas

Washington fit également école en Amérique du Sud. Le président vénézuélien Antonio Guzmán Blanco ordonna en 1872 la construction d'un édifice sur le modèle du Capitole nord-américain, qui serait dans un premier temps utilisé par la Cour suprême et le parlement. Il n'est que depuis 1959 à entière disposition des deux chambres de la représentation du peuple. La grosse rotonde ornée de fresques de plafond sur l'histoire du pays, sous la coupole d'or, sert à des fins de représentation. Une vitrine, au centre, renferme l'original de la déclaration d'indépendance du Venezuela, le 5 juillet 1811. C'est ici qu'a lieu tous les cinq ans la prestation de serment du nouveau président.

Palais présidentiel ❺
Caracas

Joaquín Crespo (1841–1898) fit une carrière fulgurante, d'abord militaire, puis politique. En tant que chef de l'armée et deux fois président de la République, il se fit construire dans la capitale le palais Miraflores, déclaré résidence des chefs de l'État après son assassinat. Son nom (merveilleuse fleur) est pleinement justifié, tant architecturalement que du point de vue des jardins. Nous voyons ci-contre la cour intérieure ornée de palmiers et de parterres soignés où il est agréable de s'entretenir sous les arcades. Mais dans une telle atmosphère, le contact avec la dure réalité politique et sociale risque fort de manquer d'être établi. Quelques maîtres des lieux y ont succombé.

Palais de la place de l'Indépendance ❻
Quito

Deux âges et deux puissances regardent sur la *Plaza de Independencía* de la capitale de l'Équateur située à deux mille huit cent cinquante mètres d'altitude, à gauche le classicisme avec le palais présidentiel, à droite le baroque misacré du palais de l'archevêque. Il est difficile de dire lequel est le plus beau. C'est une question de goût. Tous deux valent le détour. L'ensemble fut l'un des premiers à être mis sur la liste des patrimoines mondiaux de l'UNESCO en 1978 et correspond donc aux canons de la beauté architecturale. La pierre est bien conservée malgré plusieurs tremblements de terre, dont un très fort en 1917.

449

Pérou
Amérique du Sud

Ruine de Chanchán ❶

Chanchán, capitale du royaume chimú, dans la vallée de Moche, sur la côte nord du Pérou, était une ruine bien avant que les conquistadores espagnols eurent commencé leur mise à sac de l'Amérique du Sud. Elle fut conquise en 1470 par les Incas qui éliminèrent du même coup un puissant concurrent gênant. Chanchán était, avec une superficie de dix-huit kilomètres carrés, la plus grande enceinte prévue de l'Amérique précolombienne et le centre d'un royaume existant depuis un demi-millénaire. L'on n'a pas besoin d'être expert pour voir dans ces ruines impressionnantes avec leurs magnifiques motifs et ornements, que ses bâtisseurs n'ont rien à envier à ceux des Incas.

Palais de Puruchuco ❷

Les archéologues restaurèrent et reconstruirent soigneusement le palais d'un noble inca, à un quart d'heure de voiture du centre de Lima dans la vallée du Rímac. Sa construction en briques séchées à l'air montre à quel point les architectes savaient calculer angles et déclivité et tinrent compte de la protection des habitants non seulement des dangers naturels, mais aussi d'éventuels ennemis. Le complexe donne l'impression d'une forteresse. À proximité se trouve un musée exposant les objets trouvés dans les bâtiments et qui démontrent eux aussi l'adresse des artisans incas.

Torre Tagle ❸
Lima

La résidence du ministre des Affaires étrangères du Pérou, au centre de la capitale, soutient la comparaison avec celles de ses homologues des grandes puissances de ce monde. Le palais, dressé en 1735, comportant des éléments de l'art baroque et mauresque, fait partie des plus somptueux legs de l'époque coloniale espagnole. Les sculptures aux balcons, aux portes et aux volets, les élégantes balustrades et le mélange équilibré entre le dynamisme des courbes et l'austérité des lignes droites en font un accord architectonique s'imprimant dans la mémoire. Seule la cour intérieure est accessible, et seulement le week-end.

Palais de justice ❹
Lima

Le terme de Cour suprême prend ici un sens architectural précis. Le portique du palais de justice péruvien, dans la capitale, s'ouvre sur toute la hauteur des trois étages, couronné d'un pignon majestueux. De puissantes ailes le prolongent de part et d'autre, dont les arcades à colonnes imposent le respect. Les ailes se terminent par des bastions anguleux saillants, dans le même style néoclassique et exprimant la même dignité que tout le complexe, datant de la fin du XIXᵉ siècle, époque à laquelle les administrations européennes cherchaient aussi à démontrer le pouvoir de l'État par de massives répliques de l'Antiquité. Les colonies de jadis ne pouvaient décemment pas se montrer sous un jour moins digne.

Palais présidentiel ❺
Lima

Le président péruvien Alberto Fujimori, originaire d'une famille japonaise, fit en sorte, par une série de scandales et une présidence dictatoriale, que sa résidence fût récemment maintes fois centre de l'intérêt des médias internationaux, jusqu'à sa démission en novembre 2000, accablé par les scandales. Du bâtiment, dressé de 1921 à 1938, se dégage pourtant une atmosphère digne et paisible, qui semble ne pas avoir toujours été inspiratrice pour les maîtres du lieu. La plupart voulaient seulement une démonstration de pouvoir, symbolisé dans la relève de la garde en uniformes somptueux.

Forteresse d'Ollantaitambo ❻

On trouve, dans la région de Cuzco, capitale de l'Empire inca, de nombreuses ruines de l'époque de la haute civilisation de l'Amérique précolombienne. Cette forteresse, soi-disant nommée d'après un prince inca, qui se rebella contre le pouvoir central et vint s'isoler ici, mérite une attention particulière. Elle s'avéra être la plus solide dans la lutte contre les conquérants espagnols. Cuzco, à une centaine de kilomètres de là, tomba dès 1533, Ollantaitambo tint jusqu'en 1537. Rien d'étonnant à cela, vu l'épaisseur des murs et le site protégé du complexe, que surplombe le temple du Soleil, édifice non achevé.

Pérou

Amérique du Sud

Palais colonial ❶

Trujillo

La métropole du département péruvien, *La Libertad*, au nord du pays, est dite « la ville de l'éternel printemps ». Un regard dans la cour intérieure de ce palais colonial suffit à s'en rendre compte. La pierre n'empêche pas les plantes de pousser, les vrilles de grimper aux arbres, la peinture murale de sourire, le grillage des fenêtres de fleurir. À seulement huit degrés de latitude sud, avec un climat maritime, on s'étonne moins de l'épanouissement de la nature que d'un édifice aussi joli. Ses colonnes marron et sa cour lumineuse ont quelque chose de méditerranéen, de romain, comme si Pompéi renaissait de ses cendres.

Forteresse de Paramonga ❷

Les archéologues interprètent différemment les ruines de Paramonga, non loin de l'actuel le Huaras. Certains y voient un lieu de culte, tandis que la majorité tendent à y reconnaître une forteresse chimú. Un argument en faveur de cette thèse est que le fort abritant un temple, ou le temple fortifié – le profane et le sacré ne se distinguant pas toujours nettement dans les vieilles civilisations américaines – se trouve aux confins méridionaux du territoire des Incas. Les Chimús se sentirent toujours menacés par eux et leur royaume fut conquis par les Incas vers le milieu du XVᵉ siècle. Les Espagnols ne trouvèrent plus que des ruines, à leur arrivée, plusieurs dizaines d'années plus tard.

Ruines de Chavín de Huantár ❸

Une civilisation indienne, baptisée d'après la ruine du centre cérémoniel de Chavín de Huantár, atteignit son apogée dès le Xᵉ siècle avant notre ère, sur la côte de l'actuel Pérou. Ses traces furent retrouvées sur une étendue de mille kilomètres en plaine et en montagne. La haute civilisation andine se distinguait par des arts et une technologie développés. L'architecture et la très belle poterie de cette période montrent déjà une grande maîtrise technique, tenant la comparaison avec les performances des architectes d'Égypte et de Mésopotamie. Les architectes de Chavín maîtrisaient à la perfection l'art de la stèle ou dalle sculptée et de l'architecture en blocs de pierre rectangulaires irréguliers, ajustés à joints vifs. L'art, enfin, de la gravure et du bas-relief ne leur était pas non plus étranger.

Forteresse de Sacsayhuamán ❹

Les architectes incas élevèrent au nord de leur capitale Cuzco une forteresse comme les Cyclopes n'auraient pu mieux en édifier les couches de pierre. Les canons ne l'auraient sans doute pas ébranlée et, si Pizarro n'avait pas privé de chef le royaume des Incas en assassinant le roi Atahualpa après lui avoir tendu un traquenard, il aurait certainement été vaincu definitivement devant ces murs. Mais le cours des choses fit que la forteresse surplombant la ville de deux cents mètres tomba peu après la métropole. La ruine demeura. Elle est tous les ans le théâtre de la fête du solstice d'été (*Inti-Rayma*) le 24 juin.

Ruines de Machu Picchu ❺

La ville inca de Machu Picchu prospéra aux XVe et XVIe siècles sur l'éperon d'une montagne de la vallée du río Urubamba, au nord-ouest de Cuzco. Elle ne fut qu'indirectement victime des Espagnols, qui ne la découvrirent pas. Mais privée de racines, elle ne survécut que quelques temps à la chute de l'Empire. La ville, montant en terrasses sur le contrefort de la montagne, tomba en ruine. Les ruines ne furent découvertes qu'en 1911. Elles attirent, depuis, de nombreux curieux, car nulle part on n'y approche mieux le quotidien inca. Nature et culture sont, vues du « vieux sommet » sur toile de fond de la cordillère des Andes, en parfait accord.

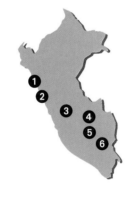

Palais de l'archevêque ❻
Cuzco

L'église est plus haute, mais le palais de l'archevêque plus somptueux. Cuzco, capitale des Incas dans la cordillère des Andes, conquise en 1533 par les Espagnols sous la conduite de Pizzaro, est dans l'ensemble assez bien conservée, mais il ne resta presque rien des édifices « païens », qui furent remplacés par des constructions coloniales, églises et autres, comme ce palais. Régulièrement ébranlés par les tremblements de terre, ils furent néanmoins toujours reconstruits et arrivèrent jusqu'à nous dans leur apparat XVIe/XVIIe siècle. La façade du baroque espagnol, amoureux des formes, porte les traits caractéristiques du style churrigueresque.

Teatro Amazonas ❶
Manaus

L'opéra de Manaus sur le Río Negro fait incontestablement partie des plus remarquables édifices du Brésil, et est irrésistible avec son escalier cintré et sa merveilleuse façade style néo-Renaissance. Il fut construit en 1896, lorsque la ville du caoutchouc nageait dans l'opulence. On ne connaissait pas encore le plastique, et le Brésil avait presque le monopole de la matière élastique, très convoitée. Les temps de l'opulence sont révolus, mais nul ne peut prendre à la ville son joyau musical.

Palais de Rio Negro ❷
Manaus

La capitale du caoutchouc fut, de 1890 jusqu'aux premières années de la Deuxième Guerre mondiale, la ville la plus riche du monde. Les hommes d'affaires et les entrepreneurs arrivaient du monde entier pour avoir leur part de gâteau. L'entreprise de l'Allemand Waldemar Scholz eut un tel succès qu'il se fit construire un palais qui ne perdit rien de sa somptuosité. Au contraire, le boom étant passé, le contraste entre richesse et pauvreté, dans la ville de plus de un million d'habitants, est si violent, que l'édifice tranche encore plus sur la misère. Le gouvernement de l'État d'Amazonas, qui l'avait repris en 1917, l'abandonna récemment au profit d'un immeuble moderne et le mit à disposition pour des expositions.

Fort São Marcelo ❸

Afin de pouvoir assurer leur fonction de protection, les forteresses de tout genre doivent elles-mêmes être sûres. C'est ce que se dirent les bâtisseurs de citadelles portugais qui se chargèrent de protéger la fondation de Salvador de Bahia sur la côte orientale du Brésil. Ils placèrent sur un bas-fond à l'entrée du port, en plus des fortifications du littoral, le fort São Marcelo, tout rond, et accessible uniquement par voie d'eau. Il contrôlait jadis l'entrée du port avec ses pièces d'artillerie, et comme on ne pouvait en sortir que par l'eau, il fut plus tard transformé en prison. Aujourd'hui, il décore la façade de la ville sur l'océan, avec ses palmiers.

Forteresse de Santa Maria ❹
Salvador de Bahia

Des navigateurs portugais entrèrent le 1er novembre 1501 dans une vaste baie parsemée d'îles sur la côte orientale de l'Amérique du Sud et l'appelèrent la baie de la Toussaint (*Baia de Todos os Santos*). Qui découvre chose aussi belle veut la garder et craint la concurrence. Les découvreurs fortifièrent donc la côte, assurant du même coup la ville de Salvador (Sauveur) qu'ils fondèrent sur le littoral et qui, entre-temps, a grimpé sur la montagne. L'un des forts des premiers temps de la domination portugaise reçut le nom de Santa Maria pour faire honneur à l'environnement saint. Il est bâti sur une langue de terre saillant dans la baie, dont les plages sont très appréciées.

Fort Antônio da Barra ❶
Salvador de Bahia

La partie la plus voyante du fort est la plus récente, un phare relativement moderne à l'extrémité sud-est de la baie de la Toussaint. Les plans horizontaux et verticaux sont aussi équilibrés que les couleurs et les différents styles qui le composent. L'entrée du château de jadis est orné des armoiries de l'empire du Brésil, qui représentent les marchandises qui ont fait prospérer le pays : canne à sucre, tabac, café. L'édifice abrite un Musée nautique et hydrographique de la municipalité.

Palacio Rio Branco ❷
Salvador de Bahia

Salvador de Bahia est appelée « la perle noire de l'Est brésilien » à cause de sa population en majorité noire, et pour sa belle architecture, dont ce palais, dressé en 1919 comme résidence du gouverneur de l'État de Bahia, à l'emplacement de celle du premier gouverneur de la colonie du Brésil. Il est abondamment orné de stucs, d'aigles et d'une grande coupole laissant passer la lumière.

Palais du Congrès ❸
Brasília

L'organisme et les architectes chargés, depuis 1958, d'étudier et de réaliser le projet de la nouvelle capitale, dont le palais du Congrès, furent courageux. Ce dernier, d'Oscar Niemeyer, constitué des tours jumelles de l'administration, de la coupole du Sénat et de la soucoupe du palais des Représentants, est audacieux mais froid. Les grands espaces qui l'entourent manquent de vie et leur symbolique n'est claire pour personne. Depuis que les représentants du peuple cogitent dans ce cadre sur les lois, le pays n'a plus progressé. Le génie du lieu ne semble pas encourager les traits de génie.

Palacio Planalto ❹
Brasília

La relève de la garde devant le plus important bâtiment de la capitale brésilienne, créée de toutes pièces depuis 1958 au plus profond de l'intérieur des terres. Les soldats, aux uniformes originaux, ont l'air, devant le palais futuriste, d'être descendus à la mauvaise gare au cours d'un voyage dans le temps. Le palais de l'Aurore, résidence du président, est aussi le plus important et fut construit en priorité pour accueillir les chefs d'État du monde entier en visite officielle dans l'un des plus grands pays du monde. Au centre des débats figurent généralement les problèmes économiques, qui n'ont pas empêché de dresser dans la métropole des bâtiments de ce genre.

Palacio Tiradentes ❺
Rio de Janeiro

Un homme du peuple fut promu en 1889 héros national du Brésil. Joaquim da Silva Xavier, dit « l'Arracheur de dents », parce que ce soldat manqué était dentiste, devint le symbole de la volonté de liberté des Brésiliens, de par sa lutte contre la domination coloniale portugaise et son exécution le 21 avril 1792. Un monument lui fut dressé à sa mémoire dans l'ancienne capitale, puis l'on bâtit en 1926 un palais classique surchargé d'ornements, en son honneur. L'édifice tranche avec la simplicité du courageux martyr.

Casa Real de la Moneda ❻
Potosí

La ville est déjà située à presque quatre mille mètres d'altitude, mais le Cerro Rico la dépasse encore de mille mètres. Ce fut une sorte de trésor de Potosí en Bolivie. On découvrit en 1545 dans ses failles et ses crevasses de riches mines d'argent, qui couvraient au XVIIe siècle les deux tiers du besoin mondial. Ce temple de la monnaie de Potosí en développa un particulier. C'est là que furent fabriquées toutes les pièces de monnaie du grand royaume d'Espagne, que n'évoque plus que cet édifice colonial abritant un musée, exposant aussi des objets usuels et des meubles de l'époque florissante de la ville, dont un pot de chambre en argent.

Bâtiment gouvernemental ❶
La Paz

La capitale du pays est Sucre, mais le siège du gouvernement, La Paz. On comprend qu'il ne veuille pas en changer, quand on voit ce bel édifice colonial baroque sur la *Plaza General Murillo*. Le général des guerres de libération qui pose sur une haute colonne semble en tout cas satisfait que les Boliviens aient repris un tel joyau de leurs dominateurs espagnols. Il devrait éprouver également une certaine satisfaction à occuper l'éminente place qui lui est réservée, au lieu du père de l'État, Simon Bolívar, ou de son premier président, Antonio José de Sucre.

Palais du parlement ❷
Sucre

Le visiteur européen a toujours un étrange sentiment devant la fierté des Américains du Sud eu égard à leur « libération », alors qu'ils doivent tout ce qu'ils ont aux Espagnols et que les couches supérieures de la société sont toutes d'origine espagnole. Le centre de Sucre, capitale constitutionnelle, ne peut pas non plus nier cette empreinte. Même les édifices les plus jeunes, comme le siège du parlement, ont un air européen.

palais fut érigé à l'emplacement où le général Antonio José de Sucre déclara le 6 août 1825 l'indépendance de la Bolivie. Il est en conséquence massif, blanc et majestueux. Les représentants du peuple n'y siègent que certaines fois, le reste du temps à La Paz, mais ont néanmoins besoin d'une digne demeure.

Le Palais présidentiel ❸
Asunción

Francisco Solano López avait trouvé, en 1860, un cadeau d'anniversaire original pour les soixante-dix ans de son père Carlos Antonio, président du Paraguay depuis 1844. Il fit édifier un palais pour le chef de l'État. Aucun des deux, ni le père ni le fils, ne survécurent à la fin des travaux. Le premier mourut deux ans plus tard et le second, son successeur, provoqua une guerre contre les États voisins et tomba en 1870. La capitale Asunción demeura occupée par les Brésiliens jusqu'en 1876. Le palais ne put être achevé que plus tard. La longue phase de planification et de construction ne lui nuisit pas. La façade donne une impression de légèreté et l'élégance de la tour est relevée par le décor fleuri à ses pieds.

Palais présidentiel ❹
Montevideo

Sur la place de l'Indépendance, au centre de la capitale de l'Uruguay, se trouve le siège du président, qui est en même temps chef du gouvernement. La maison connut un grand nombre de maîtres du lieu pour son âge relativement jeune, quatre-vingts ans. La situation politique sur le Río de la Plata, fut longtemps fragile. Dictateurs, militaires, démocrates se relayèrent, s'efforçant tous de rétablir la situation, avec plus ou moins de succès. Le palais symbolise la stabilité recherchée. Il s'impose dans le style classique typique des administrations, car les colonnes présentent bien depuis l'Antiquité, en façade de bâtiments administratifs. Tous les présidents ont besoin de balcons pour se montrer sous leur jour le plus gracieux.

Palacio Salto ❺
Montevideo

Un poète le désigna de « girafe en béton armé » et les habitants mirent un certain temps à s'habituer à l'emblème de leur ville, dressé de 1925 à 1929. Un café dansant dut en effet céder la place au palais de cent mètres de haut qui fut pendant longtemps le plus haut bâtiment d'Amérique du Sud. Ce fut, pour les méridionaux au sang chaud, un échange pénible. Mais entretemps, le mini-gratte-ciel fut aussi respecté qu'un monument de l'Antiquité. À l'intérieur s'est développé un microcosme de commerces et de cabinets médicaux, de bars et de kiosques, d'études et de galeries. Le faîte est occupé par des locataires d'appartements n'ayant sans doute pas le vertige.

Palais du parlement ❻
Montevideo

Le XIXᵉ siècle fut pour l'État d'Uruguay, littéralement coincé entre les deux grandes puissances du Brésil et de l'Argentine, une époque de troubles. La stabilité du régime ne s'instaura qu'au XXᵉ siècle. Elle se lit sur quelques bâtiments, dont le parlement, terminé en 1925. Il témoigne d'une certaine aisance du pays et d'une identité développée. Or, la démocratie ne se fonde pas que sur l'architecture. Les régimes autoritaires se substituèrent à intervalles réguliers aux représentants du peuple. Le calme politique n'est revenu que depuis les années 1980. Les habitants de la capitale et leurs représentants peuvent désormais regarder avec plus de fierté la haute maison.

Argentine / Chili
Amérique du Sud

Palacio del Congreso ❶
Buenos Aires

Les surfaces vitrées non planes du palais de verre font vaciller le palais de pierre. Le reflet du parlement de la capitale argentine revêt des traits fantastiques post-baroques. Le sérieux du modèle américain en est presque oublié. C'est le Capitole que l'on voulut imiter en projetant ce dôme politique, achevé en 1906. L'ambiance n'est sans doute pas aussi gaie à l'intérieur qu'elle le paraît à la vue de ces colonnes dansantes sur la photo. La représentation du peuple n'eut jamais la tâche facile dans ce pays aux fréquents remous politiques. Des dictateurs comme Perón, puis des militaires lui tinrent en alternance la bride haute ou en décidèrent la dissolution. Reste à lui souhaiter plus de stabilité qu'elle n'apparaît dans ce miroir déformant.

Casa Rosada ❷
Buenos Aires

La démocratie demande une certaine expérience. Lors de la construction du palais présidentiel dans la ville des « bons vents » (Buenos Aires), les Argentins étaient encore des débutants. Sous leur drapeau blanc, les unitaires combattaient avec acharnement les fédéralistes « rouges ». Pour démontrer l'unité de la nation, le président Domingo Faustino Sarmiento décida en 1873 de faire peindre sa résidence de la *Plaza de Mayo* en rose. D'avoir placé, devant le bâtiment au teint rose, la statue du général Belgrano, fut cependant un signal moins sage, car la junte militaire joua dans l'histoire du pays un rôle parfois funeste.

Palais Cabildo ❸
Buenos Aires

Les murs blancs de l'ancien hôtel de ville (*Cabildo*) rayonnent du plus beau baroque colonial devant la *Catedral Metropolitana* contenant le tombeau de José de San Martín (1778–1850), héros national de l'Argentine. L'édifice de deux étages avec sa façade à arcades et son beffroi orné de tourelles et de coupoles fait face, sur la Plaza de Mayo, au palais présidentiel rose. Contrairement à ce dernier, il n'est plus en fonction, mais abrite un Musée de la révolution et régional qui expose des objets de l'époque coloniale, des armes et des toiles. Un café lui est rattaché.

Théâtre municipal ❹
Santiago du Chili

Le conseil municipal de la capitale du Chili décida en 1852 de construire un opéra, achevé en 1857. Le palais classique, détruit en 1870 par un incendie, fut de nouveau inauguré en 1873. Un tremblement de terre détruisit, en 1906, la façade, qui dut être entièrement refaite. Les architectes s'étant donné beaucoup de mal pour ne pas altérer le visage de la maison blanche, les bâtisseurs d'origine le reconnaîtraient sans doute. L'édifice fut baptisé théâtre municipal, car n'est plus, depuis quelques temps, seulement un opéra, mais offre aussi des représentations de ballet et de théâtre.

Palais présidentiel ❺
Santiago du Chili

Le nom et l'âge rappellent que la maison existait déjà depuis longtemps avant que l'on parle d'un État du Chili. « La Moneda » est un édifice du XVIIIᵉ siècle où l'on frappait la monnaie. Les présidents du pays devenu indépendant n'emménagèrent qu'en 1840 dans ce palais à la large façade à colonnes. Il fut soudain au centre de l'intérêt mondial en 1973, lorsque l'armée renversa à coups de bombes et de grenades Salvador Allende, le président socialiste démocratiquement élu. Le suicide du chef de l'État permit au long régime de terreur du général Pinochet de s'établir. Le palais est aujourd'hui de nouveau habité par un homme de la démocratie.

Australie et Océanie

Un léger parfum d'Occident

L'histoire du cinquième continent est assez longue, celle de son architecture en revanche assez courte. Les somptueux palais que nous connaissons de l'Occident n'existent que depuis tout juste deux siècles. C'est l'homme blanc, en effet, qui apporta ce que nous appelons architecture en terre australe, si longtemps demeurée inconnue des Européens. L'occupation des territoires par les Blancs commence là où s'y trouve aujourd'hui, pour cette raison, l'emblème du pays et le symbole de l'âme australienne : L'opéra, qui semble audacieusement déployer ses voiles au bord du port de Sydney, marque le mouillage de la flotte qui, en 1788, débarqua les premiers Européens. C'étaient des détenus, certes, mais le séjour ne fut probablement pas traumatisant pour eux. On sait qui la justice condamnait autrefois : de préférence les rebelles, ou, mieux, les gens qui avaient l'esprit d'entreprise, les insoumis, ceux qui ne voulaient pas s'adapter. On leur fournit un certain temps le ravitaillement nécessaire, puis ils furent livrés à leur sort et créèrent l'État libéral duquel les Australiens modernes sont fiers, et à juste titre. Cela se déroula autrement qu'aux États-Unis, sans conflit sérieux avec la mère patrie, qui avait tiré ses enseignements du désastre américain et accompagna en douceur l'émancipation de la lointaine colonie. C'est pourquoi les villes ont un air un peu anglais tout comme les résidences de campagne. Larnach Castle, en Nouvelle-Zélande, en est un exemple éclatant avec ses emprunts néo-Renaissance qui, à leur tour, renouent avec les styles classiques européens.

Australie et Océanie

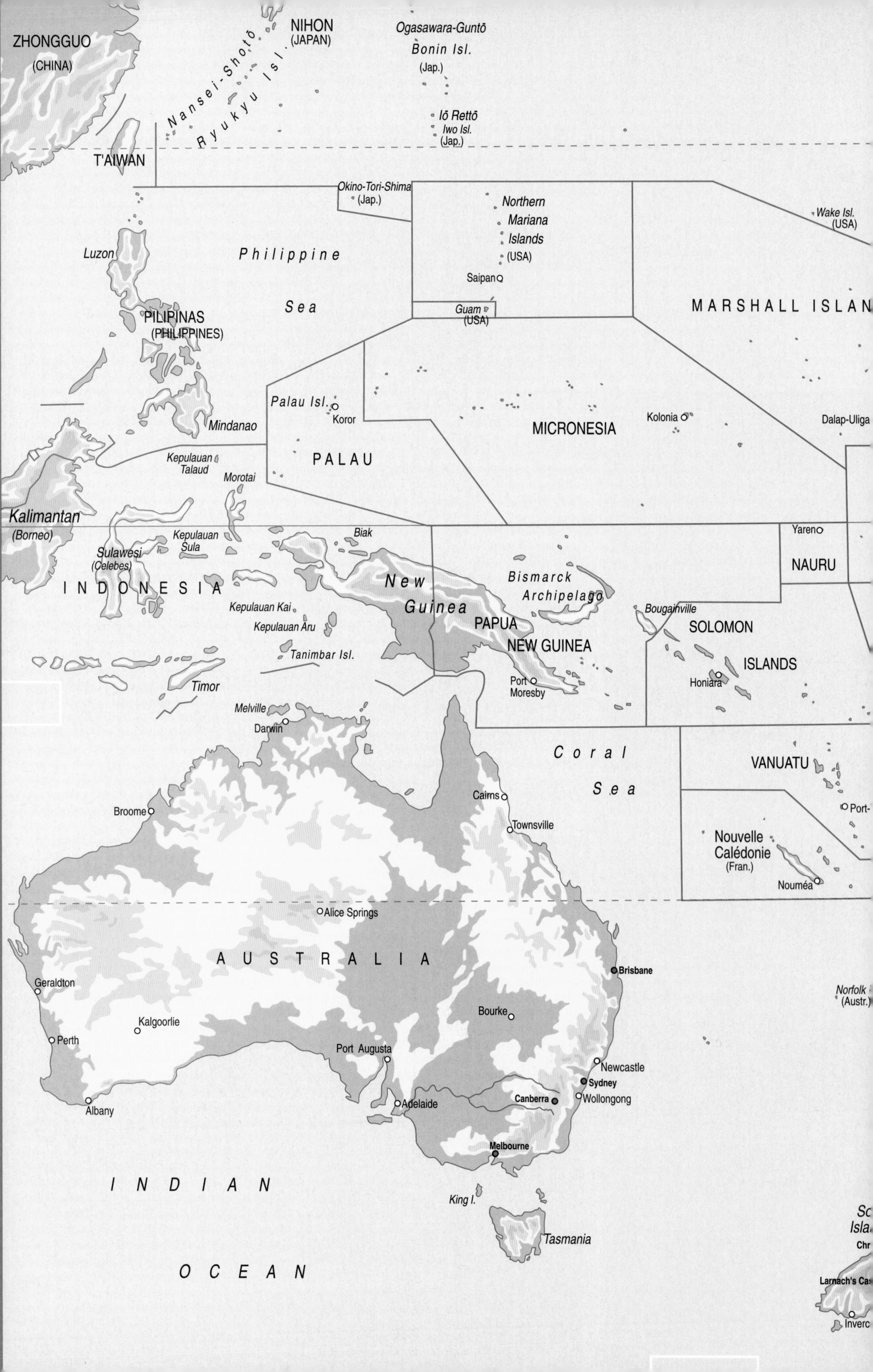

ZHONGGUO
(CHINA)

NIHON
(JAPAN)

Ogasawara-Guntō
Bonin Isl.
(Jap.)

Nansei-Shotō
Ryukyu Isl.

T'AIWAN

Iō Rettō
Iwo Isl.
(Jap.)

Okino-Tori-Shima
(Jap.)

Wake Isl.
(USA)

Philippine

Luzon

Northern
Mariana
Islands
(USA)

MARSHALL ISLAN

Sea

PILIPINAS
(PHILIPPINES)

Saipan

Guam
(USA)

Palau Isl.
Koror

Mindanao

PALAU

MICRONESIA

Kolonia

Dalap-Uliga

Kepulauan
Talaud

Morotai

Kalimantan
(Borneo)

Sulawesi
(Celebes)

Kepulauan
Sula

Biak

New
Guinea

Bismarck
Archipelago

Yaren

NAURU

Kepulauan Kai

INDONESIA

PAPUA
NEW GUINEA

Bougainville

SOLOMON

Kepulauan Aru

Tanimbar Isl.

Port
Moresby

Honiara

ISLANDS

Timor

Melville

Darwin

Coral

VANUATU

Nouvelle
Calédonie
(Fran.)

Port-

Cairns

Sea

Townsville

Broome

Alice Springs

Nouméa

AUSTRALIA

Brisbane

Norfolk
(Austr.)

Geraldton

Bourke

Kalgoorlie

Perth

Port Augusta

Newcastle
Sydney
Wollongong

Albany

Adelaide

Canberra

Melbourne

INDIAN

King I.

So
Isla

Chr

OCEAN

Tasmania

Larnach's Ca

Inverc

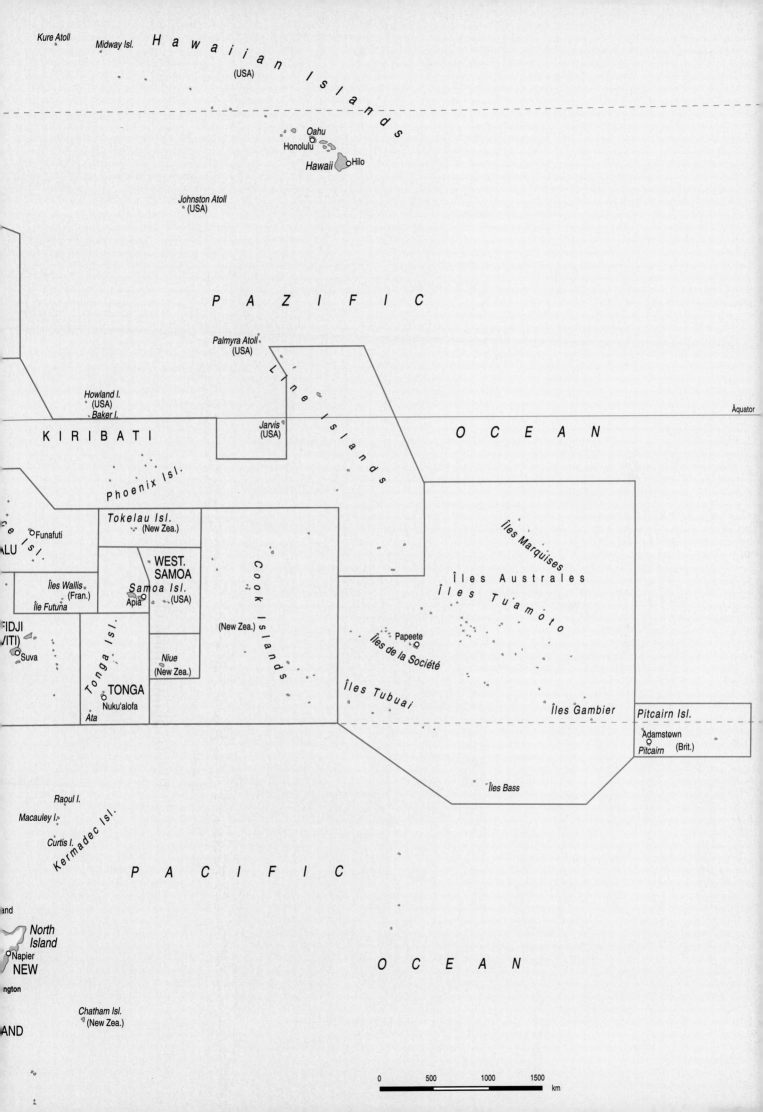

Kure Atoll   Midway Isl.   H a w a i i a n   I s l a n d s

(USA)

Oahu
Honolulu

Hawaii Hilo

Johnston Atoll
(USA)

P A Z I F I C

Palmyra Atoll
(USA)

L i n e   I s l a n d s

Howland I.
(USA)
Baker I.

Äquator

Jarvis
(USA)

K I R I B A T I   O C E A N

Phoenix Isl.

Tokelau Isl.
(New Zea.)

Funafuti

C o o k   I s l a n d s

Îles Marquises

Îles Wallis
(Fran.)

WEST.
SAMOA

Îles A u s t r a l e s
Îles T u a m o t o

Île Futuna

Samoa Isl.
Apia
(USA)

(New Zea.)

FIDJI
(VITI)

Suva

Tonga Isl.

Niue
(New Zea.)

Papeete
Îles de la Société

TONGA

Îles Tubuai

Nuku'alofa

Îles Gambier   Pitcairn Isl.

Ata

Adamstown
Pitcairn   (Brit.)

Îles Bass

Raoul I.

Macauley I.

Curtis I.

Kermadec Isl.

P A C I F I C

and

North
Island
Napier
NEW

O C E A N

ngton

Chatham Isl.
(New Zea.)

AND

0   500   1000   1500

km

City Hall ❶
Brisbane

Les gratte-ciel font ici et là obstacle à la vue, mais on a malgré tout, du haut de la tour de City Hall, une vue d'ensemble sur Brisbane, l'une des plus belles villes australiennes, aux confins orientaux du continent. C'était, du temps de l'achèvement de l'édifice à la fin des années 1920, véritablement exceptionnel, car elle était seule à se dresser vers le ciel au milieu de groupes de maisons beaucoup plus paisibles qu'aujourd'hui. Entre-temps, le site a attiré de nombreuses firmes et des grands trusts qui firent concurrence à la tour. Elle a néanmoins encore beaucoup d'attraits : elle offre des manifestations culturelles et renferme quantité de galeries et d'archives, ainsi qu'un musée.

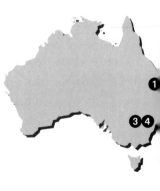

Central Station ❷
Brisbane

En 1901, meurt la reine Victoria et, avec elle, toute une époque. En 1901, les différents États australiens se regroupent en un Commonwealth of Australia, et en 1901, Brisbane, la beauté du Pacifique, se fait construire une gare. L'édifice exprime lui-même ce que les trois événements ont de commun. C'est un édifice de représentation comme ils étaient caractéristiques de l'époque victorienne, qui symbolise l'attachement de l'ancienne colonie à la mère patrie et le progrès que celle-ci apporta sur le continent. Même si l'édifice brique et grès a été entre-temps envahi de tours, il veille sur les traditions.

Ancien parlement ❸
Canberra

En 1911, le parlement de l'État australien, à peine âgé de dix ans, décida de se transférer avec son gouvernement à un endroit qui avait plus de mille sept cents habitants, autant de vaches et deux cent vingt-cinq mille moutons. Les parlementaires, qui avaient siégé jusque-là à Melbourne, durent attendre jusqu'en 1927 avant d'emménager dans leur palais blanc à Canberra. Et la ville, dont le nom vient d'un mot des aborigènes pour « place du rassemblement », mit plus longtemps encore à se faire accepter comme capitale, car la crise économique mondiale et la guerre empêchèrent les travaux d'avancer. Le parlement s'installa en 1988 dans un nouveau bâtiment plus grand. L'ancien est désormais voué à la culture.

Cour suprême ❹
Canberra

La fédération australienne nouvellement constituée se donna en 1903 une Cour suprême formée d'abord de trois juges et siégeant à Melbourne. Peu à peu, le nombre de juges passa de trois à sept, et la Cour fut transférée en 1973 à Sydney, avant de déménager définitivement avec toutes les administrations fédérales en 1980 à Canberra. Le nouveau domicile est un édifice moderne et fonctionnel, qui, grâce à ses nombreuses articulations, échappa au destin de bunker de nombreux autres édifices contemporains. Il a le caractère d'un palais moderne. Il remplit donc sa fonction de faire respecter l'institution par son architecture.

Palais de la gare ❶
Melbourne

Sans le chemin de fer, le développement du plus petit continent, aux dimensions néanmoins gigantesques, aurait duré encore un siècle de plus. Les sociétés de chemin de fer s'enrichirent donc rapidement et purent s'offrir, pour loger leurs gares, des édifices devant lesquels certains palais pâliraient d'envie. Cette gare se trouve à Melbourne, la capitale de Victoria, et c'est donc dans une sorte de style victorien baroque qu'elle est logiquement construite. Dans une ville si moderne, le splendide édifice est un plaisir pour la vue, tant il est diversifié dans les couleurs et les ornements de façade.

Opéra ❷
Sydney

Une ville fait voile vers l'avenir ! Voilà comment on voit à Sydney l'édifice ébauché en 1953 sur les plans de l'architecte danois Jan Utzon, et achevé vingt ans plus tard. L'architecte a voulu avant tout en faire un symbole historique, car, là où se trouve son opéra révolutionnaire, les premiers colons avaient mouillé l'ancre en 1788 avec la première flotte et commencé leur exploration du nouveau continent encore inconnu. Quoi qu'il en soit, architecturalement la ville a fait un bond en avant et s'est créé un emblème hypermoderne de coquilles en béton audacieusement échelonnées.

Palais de la porte du zoo ❸
Sydney

Presque en face du nouvel opéra de la plus grande ville d'Australie, mettant toutes voiles dehors, se trouve le zoo *Tarango* auquel mène un bac. Il va de soi qu'un pays à la faune si curieuse a une grande variété de curiosités zoologiques à montrer. Mais qu'il le fasse avec une porte aussi engageante étonne un peu dans la métropole. C'est un édifice qui date de l'époque victorienne, vers 1900, lorsque construire signifiait encore représenter. Le parc zoologique qui se trouve derrière est donc vaste et somptueux.

Galerie d'art de la Nouvelle-Galles du Sud ❶
Sydney

Il fallut peu de temps à la petite société de choix, après sa décision en 1871 de créer une Académie des beaux-arts en Nouvelle-Galles du Sud, pour la réaliser. En 1879, le premier bâtiment était terminé. Ravagé par un incendie, il fut rem-placé par un édifice plus massif néoclas-sique, lequel protégeait mieux les objets d'art qui n'étaient plus autant exposés aux variations de température. Aujour-d'hui les climatisations maîtrisent ce pro-blème à la perfection. L'idée qui motiva l'édifice, fut qu'après cent ans d'existence comme colonie britannique, l'État devait se préoccuper, non seulement de sa pros-périté économique, mais aussi de l'entre-tien de ses valeurs culturelles.

Queen Victoria Building ❷
Sydney

On parle souvent des temples de la consommation. Cet édifice mérite ce nom dans tous les sens du terme. Le grand magasin rouge-brun, abritant aussi des bureaux, avec ses coupoles de cuivre vert, bordé d'arcades et du nom de la reine britannique Victoria, au cœur de Sydney, fut prévu dès 1893 comme halles et abondamment décoré, comme il n'était d'usage de le faire que pour les monuments religieux. Le style est un mélange de néobaroque, de néoclassicisme et contenant même des traits romans. Quelqu'un eut un jour l'idée de le sacrifier à un parking. C'en fut trop pour la municipalité qui se chargea de le restaurer. La restauration est depuis longtemps amortie par des loyers élevés.

BMA House ❸
Sydney

Le bâtisseur de ce surprenant palais fut la *British* (aujourd'hui *Australian*) *Medical Association*, d'où le sigle BMA. Les médecins s'avérèrent exceptionnellement avant-gardistes en matière d'art, lorsqu'ils acceptèrent, en 1929, les plans de ce géant, dressé en une année. L'art déco était à l'époque un style révolutionnaire, d'autant plus pour un gratte-ciel. Mais tant qu'à faire, la décoration devait se référer à la médecine. En l'examinant de près, un expert reconnaîtra les symboles anglais, australiens et traditionnels de l'art de la médecine. L'autre exploit architectonique de Sydney, son opéra, ne se trouve qu'à deux pâtés de maisons d'ici.

Nouvelle-Zélande
Australie et Océanie

Palais gouvernemental ❶
Wellington

Bâtie en 1840 à l'extrémité méridionale de l'île du Nord, en Nouvelle-Zélande, la ville de Wellington devint en 1865 la capitale du pays et fut, à ce titre, richement pourvue en palais gouvernementaux et administratifs. Il en est un, entièrement fait en bois, qui, par là même, produit d'heureux effets. Ne pouvant atteindre que des hauteurs moyennes, il fut étendu en largeur. Le bois se prête en outre à la finesse d'articulation dans les façades, obtenue par les corniches, et à la décoration des fenêtres surmontées de petits toits. Seul le danger d'incendie est préoccupant, et il reste à souhaiter que les débats à l'intérieur ne s'enflamment pas trop.

Bibliothèque parlementaire ❷
Wellington

Les parlementaires doivent décider de tout, mais nul n'est omniscient. Chaque parlement a donc besoin d'une bibliothèque et d'ingénieux bibliothécaires. La Nouvelle-Zélande ne fait pas exception à cet état de fait universel. Ainsi se constitua un fond de livres si considérable que l'on ne sut plus où les mettre. Il fallait un nouveau logis, commencé en 1898 en style néogothique de l'époque victorienne, près du parlement. Tandis que ce dernier fut en 1907 la proie des flammes, la bibliothèque, légèrement endommagée, demeura. La vue de cet ancien double palais réjouit particulièrement le visiteur, dans une ville aussi moderne.

Parlement ❸
Wellington

Une multitude d'édifices de la capitale de Nouvelle-Zélande furent détruits parce qu'ils avaient été construits avec beaucoup de bois, qui attire littéralement le feu. Mais dans le cas du parlement, le nouvel édifice ci-contre fut ainsi construit par manque de place. Il fut ainsi aménagé pour qu'il pût contenir la salle plénière et les bureaux des députés, et ainsi conçu pour qu'il accrochât le regard dans la ville moderne. Le peuple le nomme « la ruche » (*Beehive*). Son rang architectural est relevé par le cadre de son site, entre un jeune gratte-ciel et un bâtiment néoclassique du début de l'époque coloniale.

Canterbury Museum ❹
Christchurch

Les immigrants anglais aimaient donner aux endroits où ils s'installaient des noms évoquant le pays. C'est ainsi que Christchurch, la ville la plus importante de l'île du Sud néo-zélandaise, se trouve dans les *Canterbury Plains*, qu'elle a une *Canterbury University* et un *Canterbury Museum*, ci-contre.

Fondé en 1867, il porte des traits néogothiques très britanniques et rappelle, avec sa situation près du Jardin botanique, les parcs et les pelouses anglais. Deux millions d'objets relatifs à l'histoire de la Nouvelle-Zélande y sont exposés.

Otago University ❺
Dunedin

En se promenant dans la ville de Dunedin, fondée bien sûr aussi par des immigrants écossais, dans la partie méridionale de l'île du Sud néo-zélandaise, on se sent comme relégué aux fins fonds de l'Écosse. Encorbellements et pignons, tourelles et combles pointus parent les vieux bâtiments de la seconde moitié du XIXᵉ siècle auxquels appartient aussi le complexe de l'université d'Otago fondée en 1869. Il s'offre même une tour, devenue l'emblème de la ville et qui, dans son coquet habit néogothique, semble être calquée sur les vrais *colleges* gothiques des universités britanniques. Ce doit être un plaisir de faire ses études dans ce cadre.

Château de Larnach ❻
presqu'île d'Otago

Une œuvre architecturale de maître attend le visiteur à peu de kilomètres de Dunedin, sur la presqu'île d'Otago. Un ministre et banquier du nom de Larnach fit construire le château en 1871 pour en faire cadeau à sa femme Eliza. Elle l'inaugura en 1877, mais il fallut encore un certain temps avant qu'arrivent d'Europe les meubles de choix que l'époux avait décidé d'y mettre pour que sa femme ne manquât de rien. La légèreté donnée à l'édifice néo-Renaissance, par une loggia aux fines colonnes, rappelant l'architecture italienne, est surprenante.

473

Index

Crédits photographiques

Toutes les photos proviennent de chez Silvestris, Kastl, droits de reproduction réservés.